Dʳᵉ GAËLLE VEKEMANS
PÉDIATRE

L'ABC
de la santé des enfants

LES ÉDITIONS **LA PRESSE**

Catalogage avant publication de
Bibliothèque et Archives nationales du Québec
et Bibliothèque et Archives Canada

Vekemans, Gaëlle

L'ABC de la santé des enfants
Comprend un index.
ISBN 978-2-89705-056-6
1. Enfants - Maladies - Ouvrages de vulgarisation. 2. Enfants - Santé et hygiène. 3. Enfants - Maladies -
Traitement - Ouvrages de vulgarisation. I. Titre.
RJ61.V44 2013   618.92   C2013-940331-0

Directrice de l'édition : **Martine Pelletier**
Éditrice déléguée : **Nathalie Guillet**
Conception graphique : **Cyclone Design Communications**
Mise en page : **Bruno Paradis**
Photographie de la couverture : **Ivanoh Demers**
Illustrations : **Amélie Fleurant**
Révision : **Natacha Auclair**
Correction d'épreuves : **Yvan Dupuis**

LES ÉDITIONS **LA PRESSE**

Présidente Caroline Jamet

Les Éditions La Presse
7, rue Saint-Jacques
Montréal (Québec)
H2Y 1K9

L'éditeur bénéficie du soutien de la Société de développement
des entreprises culturelles du Québec (SODEC) pour son programme
d'édition et pour ses activités de promotion.

L'éditeur remercie le gouvernement du Québec de l'aide financière
accordée à l'édition de cet ouvrage par l'entremise du Programme
de crédit d'impôt pour l'édition de livres, administré par la SODEC.

Nous reconnaissons l'aide financière du gouvernement du Canada
par l'entremise du Fonds du livre du Canada (FLC).

MERCI

À toux ceux qui ont cru à ce projet,
et m'ont épaulée dans sa réalisation,

À Nathalie, ma patiente et compréhensive éditrice.

Et plus spécialement à mes trois merveilleuses filles, Eloïse, Alixe et
Noémie, qui ont certainement fait de moi une meilleure pédiatre et
pour qui, jour après jour, j'essaie d'être une meilleure maman.

TABLE DES MATIÈRES

MOT DE L'AUTEURE

Soudainement, il est le centre de votre univers.

Il est votre joie,

Il est votre fierté,

Il est votre sourire.

Il est parfois votre colère,

Et souvent votre impatience.

Et tout s'arrête lorsqu'il devient votre inquiétude...

La plus belle récompense quotidienne de mon rôle de pédiatre reste bien évidemment de voir grandir vos petits en santé. Mais quelle satisfaction de recevoir en retour votre confiance.

Ce livre vous appartient : il se veut rassurant, apaisant, mais aussi éclairant, et rationnel. Et par-dessus tout, il sera, je l'espère, l'appui qui donnera force à votre petite voix intérieure de parents...

Gaëlle Vekemans
Pédiatre

COMME
ANTOINE

ACNÉ

Comme la grande majorité de ses amis, Antoine, 15 ans, craint de croiser le miroir chaque matin, et ce, même s'il vous affirme le contraire. Autant il voit arriver ses poussées de croissance avec fierté, autant ses poussées d'acné ne lui font pas très plaisir.

L'acné fait partie de la vie de 8 adolescents sur 10, et même s'il est difficile de la faire disparaître complètement, il est tout à fait possible de réduire considérablement les dégâts.

 QU'EST-CE QUI SE PASSE ?

Le fameux bouton d'acné est le résultat d'une combinaison de plusieurs facteurs :

> Le follicule pilosébacé qui produit le sébum, une substance grasse servant à protéger notre peau, est stimulé par les fluctuations hormonales d'Antoine en pleine adolescence.

> Le canal de sortie de ce follicule s'obstrue, car la peau devient plus épaisse en surface, emprisonnant ainsi l'excès de sébum. On parle alors de comédon ouvert (point noir) ou de comédon fermé (point blanc).

> Et là, la fête commence… Une bactérie nommée *Propionibacterium acnes* profite de ce garde-manger de sébum pour se multiplier et créer une inflammation : un bouton.

> Malheureusement, petit bouton peut devenir grand et laisser de vilains souvenirs, les cicatrices.

À FAIRE

> **Nettoyez** la peau deux fois par jour avec des produits nettoyants doux et non parfumés.

> **Traitez**

> Plusieurs traitements efficaces peuvent aider Antoine. Selon le type, l'étendue et l'importance de ses lésions d'acné, on préférera un ingrédient actif plutôt qu'un autre. Vous pouvez en discuter avec votre médecin ou votre pharmacien.

> Vous retrouverez en vente libre des lotions, gels et crèmes à base de peroxyde de benzoyle ou d'acide salicylique qui peuvent parfaitement convenir pour une acné plus légère ou même modérée. D'autres, à base d'antibiotiques ou de rétinoïdes (dérivés de la vitamine A), nécessitent d'obtenir une ordonnance de votre médecin. Parfois, on combinera certains ingrédients pour en augmenter l'efficacité.

> Si une application locale des traitements ne donne pas les résultats escomptés, des antibiotiques oraux, des contraceptifs oraux chez la jeune fille et même des dérivés de la vitamine A puissants pourraient être considérés.

> Règle numéro un : suivez à la lettre les conseils, ne vous découragez pas et n'abandonnez pas au bout de quelques semaines...

> **Hydratez** la peau avec une crème légère non comédogène si les traitements utilisés ont tendance à assécher la peau.

À BAS LES MYTHES !

Antoine fait de l'acné parce qu'il ne se lave pas suffisamment

= FAUX

Un nettoyage trop énergique ou trop fréquent irrite la peau et ne fera, en fait, qu'exacerber la production de sébum et donc l'apparition de boutons. Un nettoyage à l'eau tiède, deux fois par jour, avec un nettoyant doux non parfumé est suffisant.

Antoine fait de l'acné parce qu'il mange mal

= FAUX

Il n'y a aucun lien entre l'alimentation et l'acné... Mais ça, vous n'êtes pas obligé de le lui dire !

Antoine est contagieux et peut donner de l'acné à ceux qui le touchent

= ARCHIFAUX

Antoine doit aller au salon de bronzage pour aider à faire disparaître son acné

= FAUX ET DANGEREUX

Le soleil et les rayons UV sont des traîtres : de façon transitoire, ils semblent diminuer les lésions d'acné en asséchant les boutons. Pourtant, en s'exposant à ces rayons nocifs, Antoine épaissit la couche superficielle de sa peau et bloque d'autant plus les petits canaux des follicules pilosébacés, d'où une augmentation des « trappes » à sébum. Sans compter tous les autres effets dévastateurs des rayons UV...

La petite copine d'Antoine devrait complètement renoncer au maquillage pour ne pas avoir d'acné

= ELLE EST BIEN JOLIE SANS MAQUILLAGE, MAIS FAUX

Il faut simplement choisir les bons produits, ceux qui sont non comédogènes, et SURTOUT se démaquiller à la fin de la journée.

CONSULTEZ

Surtout, n'hésitez pas à consulter dès les premiers boutons, même si Antoine nie complètement le malaise.

· ·

ALLERGIE AU LAIT

Voir aussi Allergies alimentaires, Lait et intolérance au lactose

Antoine n'a pas encore deux mois et il a déjà goûté à plus de trois laits différents. Typique. La valse des laits a débuté sur les bons conseils de tout un chacun parce qu'on trouve que bébé Antoine, et je cite, « n'a pas l'air de bien digérer » : il passe des gaz, régurgite, se tortille et reste littéralement « greffé » à vous toute la soirée. Ne sautez pas si vite aux conclusions : Antoine n'a probablement aucun problème de digestion, c'est tout simplement un bébé !

Qu'est-ce qui se passe ?

L'allergie véritable au lait apparaît avant que bébé n'ait soufflé sa première bougie, alors que l'intestin de votre chéri demeure relativement immature. L'élément en cause ici est une protéine retrouvée dans le lait de vache et, donc, dans tout ce qui en dérive, comme les produits laitiers. Beaucoup plus rarement, Antoine pourrait aussi réagir aux protéines du bœuf et du veau. Les formules de lait maternisé sont pour la plupart préparées à partir de lait de vache et contiennent donc cette protéine.

Avant de jeter le nouveau lait que vous venez d'acheter – parce que mon petit doigt me dit qu'Antoine n'a pas changé de chanson –, révisons ensemble les signes qui doivent faire sonner la cloche « allergie ».

Quels sont les signes ?

Souvent :

> pleurs et irritabilité… et pas seulement en soirée ;

> vomissements en jets ;

> diarrhées répétées ;

> sang dans les selles ou selles noires ;

> refus de boire ;

> gain de poids insuffisant ;

> perturbations du sommeil.

Moins souvent :

> éruption sur la peau (comme l'eczéma ou l'urticaire) ;

Bon à savoir

Petit indice, si Antoine est allergique à son lait, il le sera lors de chaque boire, 24 heures sur 24…

Et si c'était effectivement une allergie ? Le traitement est assez simple : retirez cette protéine de son alimentation.

Antoine est allaité :

c'est maman qui va devoir se passer de café au lait et de *grilled cheese* pendant quelque temps. Il faudra plusieurs jours de diète sans produits laitiers avant de constater des changements significatifs dans le comportement de votre petit loup ; ce ne sera pas instantané.

Antoine est au biberon :

vous aurez à lui donner une formule hypoallergénique à base d'hydrolysat de caséine. Il existe différents laits de ce type sur le marché (p. ex. : Nutramigen, Alimentum). On laisse de côté les laits à base de protéines de soya, car une allergie à ces protéines pourrait survenir chez presque un tiers des bébés allergiques à la protéine du lait de vache.

> pâleur (anémie);
> difficultés à respirer ou respiration sifflante;
> gonflement des lèvres, du visage ou de la gorge.

☩ —CONSULTEZ EN URGENCE

Si Antoine respire mal ou qu'il semble faire une réaction allergique subite et sévère, **appelez le 911.**

À QUOI S'ATTENDRE ?

À l'âge de 18 mois, cette allergie ne sera heureusement qu'histoire du passé chez la grande majorité des enfants.

· ·

ALLERGIES ALIMENTAIRES

Voir aussi Allergie au lait, Lait et intolérance au lactose

Premières bouchées d'un nouvel aliment. Vous êtes sur vos gardes et à la moindre régurgitation, à la plus minuscule plaque rouge sur le bout du nez d'Antoine, ça y est, la conclusion semble sauter aux yeux : Antoine est allergique ! Je comprends parfaitement ce petit moment d'anxiété, mais ce n'est fort heureusement pas toujours une allergie, parce que si l'on ne se fiait qu'au nombre de plaques rouges qu'un bébé peut collectionner par semaine sur sa jolie frimousse, il faudrait cesser de le nourrir.

QU'EST-CE QUI SE PASSE ?

En fait, c'est le système immunitaire qui s'emballe et qui réagit de façon exagérée à ce qu'il perçoit comme un ennemi (allergène).

L'ennemi peut avoir différents visages et «attaquer» de différentes façons :

> par la voie orale (p. ex. : arachides, œufs, lait, antibiotiques);

> par les voies respiratoires (p. ex. : pollen, herbe à poux, poussière);

> par la voie épidermique (p. ex. : piqûre de guêpe).

Parfois, la réponse sera immédiate, soit dès le premier contact, mais la plupart du temps, quelques expositions à l'ennemi seront nécessaires avant qu'il se produise quelque chose.

Quels sont les signes ?

Il faut comprendre que notre système immunitaire n'enverra pas toujours les mêmes soldats au combat, ce qui aura pour effet de faire varier les types de réactions et de symptômes selon l'allergène en cause.

La réaction la plus redoutée, celle où notre système immunitaire sort l'artillerie lourde, c'est l'**anaphylaxie**. C'est une réaction grave qui demande une intervention **immédiate**. Croyez-moi, il est difficile de passer à côté de celle-là.

Appelez le 9-1-1

Il y a urgence si, après sa bouchée de beurre d'arachides, Antoine :

> devient rouge et que son visage, son cou, ses yeux ou ses lèvres gonflent ;

> a des démangeaisons intenses ou des plaques d'urticaire ;

> respire rapidement et difficilement, tousse sans arrêt ou a une respiration sifflante ;

> n'arrive plus à avaler, a la langue gonflée, ne peut plus parler ou semble étouffer ;

> vomit de façon répétée et a très mal au ventre ;

> a le cœur qui bat très rapidement ;

> a le teint pâle, les extrémités froides, n'est pas réactif comme d'habitude ou perd connaissance.

Consultez

Si Antoine :

> fait de l'eczéma ou a des problèmes de peau récurrents ;

> a souvent le nez congestionné ou le nez qui coule ;

> se plaint de mal de ventre intermittent ou de nausées, ou s'il vomit occasionnellement ;

> a des diarrhées de temps en temps.

Il se peut que ce soit des symptômes d'allergie alimentaire, mais il y a de grandes chances que ce soit autre chose. Si vous remarquez qu'un aliment semble ne pas convenir à Antoine, parlez-en à votre médecin. Certains tests cutanés ou sanguins peuvent parfois nous aider à élucider l'énigme.

Quel est le traitement ?

Pour une réaction allergique de type anaphylactique, on prescrit des dispositifs d'auto-injection d'épinéphrine (p. ex. : EpiPen) afin de pouvoir réagir immédiatement si Antoine est de nouveau en contact avec, dans ce cas-ci,

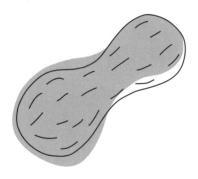

Ça vous stresse déjà («Une piqûre, ouf...»), mais ce dispositif n'est pas compliqué à utiliser, promis, et il peut sauver la vie d'Antoine. Je recommande en général d'en garder un à portée de la main, peu importe le lieu: à la maison, au chalet, dans le sac à main de maman, à l'école... Mais pas dans le coffre à gants de l'auto au gros soleil, s'il vous plaît! Un autre petit truc de sécurité: munir Antoine d'un bracelet indiquant son allergie, pour les quelques fois où vous n'êtes pas là.

l'arachide. Cette injection simple vous permet donc d'administrer de l'épinéphrine à Antoine dès que les premiers symptômes de la réaction apparaissent, d'atténuer rapidement l'inconfort et les difficultés respiratoires d'Antoine et de vous rendre sans délai à l'urgence la plus proche.

Ça peut vous agacer à l'occasion, mais c'est aussi pour protéger notre petit Antoine que la garderie, l'école, le camp de jour et autres vous demandent gentiment de faire attention à ce que vous mettez dans la boîte à lunch de votre chaton.

BON À SAVOIR

Quels aliments sont les plus susceptibles de provoquer une réaction allergique?

> Les arachides
> Les noix
> Les œufs
> Le soya

> Le blé
> Les crustacés
> Les poissons
> Le lait

Il y en a d'autres, évidemment, comme les kiwis, les fraises, le sésame, le pavot, les pois, les légumineuses, et j'en passe.

On pense que les familles allergiques ont avantage à retarder le plus possible l'introduction des aliments allergènes. Dans ce contexte, l'allaitement exclusif jusqu'à quatre ou six mois jouerait un rôle protecteur important. Selon l'histoire allergique de votre famille, on vous recommandera d'éviter certains aliments durant l'allaitement. Par la suite, on conseille d'attendre l'âge de 18 mois pour les œufs et de trois ans pour les fruits de mer, les poissons et les produits contenant des arachides ou des noix.

On est d'accord sur le fait que le choc anaphylactique confirme que l'allergie à l'aliment est bel et bien réelle. Aucun doute ici. Cependant, les allergies alimentaires ont le dos large et on leur attribue malheureusement une panoplie de malaises et de bobos moins spécifiques, sans être bien certain du lien de cause à effet. Il en résulte parfois la mise au rancart sans raison valable de plusieurs aliments jugés coupables de provoquer des allergies chez Antoine.

À QUOI S'ATTENDRE ?

Certaines allergies disparaissent plus facilement que d'autres. C'est le cas de l'allergie au lait et de l'allergie au soya, qui se résorbent autour de l'âge de 18 mois, et de l'allergie à l'œuf, qui disparaît spontanément entre trois et cinq ans. D'autres sont plus coriaces: les allergies aux arachides, aux noix et aux crustacés persistent souvent toute la vie.

ALLERGIES RESPIRATOIRES

Pauvre Alexandre... L'arrivée du printemps est pour lui synonyme de nez qui coule en permanence, de reniflements, d'yeux qui piquent et de chatouillements continuels et agaçants dans le fond du palais (ce qui le fait d'ailleurs se racler la gorge comme un écureuil). Vous comprenez bien le malaise, vous êtes exactement pareil... Quelle famille !

QU'EST-CE QUI SE PASSE ?

L'allergie respiratoire, ou **rhinite allergique**, se produit lorsque, dans un élan un peu trop énergique de protection, notre système immunitaire nous défend férocement contre une substance étrangère qui, en fait, est tout à fait inoffensive. Le méchant, pas vraiment méchant, s'appelle **allergène**.

En voici quelques-uns :

> Les acariens, de minuscules insectes présents dans la poussière et dans les endroits chauds et humides comme le matelas d'Alexandre. Leur repas préféré ? Les squames de peau morte (agréable, n'est-ce pas ?).

> Les pollens de fleurs, d'herbes, d'arbres... bref, de tout ce qui pousse.

> Les animaux à poils ou à plumes, leurs squames de peau, leur salive, leur urine, etc.

> Les moisissures.

Dans son arsenal de guerre, votre corps possède une substance nommée **histamine** qui est relâchée durant la bataille et qui est un peu responsable des manifestations de vos allergies.

Quels sont les signes ?

On n'est pas obligé de tous les avoir pour être allergique, mais ça ressemble un peu à :

> des éternuements, des reniflements ;

> un écoulement nasal liquide et transparent ;

> un nez bloqué, congestionné ;

> un besoin de se moucher (« mais il n'y a rien qui sort ! ») ;

> le nez qui pique, les yeux qui piquent, la gorge qui pique et même les oreilles qui piquent parfois ;

> des yeux rouges (**conjonctivite** allergique), gonflés, cernés.

À faire

Le meilleur traitement pour éviter de vider une boîte de mouchoirs toutes les heures, c'est de fuir les allergènes. Ça ne veut pas dire pour autant qu'Alexandre doit, pour le restant de ses jours, porter une bulle sur sa tête d'avril à octobre... Mais il y a certainement des petites choses qui peuvent améliorer sa condition.

Évidemment, c'est plus efficace quand on sait où on doit diriger ses efforts. Des tests d'allergie effectués sur la peau peuvent nous éclairer et donc guider notre stratégie d'évitement. Parlez-en à votre médecin, il vous dirigera vers un spécialiste qui fera passer et analysera ces tests (et non, ça ne fait pas mal). Des gouttelettes contenant les différents allergènes testés sont déposées sur la peau de l'avant-bras d'Alexandre et, à l'aide d'une minuscule aiguille, on effleure sa peau pour que l'allergène puisse y pénétrer un peu. On mesure ensuite la réaction obtenue. Vous savez alors sur-le-champ ce qui doit sortir de la maison (en croisant fort fort les doigts pour que ce ne soit pas Pitou ; je sais, pas facile...).

> Si c'est Pitou, Minou, Chouchou et compagnie le coupable, la solution n'est pas compliquée... Elle est juste difficile à appliquer.

> Diminuez les cachettes pour la poussière : tapis, toutous, rideaux, plantes… Et surtout dans la chambre d'Alexandre. Passez souvent l'aspirateur.

> Lavez la literie à l'eau chaude. Et de grâce, pas de « draps santé » : utilisez préférablement des draps en coton.

> Si Alexandre est allergique à la poussière, recouvrez l'oreiller et le matelas de housses antiacariens, ça peut donner un bon coup de main.

> Assurez-vous que le taux d'humidité dans la maison se situe entre 30 % et 45 %. Avec une humidité plus élevée, vous donnez toutes les chances aux acariens et aux moisissures de se développer.

> Si Alexandre est allergique aux pollens, fermez les fenêtres, autant que possible, durant les périodes de forte concentration de ces allergènes dans l'air. Si vous avez la chance d'avoir un système de climatisation, c'est le bon moment d'en profiter.

QUEL EST LE TRAITEMENT ?

Antihistaminiques

Toute une gamme d'antihistaminiques est vendue à la pharmacie, sans aucun besoin d'ordonnance. Votre pharmacien pourra vous orienter : sirop, comprimé à effet de 12 heures ou à effet de 24 heures, somnolence ou pas, parfum de raisin ou de fraise… Ces médicaments peuvent sans aucun doute aider Alexandre à passer à travers les périodes plus corsées d'éternuements, de congestion, et du combo démangeaisons nez-palais-gorge. Des gouttes antihistaminiques pour les yeux existent aussi, mais il faut une ordonnance pour se les procurer.

Corticostéroïdes

Dès que le mot « stéroïdes » apparaît dans une formule médicamenteuse, je sens votre crainte. Pourtant, bien utilisés, les corticostéroïdes en inhalation (p. ex. : Nasonex, Nasacort, Flonase, etc.) sont non seulement très efficaces mais aussi sécuritaires. Ils ne sont évidemment pas prescrits à toutes les sauces, mais si Alexandre passe son été à respirer par la bouche, à parler du nez et à ronfler comme un ours à cause de ses allergies, c'est le temps d'y penser.

Dans l'éventualité où Alexandre est sur le point de vous demander d'aller habiter dans le désert pour éviter cette période pénible, discutez avec votre médecin de la possibilité d'une désensibilisation… Bon, il faudra alors préparer Alexandre à recevoir régulièrement des injections pendant plusieurs années, mais… Finalement, le désert, ça peut être pas mal !

ANÉMIE

C'est le rendez-vous de routine de votre petit Alexandre, neuf mois, et vous vous inquiétez du fait qu'il est moins actif et a l'air plus fatigué depuis quelque temps. Son appétit a même un peu diminué. Son médecin le trouve pâle et vous propose de vérifier par une prise de sang s'il ne fait pas de l'anémie... « Quoi, si jeune ? » C'est votre grand-mère qui souffre d'anémie !

Eh bien oui...

QU'EST-CE QUI SE PASSE ?

Nos globules rouges contiennent de l'hémoglobine, responsable du transport de l'oxygène dans la totalité du corps humain (tissus, organes et muscles). La fabrication de cette hémoglobine dépend, entre autres, d'un apport suffisant en fer, obtenu principalement par l'entremise d'une alimentation diversifiée. Un déficit en fer ralentit la production de l'hémoglobine, nuit au transport d'oxygène et rend les globules rouges petits et pâles, d'où le manque d'entrain et la triste mine de votre adorable Alexandre.

L'anémie par **manque de fer** est la plus fréquemment rencontrée chez

BON À SAVOIR

D'autres conditions peuvent aussi être à l'origine d'une anémie :

> Une carence alimentaire (p. ex.: en vitamine B$_{12}$ ou en acide folique).

> une perte de sang (p. ex.: lors de menstruations anormales chez l'adolescente).

> Des maladies génétiques affectant la production de l'hémoglobine et des globules rouges (p. ex.: anémie falciforme et thalassémies).

> Une intoxication par le plomb.

> Certaines infections et plusieurs maladies chroniques.

l'enfant et, comme dans plusieurs cas, en regardant attentivement la diète d'Alexandre, on remarquera que notre joufflu nourrisson affectionne particulièrement son biberon de lait, laissant peu de place, dans son petit estomac, aux aliments solides riches en fer.

QUEL EST LE TRAITEMENT ?

Pas de panique… Il suffit la plupart du temps de rajuster la diète de fiston en favorisant les aliments solides riches en fer (viandes, volailles, poissons, légumineuses, céréales enrichies, etc.) et en diminuant sa consommation de lait. Votre médecin lui prescrira peut-être un supplément de fer à prendre avec du jus de fruits, car on sait que la vitamine C augmente l'absorption du fer par le système digestif. Une analyse sanguine de contrôle permettra de revérifier le niveau d'hémoglobine quelques semaines plus tard.

Quelle que soit la cause de l'anémie d'Alexandre, il faut toujours garder en tête que le suivi médical demeure important, car cette condition peut, à long terme, nuire au développement de votre enfant.

ANOREXIE
ET TROUBLES DE LA CONDUITE ALIMENTAIRE

Antoine est un peu à l'envers. Il vous raconte en mangeant son deuxième biscuit que la sœur de son meilleur ami vient d'être hospitalisée pour de l'anorexie. Ouf. Toute la famille semble avoir été très affectée par ce diagnostic. En rangeant le paquet de biscuits dans le garde-manger, vous vous demandez : « Et si mon Annabelle en souffrait, je m'en rendrais compte comment ? »

QU'EST-CE QUI SE PASSE ?

Les troubles de la conduite alimentaire peuvent survenir assez sournoisement dans la vie de votre ado. On parle beaucoup au féminin ici, car ces conduites touchent principalement les jeunes filles. Pourquoi ma fille ?

Plusieurs facteurs peuvent entraîner un trouble de la conduite alimentaire :

> Des facteurs génétiques : histoire de troubles alimentaires dans la famille.

> Des facteurs sociaux : pression des médias, culte de la minceur.

> Des facteurs personnels : certaines activités (danse, gymnastique, plongeon, etc.), expériences personnelles traumatisantes, perfectionnisme, pauvre estime de soi, contexte familial rigide.

Les parents et la famille de la jeune fille atteinte sont rarement une partie du problème et font plutôt partie de la solution : leur soutien sera capital dans le cheminement vers la guérison.

L'anorexie se définit principalement par une peur obsédante de prendre du poids et une diminution marquée des apports alimentaires. La jeune fille a une image tout à fait distordue d'elle-même et se perçoit comme ayant un surplus de poids majeur alors qu'elle est en fait très mince, pour ne pas dire maigre.

La boulimie amène l'adolescente à consommer des quantités impressionnantes d'aliments et, rongée de culpabilité, à utiliser par la suite tous les moyens possibles pour éviter de prendre du poids : vomissements, laxatifs, exercices intenses…

Bien souvent, d'autres conditions comme une perte d'estime de soi, des comportements obsessifs, une humeur dépressive, de l'irritabilité et de la colère s'ajoutent au tableau.

QUELS SONT LES SIGNES ?

Ce qui vous inquiète le plus, c'est effectivement de passer à côté des signes, de ne pas savoir reconnaître les indices qui vous pousseront à aller chercher de l'aide pour votre grande et vous-même.

Si vous reconnaissez votre ado dans les exemples suivants, consultez votre médecin qui vous dirigera vers les ressources appropriées par la suite :

> Elle perd du poids.

> Elle a peur de prendre du poids, elle en fait une obsession.

> Elle se pèse sans arrêt.

> Elle se voit grosse ; elle a une vision distordue de la réalité.

> Elle accorde une importance démesurée à l'apparence.

> Elle contrôle de façon excessive la quantité et la qualité des aliments qu'elle mange, elle décide de ses propres repas.

> Elle mange très lentement et elle coupe ses aliments en très petits morceaux.

> Elle contrôle l'alimentation des autres membres de la famille.

> Elle connaît les valeurs caloriques de beaucoup d'aliments.

> Elle ne mange pas en même temps que tout le monde.

> Elle passe beaucoup de temps à la salle de bain après les repas.

> Elle a de grosses fringales par moments, et votre garde-manger se vide soudainement.

> Elle semble avoir sauté des menstruations.

> Elle consomme des laxatifs.

> Elle est soudainement très active physiquement.

BON À SAVOIR

Les troubles de la conduite alimentaire ne sont pas une forme d'opposition : votre Annabelle ne le fait pas exprès. Son comportement alimentaire lui confère un sentiment de contrôle. C'est un moyen pour votre grande de se sentir mieux et dans lequel elle est malheureusement prise au piège.

À FAIRE

> Dites à votre enfant que vous vous inquiétez et que vous voulez l'aider.

> Écoutez et ne portez pas de jugement. C'est le moment d'essayer de comprendre sans la blâmer, la critiquer ou la culpabiliser.

> Arrêtez de chercher un coupable.

> Ne faites aucun commentaire, même positif, sur son apparence. Ça ne fait qu'ajouter de l'importance à son aspect physique et à son poids.

CONSULTEZ

Ne vous mettez pas la tête dans le sable. Vous allez avoir besoin d'aide. Ce n'est pas seulement une «mauvaise passe».

ANTIBIOTIQUES

C'est l'enfer, Antoine crache systématiquement les antibiotiques qui lui ont été prescrits pour son amygdalite. Vous avez tout essayé : faire le clown, dissimuler la mixture dans du Nutella, promettre des récompenses, des bonbons... Au point où vous vous demandez maintenant : «Est-ce bien nécessaire ?»

QU'EST-CE QUI SE PASSE ?

Votre question est tout à fait légitime – et, je sais, vous aimeriez bien que je vous réponde non –, mais la réponse n'est pas si simple. Certaines infections auront beau être arrosées des antibiotiques les plus puissants de la planète, cela ne changera strictement rien à leur évolution (pensons par exemple à la multitude de rhumes qu'Antoine attrape à la garderie). Par contre, dans certains cas, les antibiotiques deviennent essentiels (par exemple lorsqu'un de ces rhumes tourne au vinaigre et se transforme en une otite carabinée)...

C'est comme dans n'importe quoi : si vous essayez de planter un clou avec votre tournevis, même si ce dernier est un modèle vanté par tous les bricoleurs du dimanche, vous n'aurez aucun succès ni applaudissement de votre entourage. Le principe est le même pour les antibiotiques : il faut cibler non seulement la bonne famille de germes (la sorte de clou), mais aussi l'intensité avec laquelle il faut traiter l'infection (la grosseur du marteau et la force de frappe), tout en s'adaptant aux caractéristiques, à la sensibilité et à la résistance du germe visé (grosseur, longueur, solidité du clou). Vous comprenez entre les lignes que seul votre médecin, avec l'aide de votre pharmacien, est le bon bricoleur à consulter ici pour déterminer s'il est effectivement « nécessaire » de torturer Antoine.

En plus d'être aux prises avec une utilisation inadéquate des antibiotiques, nous rencontrons malheureusement aussi de plus en plus souvent des microbes résistant aux traitements. Si nous voulons conserver l'efficacité de cette arme indispensable à la lutte contre les infections que sont les antibiotiques, il est primordial de les utiliser au bon moment et de la bonne façon. Chez les enfants plus grands, il est de plus en plus fréquent d'attendre quelques jours avant de leur administrer un antibiotique pour traiter une infection (une otite, par exemple), ce qui permet de réduire la durée du traitement.

À FAIRE

On n'a pas le choix ? Voici quelques principes et règles à suivre :

> Ne vous leurrez pas : un antibiotique n'est pas la solution pour tous les bobos.

> Assurez-vous de suivre les indications du pharmacien et n'hésitez pas à lui poser vos questions.

> Donnez toujours TOUS les antibiotiques prescrits, même si Antoine semble être en pleine forme : les bactéries non éliminées

BON À SAVOIR

Un **antibiotique** est une médication utilisée pour traiter une infection bactérienne, telle qu'une infection urinaire, une amygdalite à streptocoques ou une pneumonie.

Un **antiviral** est une médication utilisée pour traiter les infections virales nécessitant un traitement, comme une varicelle grave, une grippe (influenza) ou un herpès important.

Un **antifongique** est une médication utilisée pour traiter les champignons (p. ex. : un muguet ou un pied d'athlète).

pourraient reprendre de la vigueur et, rebelote, vous repartiriez à la case départ.

> Deux jours plus tard, Annabelle – sa sœur jumelle – développe à peu près les mêmes symptômes qu'Antoine, ce qui vous donne l'idée de lui administrer le même médicament. Ils partagent PEUT-ÊTRE la même bibitte… mais pas question de partager la même bouteille d'antibiotiques!

> Tiens! le pharmacien avait prévu le coup des crachements en série et en avait mis plus que pas assez dans la bouteille, il vous en reste donc un peu… Ne les gardez PAS dans le frigo pour une prochaine fois. Rapportez-les à votre pharmacien. Il les détruira de façon sécuritaire.

CONSEILS DE MAMAN

> Pour tout médicament liquide, si vous utilisez une pipette, une seringue ou tout autre engin de torture, faites couler le médicament en petite quantité dans la joue d'Antoine et non directement au fond de sa gorge, ce qui garantirait le renvoi immédiat de la marchandise.

> Si votre pharmacien vous confirme qu'il n'y a pas de problème, vous pouvez diluer l'antibiotique dans un peu de jus de fruits, une cuillère de compote ou – le milieu que je préfère pour un camouflage de goût infaillible – un peu de fromage frais de type Minigo.

> Certaines pharmacies vous offrent la possibilité d'ajouter une saveur à la médication liquide, présentée alors sous une forme qui ressemble à de la barbotine!

> Pour nos grands, les comprimés sont parfois difficiles à avaler. Soyez réalistes et patients; ne pensez pas qu'Antoine avalera une pilule de la taille d'un sous-marin dès le premier essai. Habituez-le et donnez-lui confiance avec un bonbon de la taille d'un Tic Tac, puis augmentez peu à peu le défi…

> Les Smarties et les oursons en jujube ont été pour moi des alliés fidèles!

ANXIÉTÉ DE SÉPARATION

Antoine, six ans, est carrément agrippé à votre pantalon et refuse catégoriquement de vous laisser partir. Rien à faire. La directrice de l'école finit par le faire abdiquer et l'entraîne tout doucement vers la classe. Il pleure à chaudes larmes, et ça vous brise le cœur de le laisser ainsi. La semaine dernière, vous avez eu la permission d'aller en classe avec lui le temps qu'il s'adapte un peu, et vous avez fini par passer la semaine là, assis sur une petite chaise, avec Antoine qui se retournait trente fois par heure pour être bien certain que vous n'aviez pas disparu. Mais aujourd'hui, votre petit homme doit y aller seul... Vous finissez par partir et, dans l'auto, vous pleurez vous aussi. Ouf.

QU'EST-CE QUI SE PASSE ?

Il n'est pas anormal que certaines étapes du développement de l'enfant soient marquées d'anxiété... En fait, c'est plutôt bon signe! Par exemple, lorsque vers l'âge de six mois, vous déposez Antoine sur la table d'examen dans mon bureau, que soudainement, en me regardant, il voit une étrangère et que son visage change et se crispe: bravo! Il a peur des étrangers! C'est parfait, ça signifie qu'il a ses points de repère, ses visages familiers, ceux avec qui il développe confiance et attachement (vous, en l'occurrence). Même chose de 9 à 12 mois, stade de l'anxiété de séparation: vous ne pouvez plus aller faire pipi sans qu'il se mette à hurler? Normal! Vous n'êtes plus dans son champ de vision et il craint d'être loin de vous. Quant au monstre sous le lit, il apparaît vers quatre ans et il disparaît sans laisser de traces vers six ans.

L'anxiété est une réponse saine à un facteur identifié comme un «danger» dans votre environnement: vous croisez un mammouth, vous devenez anxieux, vous vous mettez à courir... C'est sain. Cette anxiété devient problématique lorsqu'elle interfère avec votre fonctionnement dans la vie quotidienne: parce que vous croyez que vous allez peut-être croiser un mammouth aujourd'hui en allant travailler, vous ne sortez plus de chez vous.

L'anxiété de séparation se caractérise par une peur démesurée et irrationnelle d'être éloigné des personnes aimées, par exemple, pour Antoine, ses parents. Dans ce cas-ci, elle se manifeste à l'école, mais elle peut aussi surgir lors de situations telles qu'un dodo chez un ami ou un camp de vacances. Antoine peut exprimer sa crainte de vous perdre, d'être perdu lui-même ou qu'il vous arrive un accident grave pendant votre séparation... Il peut aussi se plaindre, par exemple, de maux de ventre, de maux de tête, et avoir des difficultés à dormir.

À FAIRE

Le seul moyen de sécuriser Antoine, c'est d'accepter vous-même la séparation. Plus vous multipliez les explications avant de le déposer à l'école, plus vous étirez le processus de séparation et plus ce sera laborieux et difficile pour tout le monde. Ce faisant, vous lui envoyez le message que vous n'êtes pas complètement à l'aise de le laisser là, et vos paroles le rendront plus anxieux encore.

Je sais que ça vous crève le cœur, mais vous lui rendez service – et non, vous ne le traumatisez pas – en restant le moins longtemps possible avec lui au moment de le déposer à l'école. Ayez l'air confiant, restez tendre, mais ferme : « Au revoir, bisou, à tantôt mon cœur, passe une belle journée. » Je vous assure que la directrice viendra bientôt vous dire qu'il s'est éclaté dans le gymnase avec ses nouveaux amis.

Consultez

Si, malgré vos efforts, Antoine reste totalement angoissé, consultez. Quelques outils et conseils de la part d'un psychologue pourraient vous donner un coup de main.

Appendicite

Voir aussi Mal de ventre

Alexandre a mal au ventre et dès qu'il prononce ces trois mots, MAL-AU-VENTRE, les uns à la suite des autres, vous n'avez, vous, qu'un seul mot en tête : APPENDICITE. Il est rapidement suivi de deux autres : GRAVE et PANIQUE... Parce que votre neveu est revenu en catastrophe de Cuba à cause d'une appendicite et que votre oncle Fernand raconte sa folklorique histoire d'appendice à chacune des réunions de famille, cette crainte ne peut faire autrement que de vous prendre d'assaut.

Qu'est-ce qui se passe ?

L'appendice est une petite structure creuse qui a la forme d'un doigt de gant, attachée au gros intestin, et qui se situe à droite, dans le bas du ventre d'Alexandre.

Si, par malheur, une petite selle, un morceau d'aliment ou peu importe ce que votre chéri aurait pu avaler (non, vous ne pouvez pas tout contrôler !) se retrouve bloqué à l'intérieur de l'appendice, une inflammation s'y installe : on parle alors d'**appendicite**.

Une fois qu'on a atteint cette étape, il n'y a qu'une seule solution au problème : l'intervention chirurgicale sans délai. Sinon, l'inflammation risque d'évoluer vers une perforation de l'appendice, puis de se propager dans tout l'abdomen d'Alexandre : cette situation sérieuse se nomme **péritonite**.

Quels sont les signes ?

> Le mal de ventre est habituellement le premier signe. La douleur abdominale de l'appendicite débute typiquement autour de l'ombilic de votre enfant. Ensuite, elle se déplace et s'intensifie vers le côté droit.

> Bien sûr, Alexandre se plaint de son ventre de temps en temps, mais cette fois-ci, vous sentez que c'est différent, ça sort de son mal de ventre « ordinaire ». Faites-vous confiance, écoutez votre petite voix : vous connaissez votre enfant mieux que quiconque.

> Parfois, d'autres malaises moins habituels s'ajoutent au tableau : ventre gonflé, mal de dos, besoin d'uriner plus fréquent, sensation de brûlure lors des mictions ou difficulté à marcher.

> Après l'installation de la douleur abdominale, des nausées et vomissements peuvent survenir, ainsi qu'un manque indiscutable d'appétit. Le moment est alors mal choisi

pour lui demander de manger ses légumes.

> La fièvre, souvent présente, se situe en général sous la barre du 39 °C.

L'appendicite reste la principale cause de chirurgie d'urgence chez l'enfant. Elle touche surtout les enfants de plus de six ans, mais personne n'est à l'abri.

Il n'est pas toujours facile de reconnaître une appendicite, même pour des médecins comptant de nombreuses années d'expérience. Malheureusement, on ne peut pas la mettre en évidence par un test sanguin et on ne peut pas non plus compter sur les examens radiologiques pour confirmer le diagnostic.

Consultez immédiatement

Si Alexandre présente un ou plusieurs des symptômes suivants :

> une douleur abdominale inhabituelle qui persiste plus d'une heure ou deux ;

> une douleur localisée du côté droit de l'abdomen ;

> des nausées et des vomissements ;

> une perte d'appétit ;

> de la fièvre.

Fiez-vous à votre instinct ! S'il vous dit que votre chéri n'est pas en train de vous faire un petit mal de ventre banal qui va passer avec le duo magique câlins-histoire, consultez !

À QUOI S'ATTENDRE ?

Il est fort possible qu'Alexandre soit gardé en observation pendant quelques heures afin que le médecin puisse suivre l'évolution des symptômes.

Si les soupçons d'une appendicite se confirment, la décision de procéder à la chirurgie sera prise rapidement afin d'éviter les complications d'une perforation de l'appendice.

Si l'appendicite est diagnostiquée à temps et si Alexandre subit une intervention chirurgicale, il restera environ deux jours à l'hôpital et galopera la semaine suivante.

Ne vous inquiétez pas, Alexandre n'a aucunement besoin d'un appendice pour vivre une vie tout à fait normale... On ne connaît d'ailleurs toujours pas précisément la fonction de ce dernier, à part celle de vous donner des sueurs froides chaque fois qu'Alexandre mentionne qu'il a mal au ventre !

· ·

APPÉTIT

Voir aussi Anorexie et troubles de la conduite alimentaire

« Docteur, il ne m-a-n-g-e r-i-e-n... » Je vous dirais que si je devais voter pour LA phrase qui revient le plus souvent dans mon bureau, celle-ci aurait probablement une bonne longueur d'avance. C'est assez impressionnant de voir à quel point nos enfants ont ce pouvoir de nous rendre complètement fous quant à la quantité d'aliments qu'ils acceptent d'avaler par jour... Et, bien souvent, plus ils sentent notre angoisse, moins ils mangent...

QU'EST-CE QUI SE PASSE ?

Il est vrai que certains enfants peuvent avoir des appréhensions lors des repas, conséquences de conditions comme un reflux gastro-œsophagien ou des allergies alimentaires. Parfois, ces «mauvaises expériences» teintent pour un bon moment le plaisir des repas… Le sien et le vôtre.

Cependant, dans la grande majorité des cas, il n'y a aucun problème sous-jacent. Antoine porte tout simplement l'étiquette DIFFICILE. Et, en tant que parent soucieux de sa croissance, vous êtes souvent persuadé qu'il est en train d'entamer une grève de la faim, mais ce n'est sans doute pas le cas…

> Durant sa première année de vie, Antoine grandit environ de 21 cm et prend 7 kg… Ça va vite! À cet âge, il est très rare que l'on doive se battre pour faire manger Antoine.

> Au cours de la deuxième année, votre amour grandit deux fois moins rapidement et prend trois fois moins de poids… Et comme par hasard, ça commence à devenir plus ardu de le faire manger.

> De 2 à 5 ans, Antoine prend en moyenne 7 cm et 1,5 kg par année… Et c'est la guerre pour lui faire avaler trois repas par jour, deux collations, et tout le tralala qui qui lui permettrait d'obtenir toutes ses étoiles dans son bulletin du Guide alimentaire canadien. Il est normal qu'il ait moins faim : il en a moins besoin, tout simplement! Profitez-en pour mettre des sous de côté, vous aurez besoin d'un deuxième frigo dans quelques années…

J'AI PAS FAIM !

À FAIRE

> D'abord ne pas supposer que «normal» et «moyenne» sont synonymes. Antoine n'est pas obligé d'avoir le poids moyen pour son âge pour être en pleine forme! Ce n'est donc pas un but à atteindre, c'est uniquement un repère. Il est génétiquement prédisposé à suivre SA courbe, pas celle du voisin, ni la courbe parfaite des tableaux de croissance.

> L'heure des repas doit à tout prix être autre chose qu'une zone de guerre. On évite le chantage, la confrontation, le «si tu manges pas ci, tu n'auras pas ça», la punition... On respecte l'appétit d'Antoine, qui, à deux ans, mangera probablement un seul bon repas par jour et grignotera au cours des deux autres. L'enfant réprimandé ou bouleversé aura automatiquement moins faim.

> Antoine n'est pas au restaurant... Le menu est le même pour tout le monde. Ne tombez pas dans le piège de proposer mille et une options pour que «le pauvre petit ait quelque chose dans l'estomac». On reste flexible, on respecte ses goûts, mais on ne devient pas la marionnette de service.

> Si vous êtes sur le point d'obtenir votre diplôme en service d'animation parce que monsieur Antoine a besoin de divertissements durant son repas, on a besoin de faire quelques ajustements. Aucun écran (télé, ordinateur, etc.), aucun jouet ou livre au moment de manger.

> Tout aliment présentant un autre ton que le blanc est expulsé de l'assiette à la vitesse grand V? Normal. Naturellement, Antoine n'appréciera pas d'emblée les nouveaux aliments qui atterrissent dans son plat, tout particulièrement ce qui a le malheur d'être vert. Continuez de proposer l'aliment tabou en petites quantités, sans y mettre trop d'émotion; il finira par y goûter et peut-être par l'apprécier.

> Lait, jus et boissons en grande quantité peuvent devenir vos ennemis jurés. Ils prennent la place des aliments plus nutritifs et sont des saboteurs d'appétit. Dans la même foulée, faites attention aux collations fréquentes ou trop généreuses.

> Les portions de brontosaure découragent Antoine. On commence par de petites portions. S'il a encore faim, on lui redonne de la nourriture.

> Notre tout-petit n'est pas dans un dîner d'affaires, en tout cas pas encore! Une demi-heure devrait suffire pour boucler le repas. Si ça fait deux fois que vous réchauffez l'assiette, c'est qu'il est plus que temps de «conclure votre affaire».

> Imaginez une seconde que vous prenez votre repas seul, coincé dans une chaise haute... Ça devient soudainement moins agréable et moins appétissant, non? Antoine aime manger avec ses amis, sa famille. Non seulement il aura plus d'appétit, mais il sera incité à essayer de nouveaux aliments par imitation. Et, encore plus important, c'est un moment partagé en famille.

• •

ASTHME

Antoine, cinq ans, tousse sans arrêt. Un rhume semble traîner depuis trois semaines. Juste assez longtemps pour en attraper un autre. L'hiver dernier, vous pouviez presque compter sur vos doigts le nombre de jours où vous ne l'avez pas entendu tousser la nuit. Vous avez tout essayé sans pouvoir crier victoire : sirops de toutes sortes, lait chaud, miel, humidificateur à air chaud, humidificateur à air froid, gros oreiller, pas d'oreiller, couette synthétique, pas de couette, Minou envoyé chez mamie, oiseau envoyé chez mamie... Pourquoi pas Antoine envoyé chez mamie ? Votre petite nièce a le même problème et son médecin vient de lui prescrire des pompes pour l'asthme. Hein ? Elle n'a jamais eu de difficulté à respirer pourtant ! Est-ce qu'Antoine ferait de l'asthme ?

QU'EST-CE QUI SE PASSE ?

L'asthme se caractérise par une hyperactivité des voies respiratoires, une réaction amplifiée devant certains irritants qui entraînent des symptômes respiratoires récidivants. Je vous propose une comparaison simple : imaginez que, devant une minuscule mouche, le système de défense d'Antoine utiliserait tous ses canons au lieu de la tapette à mouches qui serait amplement suffisante. Les canons sont sûrement efficaces, mais ils causent beaucoup de dommages collatéraux. Si on transpose chez votre petit bonhomme, lorsqu'il attrape un petit rhume, ses voies respiratoires hypersensibles réagissent intensément à l'envahisseur, si bien que deux phénomènes se mettent en place :

1. L'intérieur de ses bronches, tapissées d'une muqueuse, devient rapidement enflammé et une production exagérée de sécrétions en découle. C'est la composante de l'**inflammation**.

2. Les petits muscles qui entourent ses bronches se contractent et se res-
serrent, laissant moins d'espace à l'air pour entrer dans les poumons et en
sortir librement. C'est la composante du **bronchospasme**.

Plusieurs facteurs peuvent déclencher une telle réaction dans les petits poumons
de votre Antoine. Le grand gagnant, une fois de plus, surtout en bas âge, c'est le
virus. Il en existe d'autres évidemment : la fumée de tabac, les allergènes, l'exercice, les émotions fortes, etc.

L'asthme, comme les autres conditions atopiques (eczéma, allergies respiratoires),
a une tendance familiale...

QUELS SONT LES SIGNES ?

Les symptômes de l'asthme peuvent être variables d'un moment à l'autre pour
Antoine et ils peuvent aussi être différents de ceux de sa petite cousine.

L'asthme peut se manifester par un ou plusieurs des signes suivants :

> une toux fréquente et persistante ;

> une toux nocturne ;

> une toux à l'effort ;

> une respiration sifflante ;

> une sensation d'oppression au niveau du thorax ;

> un souffle court.

Ce n'est pas toujours facile de dresser un diagnostic d'asthme. C'est surtout l'histoire qui va nous mettre la puce à l'oreille... Dans le cas d'Antoine, les rhumes qui
n'en finissent plus, la toux qui vous a réveillé tout l'hiver dernier et la petite cousine qui présente le même genre de profil nous orientent vers cette possibilité. Il
existe des tests de fonctions pulmonaires pour objectiver le rétrécissement des
bronches lors d'une exposition à un irritant, mais la coordination et la coopération
nécessaires pour que ces tests soient précis ne seront présentes chez Antoine que
lorsqu'il aura au moins six ou sept ans.

QUEL EST LE TRAITEMENT ?

Des pompes, la petite cousine en a deux. Et le médecin d'Antoine lui en prescrit
deux aussi. Avec un petit masque par-dessus le marché. Ça n'existe pas en plus
compact ? En fait, les médicaments les plus souvent utilisés pour l'asthme à l'âge
d'Antoine s'administrent en aérosol doseur (pompe) avec la chambre d'inhalation (le petit masque, c'est plus mignon). Quand il sera plus vieux, il pourra utiliser

d'autres dispositifs d'administration, comme le Diskus ou le Turbuhaler, qui ne nécessitent pas l'ajout du masque et qui sont plus faciles à transporter. Mais ce qui reste capital ici, c'est de bien comprendre la fonction de chacune de ces deux pompes afin de les utiliser au bon moment.

> Les **corticostéroïdes en inhalation** sont le traitement de contrôle de l'asthme. Ils sont essentiels à la maîtrise de l'asthme, car ils agissent sur l'inflammation. Ils seront probablement pris tous les jours, mais parfois de façon intermittente. Ils seront ajustés selon la sévérité des symptômes d'Antoine (p. ex.: Flovent, Alvesco, Pulmicort, etc.).

> Les **bronchodilatateurs** sont le traitement de secours de l'asthme. Ils interviennent rapidement quand Antoine a une respiration sifflante et de la toux en relâchant les muscles qui serrent ses bronches (p. ex.: Ventolin, Bricanyl, etc.).

Le petit masque est INDISPENSABLE, parce que c'est lui qui permet au médicament de se rendre jusque dans les poumons d'Antoine. Si vous utilisez la pompe sans le masque, la médication d'Antoine n'ira pas beaucoup plus loin que son palais, ce qui est une stratégie beaucoup moins gagnante... Demandez à votre médecin, à un infirmier ou à un pharmacien de vous montrer comment utiliser adéquatement la chambre d'inhalation ou les autres dispositifs de traitement.

Il existe aussi d'autres anti-inflammatoires quotidiens administrés par la bouche et qui n'appartiennent pas à la famille des corticostéroïdes: les **antileucotriènes** (p. ex.: Singulair). Ils semblent être plus efficaces chez les enfants qui montrent aussi des symptômes d'allergie respiratoire.

Parfois, lors d'une exacerbation plus importante de son asthme, Antoine devra peut-être, pendant quelques jours, ajouter à son traitement de base un corticostéroïde en sirop ou en comprimés pour «casser» la crise.

CONSEIL DE MAMAN
Demandez à votre médecin de vous écrire quoi, combien et quand donner. Préparez un plan d'action. Laissez-le avec l'arsenal de traitement d'Antoine et faites-en des copies pour la garderie, le frigo, le sac à main...

CONSULTEZ

> Si malgré l'administration des médicaments prévus, l'état d'Antoine ne s'améliore pas après deux jours.

> Si les bronchodilatateurs ont un effet qui dure moins de quatre heures chez Antoine.

CONSULTEZ EN URGENCE

Si Antoine :

> respire rapidement et a une respiration sifflante ;

> a de la difficulté à parler tellement il est essoufflé ;

> sa respiration creuse les tissus entre ses côtes (tirage) ;

> semble soulagé par le bronchodilatateur, mais de façon très brève ;

> est pâle et semble fatigué, affaissé.

Est-ce qu'Antoine va être asthmatique toute sa vie ?

Je n'ai malheureusement aucun talent dans la prédiction de l'avenir. Je peux cependant vous dire qu'une grande proportion des enfants qui font de l'asthme en bas âge, surtout dans des contextes d'infection virale, se débarrassent de leur asthme avec le temps. Parfois, l'asthme se modifiera et, par exemple, il ne sera présent qu'à l'effort.

Est-ce qu'on peut prévenir l'asthme ?

On ne peut pas prévenir le développement de l'asthme en soi chez un enfant, mais on peut certainement en prévenir en partie les exacerbations. Une maison sans fumée est selon moi non négociable pour la santé de votre Antoine. On limite aussi le chauffage au bois et les irritants respiratoires (parfums, cuisson au gaz, etc.). Si Antoine montre des signes d'allergie respiratoire, on fait du ménage : toutous, poussière, fleurs, animaux, tapis, etc. Une autre idée géniale est de faire vacciner votre chéri contre la grippe.

Les corticostéroïdes vont-ils ralentir la croissance d'Antoine ?

Rien ne semble pointer dans cette direction, surtout si on parle de doses faibles ou modérées de corticostéroïdes en inhalation. Un suivi régulier de sa croissance se fait chaque fois que vous mettez le pied dans le bureau de votre médecin. Ne vous inquiétez pas, respectez les posologies et, dans le doute, demandez à votre médecin ou à votre pharmacien de confirmer les doses avec vous.

AUDITION DU NOUVEAU-NÉ

Au cours du premier rendez-vous de bébé Antoine, vers l'âge de trois semaines, je vous pose la question : « Est-ce qu'il semble bien entendre ? Il sursaute aux bruits ? », questions auxquelles, la plupart du temps, vous répondez oui sans trop d'hésitation. Ce n'est que dans la voiture, sur le chemin du retour, que vous échangez un regard avec votre douce moitié... « Coudonc, est-ce qu'on est sûrs qu'il entend bien ? »

QU'EST-CE QUI SE PASSE ?

Il est loin d'être simple de mettre en évidence un problème auditif chez le tout-petit, d'abord parce qu'un nourrisson présentant un tel problème peut très bien vocaliser comme tous les bébés de son âge et ensuite parce qu'il peut avoir surdéveloppé, par compensation, son sens de l'observation et ses réponses aux stimuli de son environnement.

QUELS SONT LES SIGNES ?

Les indices d'un déficit auditif sont à ce point discrets que, la plupart du temps, ils se manifestent par un retard dans l'acquisition du langage, autour de l'âge de deux ans. Or, les études démontrent que les effets à long terme sur le développement du langage d'Antoine dépendent, certes, de la gravité du trouble auditif, mais aussi de la précocité du diagnostic et de la prise en charge qui s'ensuit. Il va de soi que

si vous avez le moindre doute, il ne faut pas hésiter une seconde à en parler à votre médecin, qui vous dirigera vers les évaluations appropriées.

Depuis une bonne dizaine d'années, un programme de dépistage des troubles auditifs du nouveau-né est appliqué en Amérique du Nord et en Europe. Le dépistage vise l'identification d'un problème d'audition au cours du premier mois de vie, la confirmation du diagnostic avant l'âge de trois mois et l'élaboration d'un plan d'intervention avant qu'Antoine n'ait atteint l'âge de six mois.

Déjà, quelques hôpitaux au Québec effectuent ce dépistage au cours des jours qui suivent la naissance. Ne soyez donc pas surpris que l'on fasse passer cet examen à votre Antoine. Espérons que le test sera mis à la disposition de tous les nouveau-nés. On croise les doigts !

AUTISME (TED)

*Je ne traiterai ici que très brièvement
de ce très vaste sujet qu'est l'autisme,
plus justement désigné sous le nom de
troubles envahissants du développement
(TED). Mais je suis consciente que
cette condition en inquiète plus d'un
parmi vous... Et que vous ne pouvez vous
empêcher d'y penser lorsqu'Antoine ne
se comporte pas tout à fait conformé-
ment à vos attentes ou à celles
de votre entourage.*

QU'EST-CE QUI SE PASSE ?

Les TED, y compris l'autisme, regroupent
tout un spectre de troubles neurologiques touchant le fonctionnement du
cerveau et affectant le développement
normal de l'enfant. Certains enfants ou
adultes ne seront que très peu atteints,
d'autres le seront beaucoup plus. Les
TED présentent de très nombreuses
nuances, un peu comme les tons de
bleus sur une palette de couleurs...
L'autisme fait partie de cette «palette»,
tout comme le syndrome d'Asperger.

Quels sont les signes ?

Antoine doit présenter plus d'un comportement ou plus d'un trait propres à l'autisme avant qu'on en arrive à une telle conclusion.

Les TED touchent trois grandes sphères du développement normal.

Le comportement

> La répétition de gestes, de rituels, comme se bercer, battre des mains, se frapper, etc.

> Une obsession pour certains sujets, une préoccupation exagérée, qui peut sembler bizarre parfois, pour certaines choses ou certaines idées.

> Une rigidité, une grande difficulté à s'adapter au moindre changement dans sa routine, s'accompagnant parfois beaucoup de détresse.

> Certains inconforts dans les rapprochements, les marques d'affection, les câlins.

Les habiletés de communication

> Un retard ou une lenteur dans l'acquisition du langage, et parfois même une régression.

> Aucun «pointage du doigt» ou «tirage de manche» pour manifester ses besoins.

> La répétition de phrases ou de mots, sans en comprendre la signification et dans un contexte parfois inadéquat (écholalie).

> Une incapacité à comprendre le «non-verbal» des autres, les expressions faciales (comme l'absence de réponse à un sourire, par exemple) ou le respect de la «bulle» du voisin.

Les habiletés sociales

> Une difficulté à regarder dans les yeux lorsqu'on essaie de capter son attention, à entrer en interaction avec quelqu'un qui lui adresse la parole, non par gêne, mais par ce que vous ressentez plutôt comme une indifférence.

> Un manque d'intérêt pour l'interaction dans les jeux.

> Une difficulté à se faire des amis ou un manque d'intérêt pour l'établissement de liens d'amitié.

> Un manque d'empathie envers les autres.

> Une absence du désir de partager avec les autres, par exemple en montrant un objet ou un événement à quelqu'un.

À quoi s'attendre ?

On ne guérit pas des TED, mais une prise en charge précoce mettra toutes les chances du côté d'Antoine afin de lui permettre de développer ses aptitudes et d'atténuer ses difficultés. Parfois, l'aide qu'il est possible de fournir est minime, alors que l'enfant requiert un soutien beaucoup plus important. La Société canadienne de l'autisme peut vous indiquer l'aide disponible dans votre région.

On ne sait pas exactement ce qui cause l'autisme ou les TED. Les recherches ont pointé du doigt plusieurs facteurs, dont certaines prédispositions génétiques. Il est cependant clair qu'aucun vaccin n'en est la cause, pas plus le **RRO** (rubéole, rougeole, oreillon) que les autres. Et vous n'y êtes pour rien non plus.

Malheureusement, il n'existe pas de tests de laboratoire permettant de dépister les TED et il peut y avoir d'énormes variations dans les manifestations de ces derniers d'un enfant à l'autre. Le diagnostic peut donc devenir complexe pour plusieurs raisons. Pour l'établir, on se base sur l'histoire de l'enfant, sur les indices fournis par les parents, ainsi que sur les observations des médecins et des spécialistes concernés. Vous connaissez votre enfant mieux que quiconque; n'hésitez pas à parler de ce qui vous tracasse, ça ne peut qu'aider à clarifier les choses. Bien souvent, une évaluation par une équipe multidisciplinaire (pédiatre du développement, pédopsychiatre, orthophoniste, ergothérapeute, psychologue, travailleur social, orthopédagogue, éducateur spécialisé) permet d'établir un diagnostic précis et de proposer un plan d'intervention adapté aux besoins de l'enfant.

COMME
BÉATRICE

BÉGAIEMENT

Je ne connais pas beaucoup de parents qui restent complètement zen le matin où Béatrice, trois ans, en tout point parfaite jusqu'à présent, se met à trébucher sur chaque début de phrase qui sort de sa jolie bouche.

Et pourtant, bon nombre d'enfants traversent une période de bégaiement normal entre l'âge de 2 et quatre ans, période qui peut même durer quelques mois. On observe ces hésitations au moment où Béatrice atteint un niveau de langage un peu plus complexe, la vitesse des idées dans sa petite tête bousculant les mots dans sa bouche.

À FAIRE

> Surtout, donnez le temps à Béatrice de terminer son idée sans la reprendre.

> Avisez grand-maman, oncle Bill et tous ceux qui côtoient Béatrice de façon régulière de faire de même.

À NE PAS FAIRE

> Dire à Béatrice de prendre son temps lorsque des hésitations surviennent.

> Finir ses phrases à sa place.

> Paniquer. Ça ne fera qu'accentuer le problème...

CONSULTEZ

Votre médecin demandera une évaluation en orthophonie si Béatrice:

> continue à hésiter pendant plus de six mois;

> continue à bégayer significativement après l'âge de quatre ans;

> montre des tensions ou des tics lorsqu'elle hésite.

BLEUS, PRUNES ET BOSSES

(contusions, ecchymoses et hématomes)

Bien sûr, on ne parle pas ici de votre choix de couleurs pour la déco du salon. Je vais m'abstenir de vous donner des conseils dans ce domaine et laisser ça à des gens plus compétents que moi. Je vais me concentrer plutôt sur ce que vous remarquez sur les jambes de Béatrice lorsqu'elle revient d'un tournoi de soccer...

C'est impressionnant. Entre sa cheville et son genou, vous avez de la difficulté à trouver un endroit d'une couleur normale. Tous les tons de bleu, de violet, de vert tournant au jaune y sont. Une vraie palette de fabricant de peinture. « C'est pas possible ! Elle doit avoir un problème sanguin, non ? »

QU'EST-CE QUI SE PASSE ?

Béatrice est spectaculaire : pas un ballon ne passe. Gardienne du siècle, lorsque d'un élan assuré elle attrape le ballon, elle retombe toujours sur ses genoux. Ce choc entraîne une **contusion**, c'est-à-dire une lésion de la peau sans fissure ou rupture. La peau devient rapidement rouge et légèrement gonflée au site de l'impact. Ce sont les petits capillaires, de très petits vaisseaux sanguins dans la peau, qui ont été endommagés par le coup et qui libèrent du sang dans les tissus : on parle d'**ecchymose**. Le pigment de l'**hémoglobine**, que contiennent les globules rouges du sang, se dégrade sous la peau et prend graduellement presque toutes les couleurs de l'arc-en-ciel : rouge vif, rouge plus clair, violet, bleu, vert et jaune ! Tout ce dégradé peut prendre jusqu'à deux semaines à disparaître, le temps que Béatrice se fasse de nouveaux bleus... Et pour répondre à votre question : non, elle n'a pas de problème sanguin.

Par ailleurs, si Béatrice s'allonge sur son ballon devant le but et si elle reçoit par malheur un coup de pied de l'armoire à glace de l'autre équipe, elle risque de développer un **hématome**. Une bosse dure fera alors son apparition et gonflera à une vitesse remarquable, un peu comme sur la tête d'un personnage de dessins animés… Il s'agit tout simplement d'une accumulation plus importante de sang et d'une enflure plus marquée.

À FAIRE

Pas très compliqué, on applique du **froid** 15 minutes, le plus rapidement possible après l'impact. Cela a pour effet de diminuer l'apport sanguin dans la région affectée (vasoconstriction) : moins de saignement, donc moins d'enflure. On peut aussi élever le membre meurtri.

Il est possible de vous servir de ce que vous avez sous la main. Vous pouvez mettre de la neige dans un linge propre ou dans un petit sac de type Ziploc, ou encore utiliser un sac de petits pois congelés… Tout est bon. Mais attention, n'appliquez pas de glace directement sur la peau, car cela pourrait causer une engelure.

CONSULTEZ

Si Béatrice :

> a une ecchymose qui devient soudainement plus importante ou de multiples ecchymoses qui surviennent sans raison.

> prend de l'aspirine ou des médicaments anticoagulants et développe des bleus.

> a reçu un coup important à l'œil ou à la tête.

> a un hématome sur une jambe ou un bras qui provoque des douleurs vives et des engourdissements.

> le frère de Béatrice, le petit Boris, développe un hématome aux testicules à la suite d'un coup.

BON À SAVOIR

La **tache mongoloïde** est une tache bleutée, présente à la naissance et pouvant prendre les allures d'une ecchymose. Elle se situe très fréquemment dans le bas du dos et, en général, elle s'atténue avec l'âge. Rien à voir avec la trisomie 21, encore parfois connue sous l'appellation de «mongolisme». On retrouve surtout cette tache chez les enfants de descendance asiatique, africaine, méditerranéenne et amérindienne.

BOITERIE

Étant donné l'insistance avec laquelle elle vous réclame, votre Béatrice, 21 mois, a de toute évidence terminé sa sieste... Elle est debout dans son lit à barreaux, sa jambe gauche repliée comme la patte d'un flamand rose. Vous la sortez du lit, la déposez sur le sol et, rien à faire, elle ne veut absolument pas poser son pied par terre. Elle essaie finalement de faire quelques pas et, de peine et de misère, elle boite jusqu'à la chaise berçante. Elle finit par s'asseoir par terre et vous tend les bras...

QU'EST-CE QUI SE PASSE ?

La boiterie est une démarche anormale, qui demande **toujours** (je suis rarement aussi catégorique) **une évaluation médicale**. Ses causes et ses modes de présentation sont très variés.

La boiterie peut provenir d'une blessure ou d'un traumatisme :

> entorse (dommage au niveau des ligaments d'une articulation) ;

> fracture ;

> hématome ou contusion.

D'habitude, l'histoire est assez claire. On ne tourne alors pas trop longtemps autour du pot : Béatrice est en grande forme et tout va bien. Béatrice tombe, se cogne, fait un faux pas. Béatrice a mal et boite. La relation de cause à effet est sans équivoque .

La boiterie peut provenir d'une infection :

> arthrite (atteinte de l'articulation) ;

> ostéomyélite (atteinte de l'os) ;

> cellulite (atteinte de la peau) ;

> myosite (atteinte du muscle).

La boiterie secondaire à une infection arrive assez soudainement, se présente en général avec de la fièvre, et il peut y avoir des signes pointant dans cette direction tels que rougeur, chaleur et gonflement au site de la douleur.

La boiterie peut provenir d'une inflammation :

> arthrite idiopathique juvénile (ou arthrite rhumatoïde juvénile) ;

> arthrite liée à d'autres conditions comme l'**urticaire**, la **maladie de Kawasaki**, les maladies inflammatoires de l'intestin, etc.

Beaucoup plus sournoise, l'arthrite d'origine inflammatoire s'installe graduellement et, dans la grande majorité des cas, elle n'arrive pas seule. Elle est parfois accompagnée d'autres signes comme des éruptions sur la peau, des diarrhées et de la fièvre plus ou moins élevée. La boiterie, dans ce tableau, est souvent intermittente ou chronique.

La boiterie peut provenir d'un problème squelettique ou mécanique :

> Luxation congénitale de la hanche.
> Maladie de Legg-Perthes-Calv, où la tête du fémur (os de la cuisse) perd sa forme arrondie normale et bouge donc moins bien dans l'articulation de la hanche.
> Glissement épiphysaire fémoral supérieur. Le fémur ressemble, quant à la forme, à un cornet surmonté d'une boule de crème glacée (située dans l'articulation de la hanche). Eh bien, le glissement de l'épiphyse, c'est la boule de crème glacée qui glisse et n'est plus dans l'angle du cornet. Cette condition s'observe plus fréquemment chez les adolescents présentant un surpoids.

Dans ces cas, le problème est anatomique.

La boiterie peut être d'origine tumorale :

> tumeurs osseuses bénignes ;
> tumeurs osseuses malignes.

Pas besoin de beaucoup d'explications. Les symptômes de douleur et de boiterie s'installent progressivement et deviennent persistants. Le diagnostic se fait à l'aide d'examens radiologiques.

· ·

Rhume de hanche (synovite transitoire)

La boiterie peut provenir d'un rhume de hanche (synovite transitoire).
Qu'on l'appelle rhume de hanche, **synovite transitoire** ou **synovite toxique** de la hanche, c'est une autre cause fréquente de boiterie. On ne l'explique pas encore de façon précise. Comme elle apparaît souvent à la suite d'un rhume ou d'une petite infection virale, on croit qu'il s'agit d'une inflammation secondaire due à un virus qui s'est installé dans la hanche, causant un gonflement et de la douleur.

QUELS SONT LES SIGNES ?

Le rhume de hanche :

> touche principalement les enfants de moins de 10 ans ;
> cause une boiterie soudaine, sans avertissement ;

- n'atteint d'habitude qu'une seule hanche;
- fait suite à un rhume ou à une infection virale;
- se manifeste par de la douleur à la hanche atteinte, à la cuisse et souvent au genou du même côté;
- ne rend pas Béatrice abattue ou amorphe;
- ne provoque pas de fièvre ou très peu.

CONSULTEZ

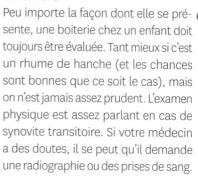

Peu importe la façon dont elle se présente, une boiterie chez un enfant doit toujours être évaluée. Tant mieux si c'est un rhume de hanche (et les chances sont bonnes que ce soit le cas), mais on n'est jamais assez prudent. L'examen physique est assez parlant en cas de synovite transitoire. Si votre médecin a des doutes, il se peut qu'il demande une radiographie ou des prises de sang.

BRONCHIOLITE (VRS)

Béatrice a quatre mois et comme c'est la petite dernière de la famille, elle en est déjà à son deuxième rhume depuis le début de l'hiver. Merci aux câlins de ses grandes sœurs! Le premier est passé comme une fleur, mais on dirait que pour celui-ci, c'est plus laborieux. Vous avez même l'impression qu'elle a avalé un petit sifflet à travers lequel elle respire depuis deux jours.

QU'EST-CE QUI SE PASSE?

La bronchiolite est causée par un virus, dont le grand champion est le **virus respiratoire syncytial (VRS)**. Il est presque assuré que votre trésor aura fait connaissance avec ce virus avant de fêter son deuxième anniversaire.

Imaginez le système respiratoire comme un arbre à l'envers: le nez et la gorge sont les racines, la trachée représente le tronc et finalement, les bronches et les bronchioles (petites bronches) sont les branches. Tout au bout, les alvéoles, essentielles à l'échange d'oxygène et de dioxyde de carbone, sont les feuilles. Et bien, notre petit malin de virus, au lieu de n'occasionner que de la congestion dans les racines, s'est propagé jusque dans les petites branches (bronchioles) et s'y est confortablement installé. L'inflammation a suivi, entraînant des sécrétions et un rétrécissement du passage de l'air, d'où la petite «flûte» que vous entendez.

Quels sont les signes ?

Au départ, le rhume de Béatrice semblait tout à fait banal, puis la toux a pris de l'ampleur. C'était d'abord une toux sèche, puis elle s'est transformée en toux grasse, ce qui permet à Béatrice de se débarrasser du mucus accumulé dans ses voies respiratoires.

N'oubliez pas : la toux est un mécanisme de défense, et vous allez trouver qu'elle se défend, votre puce, beaucoup et longtemps. Ce que j'essaie de vous dire, c'est que la toux accompagnant une bronchiolite peut durer jusqu'à trois semaines. Soyez donc patient.

Les autres signes que vous pourriez remarquer et qui demandent une surveillance plus attentive :

> des sifflements, ou sibilances ;

> une respiration un peu plus rapide que d'habitude ;

> du tirage intermittent, c'est-à-dire des efforts pour respirer qui créent un mouvement de succion entre et sous les côtes ;

> une difficulté à boire ce qu'elle boit d'habitude (Béatrice boit moins, mais plus souvent) ;

> un sommeil plus difficile ;

> de la fièvre ;

> une fatigue, un moins bon état général.

La grande majorité des petites Béatrice de ce monde seront incommodées uniquement par de la toux et de la congestion, mais leur état restera bon en général. Dans ce cas, votre princesse ne nécessite que de bons soins «maison».

BON À SAVOIR

Béatrice aura peut-être plus de mal à guérir de sa bronchiolite si :

> elle est née prématurément ;

> elle a moins de trois mois ;

> elle a des problèmes respiratoires (asthme) ou cardiaques (malformations).

Je suggère alors de consulter votre médecin pour vous assurer qu'elle ne se fatigue pas trop et qu'elle n'a pas besoin de soins supplémentaires.

À FAIRE

> Hydratez notre poulette souvent et par petites quantités, que ce soit en l'allaitant ou en lui donnant son lait habituel. Ne la forcez pas à manger si elle n'a pas d'appétit pour les solides.

> Continuez à utiliser l'eau saline : ça dégagera son nez (ça sera déjà ça).

> Évitez le dodo complètement à plat. Créez un petit angle en plaçant un oreiller sous le matelas.

> Refusez catégoriquement que l'on fume dans la maison. Ça peut nuire à Béatrice (et au fumeur aussi, soit dit en passant).

CONSULTEZ EN URGENCE

Si Béatrice présente un ou plusieurs symptômes suivants :

> Elle respire très vite et semble se fatiguer.

> Elle a des difficultés à respirer, siffle en respirant et a du tirage en continu.

> Elle est pâle ou ses lèvres sont bleutées.

> Elle n'arrive pas à boire et paraît déshydratée.

> Elle est très affaissée, somnolente ou particulièrement irritable et inconsolable.

PRÉVENONS !

Le VRS, comme n'importe quel virus, se transmet d'une personne à l'autre par les mains, la toux, les jouets contaminés, les bisous...

> Lavez-vous les mains.

> Nettoyez les jouets.

> Quand vos enfants (ou les autres) sont malades, évitez la garderie pour les tout-petits, dans la mesure du possible.

CONSEILS DE MAMAN

Je suis une maman un peu poule qui a eu deux cocottes sur trois en hiver, dans la grosse saison des rhumes, grippes, bronchiolites et compagnie. Ce n'est pas une raison pour s'enfermer à la maison et n'en ressortir qu'au mois de mai, je suis d'accord, mais j'ai toujours une petite boule dans la gorge quand je vois ces tout petits bébés dans leurs poussettes, dans un centre commercial bondé, en plein magasinage de Noël, avec tous ces gens autour qui toussent et éternuent...

J'ai donc adopté cette habitude, que j'observe aussi dans les partys très peuplés : je mettais ma puce dans son sac ventral, collée sur moi ou sur leur papa, les petits bras bien rentrés, à l'abri de toute cette exposition superflue aux mains pleines de microbes et aux atchoums... Bébé s'y endormait instantanément et personne n'osait venir la déranger...

Brûlure

À faire

> Retirez immédiatement les vêtements (y compris les bijoux) qui touchent la peau brûlée de Béatrice. En retenant la chaleur, les tissus peuvent aggraver la brûlure. De plus, s'il y a de l'enflure, les bijoux seront difficiles à enlever plus tard. Ça adhère et ça colle à sa peau? Ne tirez surtout pas.

> Ne soufflez pas sur la brûlure, ça augmente la douleur!

> Faites immédiatement couler de l'eau fraîche – pas glaciale! – pendant une dizaine de minutes sur la zone brûlée.

> Couvrez ensuite la brûlure avec un bandage propre et sec.

Dans les jours qui suivent:

> Gardez vos mains et celles de Béatrice bien propres pour éviter d'infecter la brûlure.

> Si Béatrice a mal, vous pouvez lui donner de l'acétaminophène.

À ne pas faire

> N'appliquez pas de glace, de graisse ni de beurre.

> Ne percez pas la cloque ou l'ampoule qui se forme.

Consultez

Surveillez l'évolution de la brûlure: au moindre signe d'infection (écoulement, fièvre, augmentation de la rougeur ou de l'enflure), consultez.

Consultez en urgence

Si la brûlure vous semble importante, rendez-vous à l'urgence.

Prévenons!

> Vérifiez la température de l'eau du bain avant d'y plonger Béatrice.

> Baissez la température du chauffe-eau à la maison et faites attention aux robinets qui demeurent chauds après que l'on a fait couler l'eau chaude.

> Tournez les poignées et les manches des poêlons et des casseroles de façon que la petite ne puisse les atteindre.

> Évitez qu'elle ait accès à la porte du four.

> Tenez Béatrice hors de la cuisine lorsque vous utilisez une friteuse.

> Ne buvez jamais de boissons chaudes avec elle sur vos genoux et faites attention à la bouilloire. Les liquides chauds sont la cause numéro un des brûlures chez nos petits.

> Utilisez des napperons au lieu d'une nappe qui dépasse de la table : moins de risques pour madame Quatre-Pattes, qui aura irrésistiblement envie de tirer la nappe et de renverser ce qui se trouve dessus.

> Vérifiez toujours la température des aliments et des boissons avant de les lui offrir, particulièrement si vous les chauffez au four micro-ondes.

> Couvrez les prises de courant et tentez de tenir la petite exploratrice loin des radiateurs.

> Cachez les briquets et les allumettes : ils ne devraient en aucun cas être dans son champ de vision.

> Faites attention aux chandelles et aux portes parfois très chaudes du foyer.

> Tenez les produits chimiques hors de sa portée.

> Installez des détecteurs de fumée à la maison et changez-en les piles deux fois par année.

BON À SAVOIR

On classe les brûlures en trois catégories, selon leur sévérité :

Premier degré : la moins grave, assez superficielle : le coup de soleil courant fait partie de cette catégorie, caractérisée par une rougeur et parfois une légère enflure de la peau.

Deuxième degré : le gonflement est plus important, la douleur est plus vive et des cloques se forment sur la peau.

Troisième degré : Toute l'épaisseur de la peau est touchée. La zone atteinte peut être blanche ou carbonisée.

COMME
CHARLES

CAUCHEMARS ET TERREURS NOCTURNES

Vous avez été brusquement réveillé par les cris de panique de votre petit Charles âgé de quatre ans. En arrivant dans sa chambre, vous le trouvez assis dans son lit, en sueur, hurlant des choses qui n'ont aucun sens... Vous vous demandez alors si vous n'êtes pas vous-même en train de faire un mauvais rêve.

Il est important de différencier cauchemar et terreur nocturne, car votre intervention en dépendra.

QUELS SONT LES SIGNES ?

Si Charles :

> se réveille en pleurs et semble apeuré ;

> cherche votre réconfort ;

> est tout à fait réveillé et vous reconnaît immédiatement ;

> est capable de vous raconter une partie de son rêve ;

> refuse de retourner se coucher seul parce qu'il a peur que le tout recommence.

C'est un cauchemar

On se rappelle tous avoir fait quelques rêves effrayants étant enfant. Et je viens de vous donner le premier indice : quand on fait un cauchemar, on en a le souvenir. Le cauchemar survient durant le sommeil paradoxal (aussi nommé **REM**), soit le sommeil lié aux rêves. Il se manifeste le plus souvent durant la deuxième moitié de la nuit, soit après 2 h du matin. C'est un phénomène tout à fait normal qui peut être lié aux petits tracas de la journée de votre enfant : nouvelle gardienne, toutou égaré, peur du petit pot...

Vous devez alors le rassurer, lui expliquer que ce n'était pas réel et qu'il n'y a aucun danger à se rendormir. Cependant, évitez de vous coucher avec Charles ou de l'amener dormir avec vous. En faisant cela, vous lui enverriez alors le message qu'il a raison d'avoir peur et qu'il sera incapable de retrouver le sommeil sans votre présence… Et croyez-moi, rapidement, le camping dans la chambre de Charles deviendra quotidien.

À FAIRE

Pour diminuer la fréquence des cauchemars:

> Ne revenez pas sur le sujet le lendemain matin : vous entretiendriez ses craintes.

> Si Charles vous en parle spontanément, riez-en avec lui : l'humour dédramatisera ses peurs.

> Gardez une routine du dodo la plus constante possible.

> Évitez les situations excitantes et stimulantes avant d'aller au lit (télévision, jeux vidéo, etc.) et rangez, pour le moment du moins, les histoires de monstres et de princes orphelins.

> Assurez-vous que votre enfant dort suffisamment (et, par le fait même, vous aussi).

> Installez dans sa chambre une petite veilleuse ou offrez-lui une petite lampe de poche.

> Donnez-lui un de vos pyjamas, préférablement un qui a gardé votre odeur.

> Ajoutez la petite touche magique du capteur de rêves ou du parfum qui chasse les «pas fins».

> Surtout, faites-vous confiance...

Quels sont les signes ?

Si Charles:

> crie, pleure, semble en panique ou terrifié;

> se débat dans son lit;

> a les yeux écarquillés, mais ne semble pas vous reconnaître;

> ne vous laisse pas le consoler;

> est pâlot, sue et a le cœur qui bat fort;

> vous répond des choses qui n'ont ni queue ni tête;

> ne se rappelle pas les événements.

....

C'est une terreur nocturne

Dans ce cas-ci, c'est vous qui pourriez avoir l'air apeuré! Mais une fois qu'on les comprend, rassurez-vous, ces épisodes deviennent bien moins terrifiants. En fait, malgré les apparences, Charles dort! Les terreurs nocturnes surviennent dans les phases de sommeil profond. Ce ne sont pas des rêves. Puisque nous dormons plus profondément au cours des premières heures de notre nuit, c'est souvent après une ou deux heures de dodo que vous observerez le phénomène.

N'essayez pas de réveiller Charles, ça pourrait prolonger l'«épisode». Assurez-vous simplement qu'il ne se blesse pas et recouchez-le lorsque ça semble terminé. Charles s'est réveillé après? Sortez vos talents d'acteur et ayez l'air totalement calme et en contrôle.

À faire

Pour diminuer la fréquence des terreurs nocturnes:

> Insistez: routine, routine, routine.

> Evitez les horaires aléatoires et maintenez un nombre suffisant d'heures de sommeil.

> Si vous pensez que Charles aurait avantage à faire une petite sieste durant la journée, n'hésitez pas.

> Le soir, gardez les écrans (télévision, ordinateur, jeux vidéo) loin de la routine du coucher.

> Si l'heure de la terreur est prévisible (ce qui est parfois le cas), vous pouvez réveiller Charles doucement 30 minutes avant l'heure fatidique afin d'essayer de «briser» le cycle; un nouveau cycle de sommeil débutera par la suite et vous échapperez à l'épisode.

> Surtout, ne vous inquiétez pas et soyez patient... Ça finira par passer.

CHAMPIGNONS,
TEIGNE ET PIED D'ATHLÈTE

Charles a eu les cheveux longs tout l'été. Ses allures de surfeur ne pouvaient cependant pas passer le test de la rentrée scolaire. Malgré les protestations, c'est l'heure de la tonte. « Misère ! C'est quoi ce spot rouge sur son crâne ? » Et le coiffeur vous répond d'un ton assuré : « Ça, c'est une teigne. » Une quoi ?

QU'EST-CE QUI SE PASSE ?

Les infections à champignons, mycoses, fongiques ou teignes sont des infections contagieuses assez fréquentes chez les enfants et les adolescents. Eh oui, j'ai bien dit contagieuses… Ça implique qu'on attrape souvent ces infections par contact direct, de peau à peau, par l'utilisation du chapeau d'un ami, du peigne d'un membre de la famille, du vêtement d'un joueur de la même équipe de hockey ou à la suite de grosses caresses à Toutou. Le pied d'athlète va de pair avec le plancher des douches et des vestiaires du lieu d'entraînement de votre grand champion.

QUELS SONT LES SIGNES ?

Passons en revue les habitats préférés de ces charmantes petites bêtes… Disons d'emblée qu'elles ont une préférence pour la chaleur et l'humidité…

Cuir chevelu (*tinea capitis* ou teigne)

Une plaque ronde ou ovale bien circonscrite, comme si vous l'aviez dessinée, accompagnée :

> d'une rougeur de la peau ;

> de squames ;

> de démangeaisons ;

> d'une perte de cheveux à cet endroit, caractérisée par des cheveux très courts et cassés.

Corps (*tinea corporis*)

De nouveau, une plaque circulaire ou ovale, à l'allure d'un anneau avec un centre parfois plus clair, accompagnée :

> d'une rougeur, surtout concentrée sur les bords légèrement surélevés ;

> de démangeaisons.

Aine (*tinea cruris*)

Une éruption bien délimitée située au niveau de l'aine et du scrotum et caractérisée par :

> des rougeurs et des squames ;

> des démangeaisons importantes ;

> une fréquence plus marquée chez les sportifs qui doivent porter de l'équipement sportif de protection (suspensoir) des organes génitaux.

Pieds (*tinea pedis* ou pied d'athlète)

Souvent, l'éruption commence par l'apparition de petites vésicules entre le quatrième et le cinquième orteil. Par la suite :

> la peau devient à vif et se crevasse, ce qui crée de la douleur ;

> il peut y avoir une atteinte de la plante du pied ;

> il peut y avoir des démangeaisons.

En règle générale, votre médecin reconnaîtra ce type d'infection au premier coup d'œil. Cependant, si le diagnostic doit être confirmé, des squames de peau seront prélevées et analysées en laboratoire.

À FAIRE

> On se garde sec et propre : vêtements, chaussettes, semelles des souliers de course, serviettes… Des poudres pour les pieds sont conçues pour absorber l'humidité, ça ne peut pas nuire.

> Le partage c'est bien gentil, mais on se garde une petite gêne ! Brosse, peigne, chapeau, serviette de bain et autres restent des effets personnels.

> On porte des sandales dans les vestiaires et les douches, c'est non négociable.

> Si votre ami à quatre pattes montre des plaques qui ressemblent étrangement à celle de Charles, il y a peut-être un lien. Faites-le examiner par votre vétérinaire.

> Certaines crèmes en vente sans ordonnance à la pharmacie peuvent être tout à fait adéquates et efficaces pour traiter les infections à mycoses, particulièrement lorsqu'il s'agit d'autres atteintes que celles du cuir chevelu. La teigne, par contre, requiert parfois la prise d'un antifongique buccal, prescrit par votre médecin. Mais la règle d'or ici, c'est d'être constant et patient ; elles ont la couenne dure, ces petites bêtes-là… Et il est souvent nécessaire de poursuivre le traitement de quatre à six semaines. Il est même suggéré de poursuivre l'application de la crème une semaine après la disparition des plaques, juste pour être bien certain qu'on en est débarrassé.

CHAPEAU

(dermite séborrhéique)

Charles aurait le plus adorable minois du monde… s'il n'y avait pas ces croûtes jaunâtres qui couvrent sa jolie petite tête dégarnie… Une fois de plus, voici une condition qui vous affecte beaucoup plus qu'elle n'affecte votre mignon rejeton.

QU'EST-CE QUI SE PASSE ?

La dermite séborrhéique s'observe chez beaucoup de nourrissons au cours de leur première année de vie et touche principalement le cuir chevelu, d'où l'appellation commune de « chapeau ». Les croûtes jaunâtres et huileuses qui la caractérisent peuvent atteindre les sourcils, le front, l'arrière des oreilles, les plis du cou, les plis des aisselles et la région couverte par la couche de bébé Charles. La cause précise? Pas encore tout à fait claire, mais un champignon microscopique, habitant naturel de notre peau, serait probablement en partie responsable de cette affection.

Cela dit, ne cherchez pas de solution miracle, vous n'y pouvez rien et le temps s'occupera de faire graduellement disparaître les croûtes indésirables. Mais c'est bientôt son baptême et vous voulez tout de même passer à l'action…

À FAIRE

Après avoir appliqué de l'huile d'amandes douces, de l'huile d'olive ou de l'huile minérale sur sa jolie tête ronde, attendez quelques heures, puis lavez son cuir chevelu avec son shampoing habituel. Ensuite, tout doucement, frottez son cuir chevelu avec une brosse douce pour décoller les croûtes.

CONSULTEZ

Si ça ne fonctionne pas, si Charles vous semble envahi de croûtes et si vous n'en dormez plus la nuit… Certains shampoings médicamenteux ou lotions anti-inflammatoires peuvent vous être recommandés par votre médecin ou votre pharmacien.

CHOLESTÉROL

Je mets ici mon chapeau PRÉVENTION. La santé de vos petits maintenant, c'est aussi celle dont ils héritent pour demain...

Saviez-vous qu'au Canada les maladies cardiovasculaires, qui affectent non seulement le cœur, mais également les vaisseaux sanguins, demeurent la principale cause de décès chez les adultes? Heureusement, plusieurs des facteurs de risque auxquels ces maladies sont attribuables peuvent être contrôlés. Le taux de cholestérol sanguin est l'un de ces facteurs contrôlables, tout comme le manque d'exercice physique, les mauvaises habitudes alimentaires, l'excès de poids, l'hypertension artérielle, le tabac et le diabète de type 2.

On ne jouera pas à l'autruche: la plupart de ces facteurs de risque sont directement liés à un style de vie pas toujours bien sain, mais de plus en plus répandu en Amérique du Nord. Même à cinq ans, Charles subit déjà diverses pressions susceptibles d'entraîner chez lui certaines de ces mauvaises habitudes. Mon rôle de pédiatre, et le vôtre comme parent, est de tout mettre en œuvre afin que Charles adopte un mode de vie qui lui permettra de grandir en bonne santé.

QU'EST-CE QUI SE PASSE ?

Le cholestérol est nécessaire au bon fonctionnement de l'organisme de Charles. Il s'agit d'un lipide, donc d'un gras, qui joue un rôle essentiel au niveau de la membrane qui entoure chacune des cellules de son corps. Le cholestérol intervient aussi dans la synthèse de certaines hormones ainsi que dans la production de la bile et de la vitamine D. Il existe deux sortes de cholestérol: le cholestérol produit par notre foie (cholestérol **endogène**) et le cholestérol provenant de notre alimentation (cholestérol **exogène**).

Doucement! Même si le cholestérol est bel et bien essentiel, ça ne veut pas dire qu'il y a lieu de se ruer vers une poutine!

Un système assez complexe de «wagons» transporte le cholestérol dans le sang afin d'approvisionner adéquatement les cellules des organes de Charles. Simplement, il existe deux grandes sortes de wagons, qui sont en fait des protéines spécifiques:

> Le **LDL** est le fameux «mauvais cholestérol». En excès, il se dépose sur les parois des vaisseaux sanguins, plus particulièrement au niveau des artères coronaires, qui sont les artères du cœur. Ces vaisseaux peuvent alors s'obstruer, ce qui entraîne les conséquences que vous connaissez peut-être: l'angine de poitrine et l'infarctus.

> Le **HDL** est le «bon cholestérol». Ce wagon est responsable de récupérer le cholestérol et de le rapatrier vers le foie, où il sera dégradé et éliminé.

Et qu'en est-il des **triglycérides**, qui seront invariablement évalués lors de tout test mesurant le cholestérol? Tout comme le cholestérol, les triglycérides sont des lipides en circulation. Plus précisément, ce sont les gras que Charles trouve principalement dans son alimentation. En excès, ils s'accumulent un peu partout, surtout au niveau de nos petites «réserves»…

Il est aussi possible que des facteurs héréditaires exposent Charles à un risque d'**hypercholestérolémie familiale**. Cette maladie, particulièrement fréquente dans certaines régions du Québec (p. ex.: Saguenay), fait en sorte que le wagon ne décharge pas adéquatement sa marchandise dans les cellules du corps. Le wagon, bien plein, reste donc en circulation dans le sang, son contenu s'échappant anormalement dans les vaisseaux sanguins.

PRÉVENONS !

L'excès de cholestérol a donc deux causes possibles: de mauvaises habitudes alimentaires et l'hérédité.

Sachant que l'excès de cholestérol est susceptible d'avoir un impact majeur sur la santé à long terme de notre petit Charles, la prévention s'impose. Votre médecin vous recommandera le dépistage suivant au moyen de prises de sang faites à jeun (ce sont de toutes nouvelles directives, très récemment publiées au moment où j'écris ce paragraphe):

À **2 ou 3 ans:**
> s'il y a une histoire d'hypercholestérolémie familiale ou si des membres de la famille de Charles ont eu des problèmes cardiaques très tôt dans leur vie adulte.

De **9 à 11 ans, à répéter vers 18 ans:**
> pour tous les enfants, afin d'intervenir le plus tôt possible si une anomalie est notée.

Maintenant, plongez-vous dans votre sac de croustilles… Je n'ai jamais dit que c'était défendu! L'essentiel, comme bien souvent, c'est d'y aller avec modération.

CIRE D'OREILLE (cérumen)

Charles possède une vraie mine d'or... dans ses oreilles. C'est fou ce qui peut sortir de là !

Je m'abstiens de vous faire la description détaillée de la substance grasse, cireuse et jaunâtre que vous connaissez tous, appelée « cérumen » ou, plus communément, « cire d'oreille ». Malgré le fait que son apparence ne vous enchante pas spécialement, le cérumen a pour fonction de protéger le canal auditif de tout ce qui pourrait s'y loger : poussière, sable, microbe, mine de crayon, purée d'épinards et j'en passe.

QU'EST-CE QUI SE PASSE ?

Le système d'«évacuation» fait normalement en sorte que le cérumen est tout doucement amené vers la sortie – le pavillon de l'oreille –, où vous pouvez le nettoyer à l'aide d'une débarbouillette imbibée d'eau tiède **et surtout pas d'un coton-tige**, qui ferait exactement le contraire en l'enfonçant vers l'intérieur de l'oreille. Pas très utile. En plus de risquer d'irriter le conduit auditif et de blesser le tympan, vous donneriez ainsi toutes les chances de créer un beau bouchon tissé serré au fond de la petite oreille de Charles. Résultat? Possiblement douleur, sensation d'oreille bouchée, infection, diminution de l'audition... Et Dieu sait que déjà, sans bouchon, il faut répéter plusieurs fois!

À FAIRE

On nettoie les oreilles efficacement, une fois par semaine, de la façon suivante :

1. On se procure une grosse poire nasale ou une seringue de 30 ml à la pharmacie.

2. Une demi-heure avant l'heure du bain, déposez, à l'aide d'un compte-gouttes, une dizaine dè gouttes d'huile (minérale, olive, amandes... **mais pas de l'huile pour bébé!**) dans chaque conduit auditif.

3. Appliquez un peu d'ouate pour garder l'huile en place.

4. Après une trentaine de minutes, donnez un bain à Charles, retirez les boules d'ouate et on lavez-lui les cheveux.

5. Avec la poire ou la seringue, irriguez doucement les conduits auditifs quatre ou cinq fois avec de l'eau du robinet à la température du corps.

6. Nettoyez le cérumen qui sort du conduit avec une débarbouillette humide.

À NE PAS FAIRE

> Ne nettoyez pas les oreilles de Charles avec des cotons-tiges.

> Ne laissez pas Charles se nettoyer les oreilles tout seul. Non !

CONSULTEZ

Et si le nettoyage ne fonctionne pas, on n'insiste pas et on consulte !

CŒLIAQUE, MALADIE

(intolérance au gluten)

Charles n'est assurément pas le poids lourd de la garderie... Et ça commence à vous inquiéter. Une autre maman vous a même fait la remarque l'autre jour et a ajouté de l'huile sur le feu en vous lançant : « Il est tellement petit, ça n'a pas de bon sens ! Il doit avoir un problème, quelque chose... Votre docteur n'a pas pensé à la maladie cœliaque ? »
À quoi ? « Non, mais de quoi je me mêle ? »

QU'EST-CE QUI SE PASSE ?

La maladie cœliaque, ou **entéropathie au gluten**, résulte d'une intolérance à la gliadine du gluten que l'on retrouve dans plusieurs céréales de notre alimentation : les coupables pointés du doigt sont le blé (y compris le kamut et l'épeautre), le seigle, l'orge, l'avoine et le triticale. À la suite de l'ingestion de ces produits, une inflammation s'installe dans le petit intestin, ce qui l'empêche de bien absorber les nutriments.

Cette condition peut se manifester très rapidement, soit dès les toutes premières bouchées de céréales de votre petite puce, après quelques années, et parfois même à l'âge adulte. Charles a plus de risques de développer la maladie si d'autres membres de la famille en sont atteints.

Quels sont les signes ?

Pas évident de reconnaître la maladie cœliaque, car les signes sont parfois discrets.

Si Charles :

> prend difficilement du poids ;
> grandit lentement ;
> a souvent des diarrhées ou au contraire est perpétuellement constipée ;
> a le ventre gonflé ;
> paraît continuellement fatiguée ;
> manque d'appétit et est irritable.

Il est possible qu'il s'agisse de la maladie cœliaque.

Consultez

Votre médecin examinera votre petit Charles et recommandera certains tests pour confirmer le diagnostic.

Quel est le traitement ?

Le seul traitement possible est d'éviter les aliments contenant du gluten, ce qui n'est pas simple : pain, pâtes, gâteaux, céréales du petit-déjeuner, etc. Cependant, de plus en plus de produits sans gluten existent maintenant sur le marché. La bonne nouvelle est qu'en respectant la diète tout rentrera dans l'ordre, et Charles retrouvera son sourire.

MAINTENANT OFFERT
EN ÉPICERIE

DÉLICIEUX
PETIT GÂTEAU
SANS
GLUTEN

COLIQUES ET PLEURS

Il est 19 h 15, heure du chaos... Vous oscillez entre la question : « Pourquoi moi ? » et l'autre, tout aussi populaire : « Qu'est-ce qui m'a pris ? »

Durant la journée, le rêve... Mais c'est le même scénario chaque soir depuis deux semaines maintenant : Charles, huit semaines, hurle – y a-t-il un mot plus fort ? – dès qu'on le « débranche » du sein, qu'il accapare près de trois heures sans arrêt et, le plus frustrant, sans boire de façon bien convaincante. Il tète, tire, lâche, se tortille, devient écarlate, se raidit, passe quelques pets bien sonores, et rebelote... Suce, chanson, kangourou, chaise berçante, emmitouflée, pas emmitouflée, rien n'y fait...

Charlotte, sa grande sœur de trois ans, refuse d'aller brosser ses dents et prend plaisir à faire traîner en longueur le cérémonial du choix du livre d'histoires. Papa arrive entre-temps du bureau, crevé, et il en prend plein la poire, maman étant, disons-le, à peine à fleur de peau...

Vous finissez par gérer la situation, en sachant pertinemment que Charles risque fort de vous offrir le même genre de soirée demain... Joie. C'était écrit où dans le contrat, ça ?

À partir du moment où l'on a éliminé toute possibilité d'un réel problème (Charles boit bien, prend du poids, grandit bien, remplit ses couches sans problème, ne fait pas de fièvre, suit les étapes d'un développement normal et se révèle être un amour une grande partie de la journée), on tombe dans le « non spécifique pleur du bébé en santé ». Et comme on aime donner un nom aux choses, c'est un panier qu'on a appelé **coliques**. Pourquoi panier ? Parce qu'on y met, à mon avis, tous ces pleurs auxquels rien ne colle comme explication.

Qu'est-ce qui se passe ?

Les coliques… On a mal au ventre juste à entendre le mot et c'est bien dommage, car ce n'est probablement pas tout à fait justifié d'attribuer les pleurs incompréhensibles de Charles à un trouble intestinal. Vous me direz qu'il a vraiment l'air de souffrir, qu'il pète, fait des rots, ramène ses petites jambes sur son abdomen? Oui, il fait tout ça justement parce qu'il pleure! Vous allez comprendre: ça semble difficile à croire, mais Charles est lui aussi, tout comme vous, fatigué de sa journée. Il a été stimulé, embrassé, transporté, nourri, changé, lavé, bercé et aussi un peu chamboulé par les démonstrations amoureuses de Charlotte. Charles essaie tant bien que mal de s'adapter à sa nouvelle vie hors du milieu protégé et paisible du ventre de maman. Il pleure parce que c'est le seul moyen qu'il a de vous communiquer son désarroi. De votre côté, vous voulez à tout prix le réconforter.

Premier réflexe: il a faim. Ça fonctionne quelques minutes, mais rapidement, il vous fait clairement comprendre que vous êtes dans le champ. Et c'est reparti de plus belle. Il se fâche, hurle, ajoute quelques gorgées d'air à son estomac déjà gonflé comme un ballon – ce qui n'ajoute rien à son confort –, et la pression exercée en s'époumonant lui fait émettre pets et rots, d'où votre conclusion du problème de digestion. Pensez autrement: ce n'est pas nécessairement le mal de ventre qui déclenche les hurlements de Charles, même que c'est peut-être l'inverse.

On n'explique pas encore clairement ce qui occasionne les coliques. Certains chercheurs pensent qu'il s'agirait peut-être d'un processus similaire à celui qu'on décrit pour le syndrome du côlon irritable. Peut-être que c'est aussi une question de tempérament, ce qui expliquerait pourquoi Charles et pas Charlotte.

Quoi qu'il en soit, ce dont vous devez être convaincu, c'est qu'il n'y a rien de miraculeux que vous puissiez faire. Si vous tenez absolument à tenter quelque chose, vous pouvez lui donner deux à trois gouttes de **probiotiques** (p. ex.: BioGaia) deux fois par jour, puisque certaines études ont rapporté une réduction des pleurs avec leur administration.

Charles a été examiné? On vous a rassuré, il se porte à merveille? Évitez de vous rendre fou ou folle en essayant tous les laits offerts les uns après les autres, en éliminant tout et n'importe quoi de votre alimentation (si vous allaitez), en tentant toutes les tisanes, les gouttes, les techniques de massage, les «dispositifs vibrants» et tutti quanti…

Déculpabilisez-vous. Vous n'y pouvez rien, c'est parfois un passage obligé. Déjà, juste parce que vous vous sentirez plus calme, Charles le deviendra probablement aussi. Lors de leur visite avec leur nouveau trésor de trois semaines, j'explique à tous les parents que le pic des pleurs d'un bébé en santé se situe à six semaines de vie ; après, ça ne peut que tendre vers le mieux. Je leur dis aussi – et c'est un point majeur – de ne pas s'épuiser, de ne pas hésiter à faire garder Charles et à demander de l'aide. On n'ose pas, mais je vous promets qu'il y a des gens autour de vous qui n'attendent qu'un signe pour vous donner un coup de main.

COMMOTION CÉRÉBRALE
ET COUP À LA TÊTE

(traumatisme crânien)

La réceptionniste de l'école vient de vous appeler : Charles est tombé sur la tête en jouant dans la cour et se plaint d'avoir mal à la tête. Elle vous demande de venir le chercher.

C'est ni la première ni la dernière fois que ça arrive, mais chaque fois vous vous demandez ce que vous devez surveiller...

APPELEZ LE 9-1-1
Si Charles a perdu conscience.

À FAIRE
Si Charles n'a pas perdu connaissance, il est tout à fait normal qu'il ait une bonne crise de larmes pendant une quinzaine de minutes. Mais s'il vous répond, vous explique ce qui s'est passé, finit par se calmer et qu'il n'est pas différent de d'habitude, ne vous inquiétez pas trop.

> Gardez Charles à la maison avec vous.

> Ne le laissez pas seul pour les 24 premières heures.

> Si un des symptômes mentionnés survient ou que son état change, allez directement à l'hôpital (*voir Bon à savoir à la page suivante*).

> Charles peut aller dormir comme d'habitude, mais vous pouvez le surveiller à des intervalles de deux à trois heures : réveillez-le doucement, mais assez pour que vous puissiez voir s'il vous répond adéquatement et s'il vous reconnaît.

> Charles peut manger légèrement, mais ce n'est pas le temps de se gaver d'aliments gras et lourds à digérer.

> Vous pouvez lui donner de l'acétaminophène, mais rien d'autre.

Consultez en urgence

Si Charles présente un ou plusieurs des symptômes suivants :

> a un mal de tête qui ne passe pas ou, pire, qui s'aggrave ;

> a l'air confus, ou parle bizarrement ;

> se plaint d'être étourdi ;

> semble perdre son équilibre et manque de coordination ;

> ne réagit pas comme d'habitude : il est plus irritable ou plus agité ;

> vomit ;

> a du mal à rester éveillé, il est somnolent ;

> a un écoulement de liquide provenant du nez ou d'une oreille ;

> a des pupilles de grandeur inégales ;

> vous dit qu'il ne voit pas bien ;

> est pâle ;

> a de la difficulté à se rappeler des choses, a des pertes de mémoire, est désorienté ;

> a des convulsions.

Bon à savoir

Les signes d'une commotion cérébrale ?

> Perte de conscience

> Mal de tête

> Vomissements

> Confusion, désorientation

> Somnolence

> Étourdissement et trouble de l'équilibre

> Agitation (plutôt chez les adolescents) ou irritabilité (plutôt chez les jeunes enfants)

> Trouble de la coordination

> Trouble de mémoire

À quoi s'attendre ?

Si un diagnostic de commotion cérébrale est confirmé par votre médecin, Charles aura besoin d'une période d'au moins deux semaines pour récupérer.

Il est essentiel durant cette période :

> d'alléger sa tâche scolaire ;

> de cesser les sports et les activités de terrain de jeu et même de participer aux cours d'éducation physique ;

> de faire en sorte que ses périodes de repos soient respectées ;

> de limiter le temps d'écran (ordinateur, jeux vidéo, télévision).

Les professeurs, surveillants, gardiennes, entraîneurs doivent être avisés. Il est ESSENTIEL que Charles soit COMPLÈTEMENT rétabli avant de réintégrer son équipe de sport et de reprendre ses entraînements.

Prévenons

> Le casque, s'il vous plaît. Ils ne sont pas que jolis, ils sont obligatoires. La tête de votre enfant n'a pas de prix.

> L'équipement de protection utilisé devrait être standardisé, en bon état et bien ajusté.

> Orientez-le vers des activités à son niveau, même si monsieur se croit invincible.

Congestion nasale

Voir aussi Grippe ou rhume ? *et* Sinusite

Charles, 14 mois, a un autre gros rhume d'« homme »… Son petit nez est de nouveau complètement bloqué. Il a de la difficulté à dormir, il tousse, il éternue… et se plaint. Comme parent, vous vous sentez tellement impuissant devant votre petit coco qui renifle et mouche sans arrêt que vous seriez prêt à tout faire pour le dégager… Je vais vous éviter cette culpabilité car, bien honnêtement, quelques mesures bien simples restent ce que vous pouvez lui offrir de mieux.

Qu'est-ce qui se passe ?

Le rhume de Charles est provoqué par un virus… Un seul, parmi plus de 200 virus responsables du rhume… donc plus 200 possibilités d'avoir le nez bouché. Oui, Charles peut facilement vous faire jusqu'à une bonne douzaine de rhumes par année sans que cela signifie qu'il en ait un qui ne le quitte jamais ou qu'il ait un faible système immunitaire. Ne vous inquiétez pas, le temps fait bien les choses : en vieillissant, il en fera de moins en moins.

Surtout, gardez en tête qu'un petit nez obstrué de 14 mois est une plus grande source d'inconfort qu'un plus grand nez obstrué de six ans. La petitesse des conduits et les compétences encore douteuses de Charles dans la discipline du mouchage font en sorte qu'il est très incommodé, d'où l'aspect dramatique de la situation.

Quels sont les signes ?

> nez qui coule ;

> congestion nasale ;

> éternuements ;

> fièvre peu élevée dès le début des symptômes ;

> toux ;

> mal de gorge ;

> parfois de petits yeux rouges.

À faire

D'habitude, après une semaine, les désagréments du rhume sont chose du passé... Jusqu'au prochain ! La fièvre ne devrait pas durer plus de deux ou trois jours, mais la toux peut parfois traîner un peu.

> Charles doit se reposer et bien s'hydrater (eau, jus, bouillon, soupe).

> Prenez-le dans vos bras et amenez-le prendre une douche avec vous... La vapeur aide à ramollir les sécrétions qui obstruent son nez et donc à le dégager.

> S'il fait de la fièvre, vous pouvez le soulager avec de l'acétaminophène ou de l'ibuprofène.

> Évitez les médicaments contre le rhume et la congestion nasale. Non seulement ils sont inefficaces, mais ils peuvent entraîner des effets secondaires à ne pas minimiser.

> Essayez de lui montrer à se moucher efficacement. Mon petit truc? Lui montrer à faire bouger une plume en soufflant par le nez... Un oto-rhino-laryngologiste que j'admire beaucoup affirme que les enfants qui se mouchent bien ne font presque pas d'otites.

> La nuit, pour soulager la toux de Charles, on peut soulever sa tête avec des oreillers. Avec un tout-petit, vous pouvez toujours tenter un oreiller sous le matelas pour ainsi créer un angle, mais vous retrouverez souvent bébé Charles au fond de sa couchette... Ça ne coûte cependant rien d'essayer !

L'eau saline

Finalement, c'est ici que je vous fais l'éloge de l'**eau saline**... Elle nettoie le petit nez de Charles en liquéfiant ses sécrétions pour qu'elles s'écoulent plus facilement vers l'avant ou vers l'arrière, peu importe. Moins de congestion, moins de malaise et, surtout, moins de surinfection. Et tout ça sans effet secondaire. Utilisez-la autant que vous voulez. J'en mettais dans le nez de mes puces à chaque changement de couche. Elles étaient tellement habituées qu'elles me pointaient la bouteille si j'oubliais. Au début, ça peut être un peu ardu, mais ça devient rapidement une habitude.

L'eau saline se vend sous plusieurs formes. Personnellement, j'aime beaucoup le contenant avec compte-gouttes, parce que d'administration plus pacifique. On peut aussi la remplir par la suite avec notre recette maison : 2,5 ml (½ cuillère à thé rase) de sel dans 240 ml (8 oz) d'eau bouillie et refroidie... Attention, c'est comme en pâtisserie, les mesures doivent être précises !

Le mouche-bébé et le « coton-tige »

L'utilisation d'un mouche-bébé ou d'une poire nasale peut vous donner un coup de pouce, mais allez-y mollo... Quand vous voyez qu'il y a de fines traces de sang dans le mucus que vous aspirez, c'est probablement le moment d'arrêter. Je préfère le coton-tige, tout aussi utile et moins irritant.

1. Couchez Charles sur le dos.

2. Mettez-lui un plein compte-gouttes d'eau saline dans chaque narine. Pas seulement deux ou trois gouttes, c'est insuffisant.

3. Allez chercher les sécrétions avec un coton-tige.

4. Recommencez la manœuvre : un compte-gouttes par narine ! Aucun danger de noyade, promis !

À BAS LES MYTHES !

> Les courants d'air, sortir l'hiver sans tuque, sans bottes, avec les cheveux mouillés ou « attraper froid » ne donne pas le rhume. (J'entends déjà vos ados s'en réjouir !)

> La vitamine C n'a démontré aucun bienfait dans l'évolution du rhume. L'échinacée non plus, d'ailleurs.

> Les produits laitiers n'augmentent pas la production de sécrétions.

> Ce n'est pas parce que Charles a continuellement le nez qui coule qu'il a des allergies. Les allergies respiratoires apparaissent rarement avant l'âge de cinq ans.

> Des sécrétions jaunes ou vertes ne signifient pas automatiquement antibiotiques. La couleur du mucus n'a rien à voir avec la gravité de la maladie, seulement avec l'évolution normale des sécrétions, qui ont tendance à s'épaissir et à devenir moins jolies à la fin d'un rhume. On parlera rarement de sinusite.

> La poussée dentaire n'a rien à voir avec le nez qui coule ni avec la fièvre.

CONSULTEZ

Si Charles :

> a moins de 3 mois ;

> a de la fièvre depuis plus de trois ou quatre jours ;

> a moins d'entrain, est plus amorti ;

> se plaint d'un mal d'oreille ou d'un mal de gorge qui l'empêche d'avaler ;

> a une toux qui semble s'accentuer de jour en jour ;

> est tout petit et vous n'arrivez pas à le faire boire suffisamment.

CONSULTEZ IMMÉDIATEMENT

Si Charles :

> a de la difficulté à respirer ;

> est somnolent, inconsolable ou très irritable ;

> est beaucoup plus pâle que d'habitude.

APPELEZ LE 9-1-1

> Si Charles a les lèvres bleutées.

- -

CONSTIPATION

Les selles de Charles sont devenues votre première préoccupation, et j'exagère à peine. Je suis loin de vous blâmer : ce n'est définitivement pas une partie de plaisir de voir votre petit bout de trois ans s'accroupir et pleurer en serrant les fesses, anticipant la douleur...

QU'EST-CE QUI SE PASSE ?

Tout d'abord, parlons des vraies choses : j'aimerais revoir avec vous la notion de constipation. Bien souvent, on définit un enfant constipé uniquement par la fréquence à laquelle il va à la selle, et c'est là qu'on a tout faux. La constipation chez l'enfant se définit par la consistance des selles. Je m'explique : Charles a une selle tous les trois jours, sans douleur, bien formée, mais molle et sans chichis ? Charles n'est pas constipé. Charles a trois petites selles par jour, petites boulettes dures qui pourraient servir de cochonnet à la pétanque ? Charles est constipé. On applique la même philosophie aux selles de bébé. Prenons le cas de Charles, deux mois, allaité. Difficile à croire – et ça rend beaucoup de parents inconfortables –, mais même s'il ne vous offre qu'une seule couche bien pleine tous les douze jours, il n'est pas constipé, puisqu'en règle générale les selles du bébé nourri au sein n'ont rien de solide... Cependant, vous avez sûrement remarqué qu'au contraire, par périodes, Charles entre dans le mode production et il vide votre réserve de couches en trois jours. C'est tout à fait normal. Anecdote (et certains d'entre vous se reconnaîtront peut-être) : il m'est arrivé une fois de devoir quitter mon chariot bien rempli au supermarché parce qu'il y avait inondation dans l'habit de neige de ma puce !

Quels sont les signes ?

Charles peut être complètement libre de plaintes relativement à sa constipation, mais bien souvent, on pourra remarquer l'un ou l'autre de ces indices :

> des selles dures et en «crottes de lapin», appelées ***scybales*** dans notre jargon, qui créent de la douleur au moment de l'élimination ;

> une fissure à l'anus due à la difficulté de passer les selles, qui peut tacher le papier hygiénique de sang rouge clair ou laisser une trace de sang sur la selle ;

> des maux de ventre – c'est la cause numéro un – sous forme de crampes, allant et venant ;

> une perte d'appétit ;

> une tendance à se retenir, à s'agenouiller, à serrer les fesses, à attendre un peu et à repartir vaquer à ses jeux ;

> des fuites d'urine, ou «pipis minute», dues à la pression qu'exerce sur la vessie l'accumulation de selles dans les intestins.

À FAIRE

A pour Arrêter d'en faire une obsession

Que votre angoisse soit palpable ne fera qu'envenimer les choses. Lâchez prise. Charles a besoin de votre aide et non de vous sentir tracassé. La relation épineuse entre Charles et ses cacas lui appartient, à lui, pas aux autres membres de la famille et encore moins à ceux qui ne vivent pas sous le même toit que vous. Ne vous inquiétez pas : si Charles avait un problème d'intestin plus sérieux, d'autres manifestations vous auraient amené à consulter plus tôt, et votre médecin aurait pris les mesures nécessaires.

B pour Boire de l'eau

C'est indispensable. La déshydratation est un facteur majeur dans l'installation de la constipation. Et j'ai bien dit de l'eau ! Les jus sont des sources surprenantes de calories et de sucre et ne contiennent aucune fibre, sauf le jus de pruneaux, mais, pour ce qui est du goût, vous n'obtiendrez sûrement pas un accueil triomphal.

pour Couper un peu dans le blanc

Le lait, les produits laitiers, le riz, les pâtes blanches et le pain blanc, lorsqu'ils sont consommés de façon excessive, ont tendance à constiper. Avec deux tasses (un demi-litre) de lait par jour, l'objectif calcium est atteint, donc pas de panique.

pour Donner graduellement plus de fibres

On augmente la consommation de fruits (avec la pelure), de légumes, de légumineuses, de grains entiers, mais pas du jour au lendemain! Allez-y graduellement pour que le système digestif de Charles (et le vôtre, par la même occasion) ait le temps de s'habituer à sa nouvelle diète. Truc: ajoutez 5 à l'âge de l'enfant et vous obtenez le nombre de grammes de fibres que votre petit loup doit consommer chaque jour. Charles a trois ans, donc 8 g par jour. On parle d'un apport de 20 à 30 g par jour pour un adulte.

pour Exercices physiques

Allez jouer dehors!

pour Favoriser la routine

Il faut absolument casser le cercle vicieux de «Charles se retient». Plus Charles se retient, plus la selle devient sèche, dure et grosse, plus ce sera douloureux au moment de l'éliminer, et plus il risque d'en avoir un vilain souvenir et de se retenir tout autant la fois suivante. Le but, c'est de lui faire oublier le réflexe de se retenir en lui faisant oublier qu'il a déjà eu mal.

Instaurez une routine de toilette, de préférence le soir, après le souper, parce que le matin, c'est la course, et que, le midi, on n'y pense même pas. Et aussi parce que, le soir, Charles est chez lui, dans ses affaires, sur sa toilette; ça peut vous sembler complètement ridicule, mais je vois beaucoup d'enfants devenir constipés à l'âge scolaire, car la seule éventualité de devoir fréquenter les toilettes de l'école les paralyse totalement.

On profite du réflexe **gastrocolique**, réflexe qui entraîne des contractions du rectum, afin d'éliminer les selles lorsque l'estomac est plein.

> Installez Charles sur la toilette pendant 10 minutes après le repas.

> Assurez-vous que ses pieds sont bien appuyés.

> Rendez le moment agréable. Un livre? Pourquoi pas?

> Encouragez-le, par exemple avec un calendrier et des collants pour les bonnes journées.

> Ne le culpabiliez jamais.

> Et surtout, si Charles n'est pas encore propre, n'insistez pas pour qu'il le devienne, même si vous êtes en train de crouler sous la pression…

CONSULTEZ

Bon, malgré une diète A+ et un programme d'activités physiques quasi olympique, vous n'y arrivez pas… ou plutôt, Charles n'y arrive pas… C'est le moment d'aller chercher de l'aide.

On doit parfois avoir recours à un traitement, pendant un certain temps, pour échapper au cercle vicieux :

> un émollient, qui lubrifie et ramollit les selles (p. ex. : gelée de Lansoyl) ;

> un laxatif qui attire l'eau dans l'intestin pour « hydrater » les selles et les rendre moins dures (p. ex. : lactulose et Lax-A-Day) ;

> un laxatif qui stimule les mouvements des intestins (p. ex. : sennosides).

Charles peut devoir prendre un laxatif pendant plusieurs mois et être suivi par votre médecin. On ne pensera même pas à réduire la dose tant et aussi longtemps que tout ne sera pas complètement rentré dans l'ordre depuis un petit moment. La question que vous me posez souvent : « Est-ce que Charles va devenir dépendant de ces médicaments ? » Non, mais si on le laisse s'enfoncer dans ses mauvaises habitudes de rétention, ses intestins distendus vont s'habituer à cet état. Ils risquent alors de ne plus répondre adéquatement à la pression des selles et de devenir « paresseux ».

CONVULSIONS

Charles, trois ans, fait de la fièvre depuis ce matin, mais à part le fait qu'il est un peu plus ralenti que d'habitude, rien ne vous inquiète. Il est assis dans la salle de jeu, et vous l'observez de la cuisine. Soudain, votre coco, couché sur le sol, est secoué par de gros soubresauts. Ses deux petits bras et ses jambes sont agités de tremblements, ses yeux regardent vers le haut, sa respiration est bruyante... Une minute qui vous paraît durer des heures... Tout s'arrête. Charles semble épuisé pendant quelques minutes, mais récupère plutôt rapidement de l'épisode. Il est bouillant au toucher. Une demi-heure plus tard, vous lui redonnez une dose d'acétaminophène et il vous demande de dessiner avec lui. Dessiner ? Vous êtes encore sous le choc.

QU'EST-CE QUI SE PASSE ?

Charles vient de faire une **convulsion fébrile**. On peut comparer une convulsion à une tempête électrique dans le cerveau, à une désorganisation des circuits. Ces décharges électriques peuvent avoir de multiples causes : fièvre, infection, malformation, traumatisme, hémorragie, intoxication, épilepsie, etc. Je vous comprends, c'est impressionnant et assez angoissant, je ne m'étendrai donc pas ici sur toutes les causes possibles des convulsions, mais je vais plutôt me concentrer sur ce qui vous préoccupe le plus : comment reconnaître une convulsion et quoi faire quand elle survient.

CONSULTEZ EN URGENCE

Les convulsions peuvent prendre plusieurs formes et parfois être assez subtiles. Tous les signes suivants sont susceptibles d'être des indices de convulsions.

Si Charles présente une ou plusieurs de ces manifestations :

> perte de conscience subite inexpliquée ;

> mouvements saccadés des bras et des jambes ;

> rigidité ;

> spasmes musculaires répétitifs ;

> yeux révulsés ;

> mouvements inhabituels des yeux ;

> écume à la bouche, salivation, mâchouillements ;

> respiration bruyante et irrégulière ;

> pauses respiratoires ;

> morsure de la langue ;

> incontinence urinaire ou fécale ;

> yeux qui fixent dans le vide ;

> arrêt soudain d'une activité, comme si vous aviez appuyé sur «pause» ;

> perte de contact, absence de réponse pendant quelques secondes ;

> période de fatigue, de confusion, qui suit une «crise».

À FAIRE

> Restez calme (c'est probablement, dans cette liste, la chose la plus difficile à faire).

> Ne laissez Charles seul à aucun moment.

> Ne mettez pas vos doigts ni aucun objet dans sa bouche.

> Ne tentez pas de retenir ses mouvements.

> Couchez Charles sur le côté ; comme ça, s'il régurgite, il ne s'étouffera pas.

> Assurez-vous que l'environnement est sécuritaire et éloignez les objets potentiellement dangereux.

> Une fois la convulsion terminée, ne le nourrissez pas et ne lui donnez rien à boire avant qu'il soit complètement redevenu lui-même.

> Ne le forcez pas à se réveiller.

Appelez le 9-1-1

Si Charles présente une ou plusieurs de ces manifestations :

> Il a de la difficulté à respirer ou ne fait pas d'efforts respiratoires.

> Il a les lèvres bleutées.

> Il se blesse durant la convulsion.

> Il fait une crise qui dure plus de cinq minutes.

> Ses symptômes ou sa crise ressemblent peu à ceux qui ont été observés dans le passé (dans l'éventualité où Charles a déjà fait une crise).

> Il est confus plus de cinq minutes après l'arrêt de la convulsion.

> Il a moins de six mois.

Consultez

Peu importe le déroulement de la convulsion, Charles devrait être examiné par son médecin dans les plus brefs délais, surtout s'il s'agit de son premier épisode.

Bon à savoir

Convulsion fébrile

Les convulsions fébriles surviennent lors d'une poussée fiévreuse, ce qui semble irriter le cerveau et engendrer les décharges électriques responsables des crises convulsives. (Les symptômes du petit Charles décrits plus haut sont typiques de la convulsion fébrile.) Ce type de convulsion, bien que terrorisant pour les parents, ne comporte pas de dangers et les séquelles sont rarissimes.

Typiquement, les confusions fébriles :

> se présentent par des mouvements saccadés des bras et des jambes, qu'on appelle **tonicocloniques généralisés** ;

> durent moins de 10 minutes ;

> sont suivies d'un retour à la normale assez rapide ;

> se voient chez les enfants de cinq mois à cinq ans ;

> ont un historique familial ;

> surviennent malgré la prise d'un médicament pour faire descendre la fièvre.

COQUELUCHE

C'est toujours un hit quand j'explique quelque chose dans mon bureau et que j'ajoute les mimiques et la bande sonore, en mettant à profit mes talents discutables d'imitatrice. C'est le cas quand je parle de la coqueluche, qui se caractérise par une toux et un « chant du coq » assez particuliers.

Vous avez reçu un avis de la prématernelle que fréquente Charles : « Veuillez noter qu'un cas de coqueluche a été confirmé chez un enfant... » Bon, voilà autre chose... Mais Charles est vacciné, non ?

Oui, il existe un vaccin contre la coqueluche : Charles a dû le recevoir à 2, 4, 6 et 18 mois, ainsi qu'un rappel entre 4 et 6 ans. Il est aussi prévu qu'il recevra une autre dose au cours de son adolescence, en 3e secondaire. C'est, sans l'ombre d'un doute, un excellent moyen de protéger votre chéri. Malheureusement, ce vaccin n'est pas infaillible.

QUELS SONT LES SIGNES ?

La coqueluche se décline en deux temps :

1. Une première phase, d'environ deux semaines, ressemble à un rhume banal : nez qui coule, légère congestion nasale, peu ou pas de fièvre.

2. Puis, la toux caractéristique s'installe : elle se présente en quintes prolongées. Charles devient écarlate, ses yeux sont larmoyants et, typiquement, il vomit à la fin de la quinte. Le chant du coq est le son particulier produit par Charles lorsqu'il reprend son souffle à la fin de sa quinte de toux. Cette toux peut devenir épuisante pour l'enfant. Et c'est ici qu'arrive la mauvaise nouvelle : cette phase peut durer de 6 à 12 semaines... Ce n'est pas pour rien qu'on nomme cette condition la «toux des cent jours»; c'est long longtemps.

En toussant, l'enfant infecté partage le germe de la coqueluche avec ses amis de l'école et les membres de sa famille, et l'infection peut prendre de une à deux semaines avant de se déclarer.

Consultez

> Si Charles présente ce genre de toux ou si l'on sait qu'il a été en contact étroit avec une personne infectée. Une analyse faite sur des sécrétions de son nez permettra de confirmer l'infection.

> Si vous avez un enfant de moins de six mois, consultez rapidement. Les tout-petits ont souvent besoin d'une hospitalisation et d'une surveillance accrue, car ils sont plus susceptibles de développer des complications de la coqueluche. Ils peuvent présenter des apnées (pauses respiratoires prolongées) et deviennent alors bleutés, sans nécessairement

avoir la toux caractéristique qui accompagne la maladie chez les plus grands.

Quel est le traitement ?

Les antibiotiques ne se sont pas révélés miraculeux dans le traitement de la coqueluche. Si on les administre assez tôt, ils atténuent la durée et la sévérité de la maladie. Malheureusement, si on commence le traitement lorsque la fameuse toux est déjà installée – autrement dit, bien souvent au moment où l'on commence à croire qu'on a affaire à une coqueluche –, on diminue uniquement (mais nettement) la période de contagiosité… C'est toujours ça de gagné pour le reste de la petite famille! Si Charles a une coqueluche prouvée, on recommande aussi de traiter préventivement les personnes qui sont en contact étroit avec le malade… Comme vous!

· ·

Coude, subluxation du

Le jeu préféré de Charles, trois ans, c'est de se tirailler avec son oncle Jean... Jusqu'au jour où ce dernier arrive, translucide, à côté de vous : « Je te jure... Je n'ai rien fait de spécial... Je l'ai seulement fait tourner un peu en lui tenant les mains... Je ne comprends pas... Charles ne veut plus bouger son bras... »

La subluxation du coude – très justement nommée *pulled elbow* en anglais – survient typiquement lorsque l'enfant est tiré par le bras, par exemple lorsqu'on veut le retenir lors d'une chute, lorsqu'on joue à le faire «voler» en tournant, ou lorsqu'on lui agrippe le bras afin qu'il ne traverse pas la rue seul.

La subluxation se produit lorsque le radius, un os de l'avant-bras normalement retenu en place au coude par un ligament, glisse légèrement hors de l'emprise de ce ligament. C'est très fréquent chez les petits Charles taquins de ce monde, de 18 mois à cinq ans.

Consultez immédiatement
Si Charles:

> a soudainement mal au bras entre le poignet et le coude et refuse de le mobiliser;

> tient son bras collé contre lui;

> n'utilise pas son bras et qu'il pleure si vous essayez de le bouger.

En espérant qu'oncle Jean n'est pas tombé dans les pommes entre-temps, on se rend à l'urgence, où Charles sera évalué. Si effectivement le médecin n'identifie aucun risque de fracture, il remettra le coude «en place» et Charles sera immédiatement soulagé.

Prévenons !

On n'invite plus oncle Jean... Je blague, bien sûr! On évite simplement de tirer sur les bras de Charles car, malheureusement, ce genre de désagrément a tendance à se répéter chez le même enfant.

Courbes de croissance

Il y a peu de chances que Charles soit un jour l'espoir canadien de lutte gréco-romaine. Chaque visite chez son médecin vous confronte à cette réalité : Charles est plus petit que la moyenne. Mais que doit-on comprendre de ces courbes, de ces percentiles et de ces mesures de croissance ? Et où trace-t-on la limite entre le rassurant et l'inquiétant ?

Qu'est-ce qui se passe ?

Les chiffres sont omniprésents dans notre quotidien et, dans la majorité des cas, ils indiquent des balises claires : la quantité de farine dans une recette, le nombre de fautes dans la dernière dictée de Charles, le montant de votre dernière contravention...

Mais quand il s'agit de courbes de croissance, il n'y a pas de recette toute faite, il n'y a pas de bons ou de mauvais chiffres. Les courbes de croissance indiquent des **tendances**, alors, pour parler comme Bernard Derome : «Si la tendance se maintient», Charles ne sera pas très grand.

Votre médecin vous semble un peu accro au principe de mesurer et de peser Charles chaque fois qu'il lui voit le bout du nez? Pas étonnant, car le suivi de sa croissance est probablement notre meilleur indice de son état de santé. Tout problème nutritionnel ou toute maladie se reflètent sur la croissance du jeune enfant. C'est notre principal système d'alarme.

Les percentiles, quant à eux, nous indiquent où votre Charles se situe par rapport à une population de cocos du même âge et du même sexe.

Prenons ici l'exemple de Charles. Il est au troisième percentile pour la taille et au cinquième pour le poids.

> Le troisième percentile signifie que, parmi 100 garçons du même âge, il est plus petit que 96 d'entre eux et plus grand que 2 d'entre eux.

> Même exercice pour le poids : il est plus léger que 94 d'entre eux et plus lourd que 3.

> Un enfant qui se situe au cinquantième percentile est donc en plein dans la moyenne.

Règle générale, Charles suivra «sa» courbe, c'est-à-dire que l'évolution de sa croissance se maintiendra autour du même percentile pendant la majeure partie de son enfance.

Parce que vous avez légué à Charles votre bagage génétique, il a bien des chances de vous ressembler (et cela à

BON À SAVOIR

Tout petit, Charles aura le privilège d'avoir un chiffre supplémentaire à son bulletin (un autre!) : le périmètre crânien. Cette mesure de la circonférence de son crâne, particulièrement importante en bas âge, reflète directement la croissance du cerveau de votre petit loup et sera inscrite à son dossier lors de chaque rendez-vous de ses deux premières années de vie. Cette mesure suit une courbe, tout comme celle de la taille et du poids, et peut aussi être influencée par le bagage génétique. Alors, si papa a toutes les difficultés du monde à se trouver une casquette, ne soyez pas surpris que Charles suive ses traces.

bien des égards). Il n'est donc pas rare de voir un changement de percentile au cours des trois premières années de vie, période au cours de laquelle Charles atteint son «potentiel génétique». Je le répète souvent dans mon bureau, la pomme ne tombe en général pas très loin de l'arbre...

Tout va bien

> Si Charles suit sa propre courbe de croissance, qui ne doit pas nécessairement ressembler à celle de son petit voisin de classe ni à celle de son cousin Colin, qui, au grand désespoir de votre chéri, le dépasse d'une tête.

> Si Charles modifie un peu sa trajectoire et change de courbe avant l'âge de trois ans, symétriquement en poids et en taille. Il suit son «programme génétique», celui que vous lui avez légué.

> Si Charles se développe de façon harmonieuse, a de l'appétit, respire l'énergie et réussit avec succès à vous faire perdre la vôtre.

Ça va moins bien

> Si le poids et la taille de Charles sont nettement passés sous les valeurs de sa courbe de croissance.

> Si Charles est fréquemment malade, accuse des lenteurs de développement ou s'il manque d'appétit et de vivacité...

Mon message reste cependant invariablement le même : au-delà des chiffres, des courbes et des percentiles, regardez votre enfant : s'il vous semble en pleine forme, les chances sont grandes qu'il soit effectivement en bonne santé.

À quoi s'attendre ?

Charles fait indiscutablement du sur place? Vous n'avez pas eu à changer la taille de ses pantalons depuis plusieurs mois? Il ne grandit pas, ne grossit pas et manque de dynamisme? Ça commence sûrement à vous inquiéter, et avec raison.

Consultez

Votre médecin :

> reconstituera, avec votre aide, l'histoire de la jeune vie de Charles;

> relèvera ses antécédents médicaux familiaux pertinents;

> examinera de plus près ses habitudes alimentaires à l'aide d'un journal alimentaire;

> procédera à un examen physique;

> fera passer à Charles quelques prises de sang et une radiographie qui déterminera son âge osseux.

COMME DELPHINE

Dent brisée

Delphine vient de vous présenter un numéro de culbutes digne d'une production du Cirque du Soleil... Avec pour malheureuse issue un bout de dent en moins.

À FAIRE

C'est une dent de lait :

> Arrêtez le saignement en appliquant une pression avec une compresse propre ou en demandant à votre enfant de mordre dedans.

> Que la dent soit complètement délogée ou seulement en partie brisée, votre dentiste ne la recollera pas, mais vous devez tout de même rapidement faire examiner Delphine.

C'est une dent définitive :

> Contrairement à ce qu'il fera avec la dent de bébé, votre dentiste tentera de sauver la dent définitive.

> La dent est complètement sortie ? Tentez de la remettre en place en faisant attention de ne pas la manipuler par la racine. Puis, le temps de vous rendre chez le dentiste, demandez à Delphine de mordre une débarbouillette afin que la dent ne bouge pas.

> Vous n'y arrivez pas ? Mettez la dent, ou le morceau cassé, dans du lait et rendez-vous chez le dentiste.

 ## CONSULTEZ

Même si, après une spectaculaire acrobatie et un bon coup dans les dents, tout semble être resté en place, ce n'est pas une mauvaise idée de faire examiner la bouche de votre cascadeuse par votre dentiste. Parfois, l'impact ne se manifestera que plus tard...

DENTS, FAIRE SES...

Pleurs, fièvre, fesses rouges, diarrhées, mauvaises nuits, humeur massacrante, manque d'appétit... Les dents ont le dos large. Dès qu'on est incapable d'interpréter les petits accès d'humeur de mademoiselle Delphine, ce sont les dents qui sont au banc des accusés, alors que bien souvent l'odieux devrait être porté par nos amis virus ou le petit caractère de notre princesse.

La première dent de Delphine peut apparaître n'importe quand entre trois mois et un an, parfois même plus tard. N'allez surtout pas croire qu'elle aura besoin d'un dentier parce qu'elle n'a pas encore de dents à 11 mois! Elle se débrouille de toute façon très bien sans.

Quels sont les signes ?

> Delphine a toutes les raisons d'être plus à pic que d'habitude et de manifester à la moindre contrariété. Ses gencives sont gonflées et plus sensibles quelques jours avant que la dent n'apparaisse. Si vous soupçonnez que c'est plutôt dû à son petit caractère, c'est tout de même une bonne excuse pour expliquer ses lamentations en public...

> Elle peut avoir envie de mordre tout ce qui lui tombe sous la dent, y compris votre sein, votre épaule, votre joue...

Bon à savoir

Habituellement, on observe l'ordre d'apparition suivant. Petite note romantique, les dents arrivent souvent en couple...

1. **Incisives centrales** : celles du bas d'abord : de 6 à 12 mois.

2. **Incisives latérales** : dans l'ordre contraire, histoire de changer un peu : de 9 à 16 mois.

3. **Canines** : petites dents de Dracula : de 16 à 23 mois.

4. **Premières prémolaires** : de 13 à 19 mois.

5. **Deuxièmes prémolaires** : de 2 ans à 2 ans et demi.

Après trois ans – et quelques nuits dans la chaise berçante –, les 20 dents de bébé devraient donc être présentes. Préparez-vous, ce sera à partir de cinq ou six ans qu'il vous faudra établir un budget fée des dents (et elle a eu une augmentation de salaire ces dernières années).

> Un peu moins d'appétit? Normal, la pression sur ses gencives la dérange.

> Elle bave beaucoup. Vous n'avez pas encore déniché LA bavette ultra-absorbante? Moi non plus. Faites-vous seulement à l'idée que ce n'est qu'un passage et qu'elle arrêtera de baver bientôt. Ne l'essuyez pas toutes les trente secondes, ça ne ferait qu'irriter sa peau déjà un peu rougie. Mais attention! derrière chaque bébé qui bave, il n'y a pas **obligatoirement** une dent!

> Le sommeil est rarement affecté.

> Parfois, une bulle bleutée peut se former à l'endroit où la dent perce. Ce kyste d'éruption disparaîtra de lui-même une fois que la quenotte apparaîtra.

À FAIRE

La pression sur ses gencives meurtries lui fera du bien:

> Vous pouvez masser les gencives de Delphine avec une débarbouillette d'eau froide et votre doigt – ou une brosse à dents pour bébés – et lui laisser mâchonner la débarbouillette.

> Offrez-lui un anneau de dentition en caoutchouc que vous aurez refroidi au frigo. Il doit être suffisamment grand afin qu'elle n'arrive pas à le mettre complètement dans sa bouche. Pas de liquide dedans,

pas de congélateur, pas de cordon autour du cou, pas de biscuits de dentition (sucre = carie), pas de légumes crus et durs...

> Personnellement, je ne suis pas une grande *fan* des gels de dentition qui, en engourdissant la gencive, peuvent aussi affaiblir le réflexe qui fait que Delphine avale normalement.

> De l'acétaminophène à l'occasion? Pas de problème, si vous voyez que Delphine à l'air misérable et que votre cœur de parent saigne...

À BAS LES MYTHES !

> Delphine a de la fièvre depuis quelques jours parce qu'elle perce des dents. NON

> Delphine est congestionnée, tousse comme si elle venait de fumer un paquet de cigarettes parce qu'elle perce des dents. NON

> Delphine vomit, a des diarrhées liquides et abondantes parce qu'elle perce des dents. NON

> Delphine a les fesses tellement rouges qu'elles éclairent dans le noir, toujours parce qu'elle perce des dents. NON

> Delphine a l'air malade et est amorphe, ce sont ses dents. NON

> Delphine pleure toutes les nuits, ce sont ses dents. NON, les dents ne poussent pas seulement la nuit, je vous le promets.

Dents, grincement de

(bruxisme)

C'est un bruit qui vous donne la chair de poule. Et depuis trois semaines, votre Delphine vous donne gratuitement ce concert toutes les nuits... À un point tel que vous vous êtes même demandé si, à ce rythme-là, il allait lui rester des dents...

Un enfant sur deux grince des dents à un certain moment, surtout peu après l'éruption de celles-ci. Et je vous rassure tout de suite : à cet âge, aucun lien avec le stress ou avec une infestation de vers intestinaux !

Par contre, il peut en résulter une usure prématurée des dents, et, chez nos plus grands, des maux de tête et des douleurs à la mâchoire. Une plaque occlusale, alors ? N'y pensez même pas ! Delphine vous enverra paître et elle aura bien raison ! Ces traitements sont surtout réservés à l'adulte. Faites simplement un suivi régulier avec votre dentiste, qui pourra aussi évaluer si Delphine ne présente pas un problème anatomique comme une malocclusion.

Dents, soins des

On a sorti tambours et trompettes pour l'événement «première dent» de Delphine, mais maintenant que la petite fête est terminée, j'ai le regret de vous dire qu'une nouvelle tâche vient de s'ajouter à la case horaire...

Qu'est-ce qui se passe ?

Ce n'est pas parce que ce sont des dents de bébé et qu'elles vont faire place aux dents définitives dans un avenir rapproché qu'elles ne nécessitent aucun soin. Une carie à 18 mois ou une carie à 34 ans, c'est tout aussi inconfortable et tout aussi dommageable pour le sourire, sans compter les impacts sur le sommeil, l'alimentation, le langage et le risque d'infection.

La présence de sucres – même les sucres naturels contenus dans le lait maternel, les laits maternisés, les jus purs à 100 %, etc. – et de bactéries dans la bouche de votre adorable princesse constitue la combinaison gagnante pour le développement d'une carie qui, par définition, n'est ni plus ni moins qu'un trou dans la couche protectrice de la dent, l'émail. Malheureusement, une fois que la carie est lancée, on passe rapidement du minuscule trou au Grand Canyon, d'où l'importance de prévenir.

Le fluor est un élément protecteur qui diminue efficacement les risques de caries dentaires lorsqu'on le met en contact direct avec les dents. On en retrouve dans le dentifrice, mais aussi, dans certaines municipalités, dans l'eau du robinet. Par contre, trop c'est comme pas assez : des taches blanches sur les dents – la « fluorose dentaire » – peuvent résulter d'un excès de fluor. Ce n'est pas dangereux, simplement embêtant.

À FAIRE

0 à 1 an

> **Brossage** : Delphine + première dent = première brosse à dents douce, conçue pour les bébés, à utiliser une fois par jour minimum, avant le dodo. Une débarbouillette propre et mouillée fait aussi très bien l'affaire.

> **Fluor** : elle ne sera pas une grande *fan* du dentifrice de papa, mais celui à la gomme baloune risque de lui plaire un peu trop. Je recommande à cet âge d'utiliser un dentifrice sans fluor, ou tout simplement de l'eau, afin d'éviter une fluorose dentaire.

À NE PAS FAIRE

0 à 1 an

> Donner un biberon de lait ou de jus au lit.

> Mettre du sirop, et encore moins du miel, sur la suce.

> Mettre SA suce dans VOTRE bouche ; honnêtement, vous croyez qu'elle sera vraiment plus propre ? Vous lui faites cadeau de bactéries qu'elle n'a pas encore, et on n'est pas si pressé.

> « Du jus, du jus, du jus ! » Inutile de répéter que ce n'est pas un besoin !

À FAIRE
1 à 2 ans

> **Brossage**: Delphine devient grande et veut se brosser les dents «tu seule»… Laissez-la faire, mais ajoutez-y votre touche finale.

> **Fluor**: attendez encore un peu pour le «vrai» dentifrice, vérifiez si l'eau est fluorée chez vous et demandez au dentiste si Delphine a besoin de suppléments.

> **Rendez-vous chez le dentiste**: c'est l'âge de faire connaissance. Attendez quand même d'avoir le sentiment que Delphine est prête à collaborer un peu, ce sera plus agréable pour tout le monde. La première fois, il s'agit d'un examen très sommaire pour amadouer votre poussinette. Et, règle générale, les dentistes ont le tour: Delphine ressortira de sa visite avec un paquet de cadeaux… Si bien qu'elle m'en demandera autant lors de son prochain rendez-vous avec moi!

À NE PAS FAIRE
1 à 2 ans

> Continuer à donner la suce et les biberons… Je sais, ça fait ouch dans votre cœur de parent…

> Juste pour enfoncer le clou un peu: pas de relâchement sur le jus!

À FAIRE
3 à 6 ans

> **Brossage**: ça devient déjà un terrain de négociation… Je sais, mais passage obligé: jusqu'à six ans, continuez de jouer votre rôle d'inspecteur.

> **Fluor**: deux fois par jour, avec un petit pois de dentifrice fluoré SI Delphine le crache bien. Si elle en raffole et qu'elle en étale sur sa tartine du matin, achetez celui à la menthe glaciale, ça réduira ses ardeurs…

> **Rendez-vous chez le dentiste**: tous les six mois… et pas seulement pour les cadeaux!

À NE PAS FAIRE
3 à 6 ans

> Donner des bonbons, sauf le 31 octobre.

> Donner des céréales très sucrées, des fruits séchés et tout ce qui colle aux doigts… et aux dents!

DÉSHYDRATATION

« Surveillez-la bien. Il ne faut pas qu'elle se déshydrate ! » D'accord, mais ce n'est pas écrit sur le front de la petite si elle est déshydratée ou non... Alors, comment fait-on pour savoir ? Simple.

La déshydratation survient quand Delphine perd plus de liquide qu'elle n'en absorbe : diarrhées, grandes chaleurs, fièvre, vomissements, refus de s'alimenter... Le danger, c'est que, chez elle, les réserves étant moins grandes, les conséquences sont plus rapides.

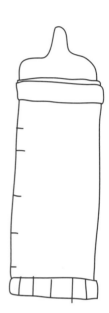

QU'EST-CE QUI SE PASSE ?

Delphine est un peu déshydratée si :

> elle est encore bien alerte ;

> elle a la bouche un peu pâteuse ;

> elle mouille plus de six couches par jour ou qu'elle urine à peu près normalement ;

> elle a les mains et les pieds normalement chauds ;

> elle a des larmes quand elle pleure.

On lui offre plus souvent à boire, c'est tout.

Delphine est modérément déshydratée si :

> elle semble plus fatiguée, moins enjouée ;

> elle mouille moins de six couches par jour et si son urine a la couleur du jus de pomme ;

> elle demande beaucoup à boire ;

> elle a la bouche sèche, la salive filante et les yeux cernés ;

> elle a les mains et les pieds froids ;

> elle a moins de larmes.

> Si Delphine a moins de un an, on peut remarquer que la **fontanelle** sur le dessus de sa tête est plus creuse que d'habitude.

Achetez une **solution de réhydratation** (*voir p. 101*) et on suit les conseils donnés dans la section « Diarrhées et gastroentérite » (*voir p. 98*). On consulte si ça ne rentre pas rapidement dans l'ordre.

CONSULTEZ IMMÉDIATEMENT

Delphine est gravement déshydratée si :

> elle est franchement somnolente ou **léthargique** ;

> elle ne mouille presque plus ses couches ou n'urine que très peu ;

> elle a excessivement soif ;

> elle a la bouche complètement sèche et les yeux très creux ;

> elle a les mains et les pieds froids, même marbrés ;

> elle n'a plus de larmes ;

> sa fontanelle est beaucoup plus creuse que d'habitude.

DIABÈTE

Delphine fait pipi toutes les deux minutes. Elle a continuellement soif. Elle a des sautes d'humeur... Plusieurs comportements de votre puce vous amènent à penser qu'elle devrait probablement passer des tests pour le diabète, surtout quand il y a un historique de cette condition dans la famille. Vous n'avez pas tort... Cependant, le diabète chez l'enfant se présente souvent de manière un peu plus insistante...

QU'EST-CE QUI SE PASSE ?

Chacune des cellules de notre corps a besoin d'énergie pour pouvoir accomplir les tâches et les fonctions qui lui sont propres : une cellule musculaire doit pouvoir se contracter, une cellule nerveuse doit pouvoir transmettre de l'influx nerveux, une cellule intestinale doit pouvoir absorber les nutriments, et ainsi de suite. Sans énergie, notre système ne fonctionne plus. C'est la panne de courant. Cette énergie, le sucre, nous l'obtenons en grande partie des aliments que nous ingérons. Lorsque nous consommons une pomme, par exemple, elle passe par notre système digestif où elle est digérée, et le sucre (glucose) qui en est extrait entre en circulation dans le sang. Le glucose est le carburant de la cellule, et il doit y entrer pour lui fournir l'énergie dont elle a besoin. Pour ce faire, il faut une «clé» qui s'appelle **insuline**. L'insuline est une hormone sécrétée par le pancréas, un organe situé sous l'estomac. L'insuline ouvre les «portes» de la cellule pour y laisser entrer le glucose. Le diabète, c'est en fait un problème de clé.

BON À SAVOIR

Il existe deux types de diabète :

Le **diabète de type 1** est celui qu'on retrouve principalement chez l'enfant et l'adolescent. La clé est manquante parce que le pancréas ne produit plus l'insuline nécessaire à l'absorption du glucose.

Le **diabète de type 2** est celui qu'on retrouve principalement chez l'adulte, mais malheureusement aussi de plus en plus chez l'adolescent. La clé est présente mais défectueuse et elle ne parvient plus à ouvrir la porte de la cellule adéquatement. On parle alors de résistance à l'insuline.

Je vais limiter mes explications au diabète de type 1, soit celui qu'on retrouve majoritairement chez nos petits et nos adolescents.

QUELS SONT LES SIGNES ?

Le glucose, qui ne peut plus entrer dans les cellules, reste en circulation dans le sang. Le sang de Delphine devient un véritable «sirop» et ses reins, voulant compenser cette accumulation, tentent d'éliminer le sucre excédentaire dans l'urine. Pour ce faire, ils doivent aussi éliminer beaucoup d'eau, ce qui explique le cercle vicieux : augmentation de la quantité d'urine, perte d'eau, déshydratation, augmentation de la soif... En plus, la cellule, ne recevant pas l'énergie dont elle a besoin, envoie des signaux de famine : Delphine mange donc sans arrêt. Malgré cette consommation accrue de liquides et d'aliments, Delphine perd du poids et paraît faible et fatiguée car, par manque d'insuline, l'énergie qu'elle ingère n'est pas utilisable.

Delphine pourrait éprouver les symptômes suivants :

> une soif qui augmente de façon marquée et soudaine ;

> un appétit vorace ;

> un besoin d'uriner fréquent et en quantité non négligeable, pas seulement trois ou quatre gouttes ;

> des signes de déshydratation, comme la bouche sèche ;

> une perte de poids ;

> une baisse d'énergie évidente.

Si le cercle vicieux se poursuit, le corps va puiser dans son plan B d'énergie : le gras et les protéines. Non seulement Delphine perd alors plus de poids encore, mais la dégradation de ces autres sources d'énergie entraîne l'accumulation de **cétones**.

Delphine pourrait alors éprouver les symptômes suivants :

> une perte de poids de plus en plus marquée ;
> une déshydratation qui s'accentue ;
> un mal de ventre ;
> des nausées et des vomissements ;
> un état général qui se détériore, une puce de plus en plus amorphe.

Et parfois des symptômes plus graves comme :

> de la somnolence ;
> une respiration rapide et laborieuse.

À QUOI S'ATTENDRE ?

Le diagnostic de diabète ne passe pas par quatre chemins. Difficile de se tromper, et pas besoin d'une multitude de tests pour le confirmer. Une fois que c'est fait, une équipe en général composée d'un médecin, d'un infirmier et d'un diététiste vous apprendra à comprendre et à gérer cette maladie chronique. Delphine participera à cette éducation si son âge le permet. Vous passerez en revue chaque aspect du traitement : la préparation et l'injection de l'insuline, la planification des repas et des collations, les précautions lors des activités...

Je suis bien consciente que l'annonce d'un tel diagnostic frappe. Ne vous sentez pas coupable de ressentir toute une gamme d'émotions, du choc à la tristesse, en passant par la colère et l'anxiété. Je vous promets qu'on finit par s'adapter au diabète et qu'on retrouve notre équilibre. Parlez-en à l'équipe médicale qui vous entoure : elle vous apportera le soutien nécessaire pour que vous retrouviez votre harmonie le plus tôt possible.

· ·

DIARRHÉE ET GASTROENTÉRITE

Voir aussi Déshydratation, Intoxication alimentaire *et* Vomissements

Depuis maintenant trois jours, vous avez un nouvel emploi à temps plein : nettoyer les petites fesses de Delphine, qui vous offre pas moins de 10 selles par jour (en réalité, six... mais d'accord, c'est déjà trop). Devant chaque couche, vous essayez désespérément de vous convaincre que le contenu de la prochaine sera moins décourageant, et surtout moins fuyant.

En entrant dans mon bureau, vous espérez secrètement que je vais vous prescrire un bouchon...

QU'EST-CE QUI SE PASSE ?

La diarrhée désigne une augmentation significative de la fréquence des selles et un changement dans leur consistance, alors qu'elles deviennent liquides ou moins formées qu'à l'habitude.

Les principaux responsables de la diarrhée de courte durée, vous les connaissez bien, ce sont nos amis les virus. Et il y en a tout un attroupement! On parle alors de **gastroentérite virale**. Le désagrément sera temporaire, rentrera spontanément dans l'ordre sans médication, mais ne vous évitera pas, malheureusement, un extra sur votre budget couches.

Je me sers souvent de l'image du tapis *shaggy* pour expliquer ce qui se passe aux parents de mes petits patients.

L'intérieur de l'intestin de Delphine est comme le tapis brun à poils longs de votre grand-mère. Ces «poils», nommés **villosités**, augmentent considérablement la surface d'absorption de l'intestin, ce qui le rend si efficace dans l'assimilation des nutriments. Quand un virus s'y installe, il transforme le tapis *shaggy* en plancher de bois franc, laissant filer le contenu en ligne droite, d'où votre palpitante occupation des derniers jours. Le temps que l'intestin guérisse et qu'il retrouve ses villosités peut se prolonger jusqu'à deux, voire trois semaines. Courage.

Bien sûr, il existe de nombreuses autres causes de diarrhées de courte durée, dont l'**intoxication alimentaire**, la **gastroentérite bactérienne** ou celle associée à la **prise de médicaments** comme les antibiotiques.

Vous revenez de voyage? Delphine est sortie des sentiers battus de la bonne popote réconfortante de grand-maman et a goûté des mets moins «aseptisés» que d'habitude? C'est bon de le mentionner.

BON À SAVOIR

Un bébé allaité peut normalement avoir 12 petites selles liquides ou grumeleuses par jour sans que ce soit de la diarrhée. Si votre Delphine boit bien, grossit bien, mouille plusieurs couches par jour et s'il n'y a pas de modification dans la fréquence ou la consistance de ses selles, ne vous inquiétez pas.

À FAIRE

Ici, il y a deux scénarios possibles selon que la diarrhée est accompagnée ou non de vomissements. Des deux possibilités, la deuxième est indéniablement plus facile à gérer...

· · · · · · · · · ·

Diarrhée avec vomissements

> Procurez-vous une solution de réhydratation orale à la pharmacie (p. ex.: Pédialyte, Gastrolyte) et profitez-en pour racheter des couches.

> Objectif numéro un: prévenir la déshydratation et remplacer les liquides et les électrolytes perdus – par les vomissements et les diarrhées – au moyen de cette solution de réhydratation.

> Le principe général reste le même, quel que soit l'âge de votre puce: de PETITES quantités (1 à 2 cuillères à soupe) FRÉQUENTES (aux 5 à 15 minutes) au début.

> Ne remplissez pas son verre à bec: elle va vous le descendre d'un trait et vous le ressortir aussi sec. Augmentez graduellement la quantité de liquide offert au fur et à mesure qu'elle le tolère bien.

> Même en y allant tout doucement, Delphine vomit encore? Pas de panique. Continuez, elle en garde pour la peine. Promis.

> Il existe des solutions de réhydratation sous forme de bâtonnets glacés. Ils sont très efficaces pour nos plus grands, car ils obligent une ingestion assez lente et sont, évidemment, plus attrayants.

> Si Delphine ne mange pas encore et est allaitée, poursuivez l'allaitement en lui offrant le sein plus fréquemment, mais moins longtemps. Alternez entre l'allaitement et la solution de réhydratation.

> Si Delphine est nourrie avec un lait maternisé, alternez son lait habituel avec une solution de réhydratation, toujours en petites quantités.

> Si Delphine a commencé une alimentation solide, mettez de côté la diète normale le temps que les vomissements cessent.

> Dès que les vomissements ont cessé, recommencez tranquillement l'alimentation solide usuelle, si tel est le cas. Nul besoin de mettre l'intestin au repos. Il guérira plus rapidement et la diarrhée durera moins longtemps si on réintroduit une diète normale assez tôt. Tous les aliments sont adéquats... Oui, oui, même les produits laitiers! On évite les mets trop gras ou trop sucrés, c'est tout.

CONSEILS DE MAMAN

Oui, je suis une maman et je sais pertinemment que c'est à 1 h du matin que tout ça va démarrer. Tu parles d'une heure pour courir à la pharmacie! La petite recette suivante peut vous **dépanner** comme solution de réhydratation, mais **respectez à la lettre** les proportions, car vous pourriez nuire à votre princesse en jouant au grand chef:

> 360 ml de jus d'orange non sucré
> 600 ml d'eau bouillie refroidie
> 2,5 ml de sel (1/2 c. à thé rase)
> Dès qu'il vous sera possible d'acheter une solution de réhydratation bien équilibrée, faites-le.

À NE PAS FAIRE

> Les jus, boissons gazeuses, boissons sportives, eaux de riz, bouillons du commerce ou autres ne sont pas des solutions de réhydratation appropriées et bien équilibrées. Elles pourraient nuire à Delphine plutôt que l'aider.

> L'eau seule ne fournira pas le sucre et les électrolytes (sodium, potassium) dont Delphine a besoin.

> N'utilisez jamais de médication contre la diarrhée chez l'enfant (du type Imodium ou autre).

> Avant d'administrer à Delphine des médicaments contre les vomissements (p. ex.: Gravol), parlez-en à votre médecin. Ils ne sont pas recommandés en général, car ils peuvent avoir des effets secondaires indésirables.

· · · · · · · · · · ·

Diarrhées sans vomissements

> Les mêmes conseils que lorsque Delphine vomit s'appliquent.

> Cependant, pas besoin d'y aller au compte-gouttes ici: on offre tout simplement davantage à boire sans se soucier d'y aller trop vite.

> Si bébé Delphine boit bien, mange adéquatement (allaitement ou lait maternisé) et ne montre aucun signe de déshydratation (*voir p. 95*), pas besoin d'ajouter la solution de réhydratation: conservez alors sa diète normale.

> La solution de réhydratation sera utile si Delphine accepte plus difficilement son lait et mange peu. Elle est alors plus susceptible de se déshydrater. Offrez-lui de 125 ml à 250 ml de solution de réhydratation toutes les heures.

> N'oubliez pas que la réintroduction des aliments solides favorise une guérison plus rapide. N'ayez donc aucune crainte à lui offrir ce qu'elle mange habituellement.

> Les **probiotiques** auraient un effet bénéfique sur la durée de la diarrhée, ce qui fait une raison de plus d'offrir du yogourt à notre princesse. Des suppléments, tels que Probaclac ou Bio-K, sont aussi disponibles.

À NE PAS FAIRE

> L'utilisation de médicaments pour traiter la diarrhée n'est toujours pas conseillée, à moins qu'ils ne soient prescrits par votre médecin.

> Le sucre contenu dans les jus de fruits peut aggraver la diarrhée (particulièrement ceux qui contiennent du **sorbitol,** comme le jus de pomme). La modération a donc bien meilleur goût !

CONSULTEZ IMMÉDIATEMENT
Si Delphine :

> a moins de six mois et qu'elle présente plusieurs selles liquides par jour, surtout si elle vomit par-dessus le marché, car elle se déshydratera alors plus rapidement ;

> a du sang dans ses selles ou dans ses vomissements ;

> a des selles noires comme du charbon ;

> a une fièvre (supérieure à 38,5 °C ou 101,3 °F) qui persiste pendant plus de 48 heures ;

> a des vomissements qui ne semblent pas vouloir s'atténuer au bout de quatre à six heures et si la réhydratation est difficile ;

> montre des signes de déshydratation ;

> se plaint de maux de ventre qui s'intensifient ;

> est amorphe, somnolente, et si son état général vous inquiète, peu importe depuis combien de temps la diarrhée a commencé.

Diarrhées de plus de deux semaines

On parle de diarrhée chronique lorsqu'elle persiste plus de deux à trois semaines. S'ouvre alors tout un éventail de causes, dont je vous ferai grâce ici.

Les risques que votre puce présente un problème de santé sérieux sont plutôt faibles si elle :

> ne s'en plaint pas et reste en pleine forme, active et enjouée ;

> n'a pas mal au ventre et ne vomit pas ;

> n'a pas des selles d'une odeur à faire décoller la peinture ou d'allure bizarre ou contenant du sang ou beaucoup de **mucus** ;

> ne semble pas affaiblie, fatiguée ou particulièrement irritable ;

> ne perd pas de poids ;

> ne présente pas de fièvre ;

> mange normalement.

CONSULTEZ

Toute diarrhée qui persiste au-delà de trois semaines doit vous amener à consulter votre médecin. Selon l'âge de Delphine, son histoire, son examen physique et sa courbe de croissance, des tests supplémentaires seront effectués : culture de selles, recherche de parasites dans les selles (p. ex. : giardia), prises de sang (p. ex. : **intolérance au gluten**), tests sur la peau (p. ex. : **allergie au lait**), etc.

DISCIPLINE

Delphine a quatre ans, et pas une journée ne passe sans que vous ayez une prise de bec avec mademoiselle...

Vous n'avez même pas le temps de terminer une demande qu'elle vous répond déjà par la négative. Immanquablement, ça dégénère en crise, si bien que, depuis un certain temps, vous prenez votre chérie avec des pincettes. Vous tentez à tout prix d'éviter les situations conflictuelles, et ce, particulièrement en dehors de chez vous. Cette dynamique devient problématique et interfère avec la routine journalière. C'est en marchant sur des œufs que vous osez suggérer l'heure du bain, de peur que ce soit l'élément déclencheur d'une troisième guerre mondiale. Et elle a du coffre, votre poulette! Elle crie parfois si fort que vous fermez les fenêtres de peur que vos voisins soient ameutés.

Ça dure depuis trop longtemps, et en bon français, ÇA VA FAIRE! Mais par quel bout la prendre?

QU'EST-CE QUI SE PASSE?

Lisez entre les lignes. Il faut comprendre dans le comportement de Delphine, aussi exaspérant soit-il, une recherche d'attention. Bien mauvaise stratégie de sa part, je vous l'accorde, mais elle y arrive tout de même en vous faisant perdre les pédales. Le principe de base des petits trucs suggérés plus loin consiste à ne pas tomber dans le panneau et ainsi à désamorcer cette tactique explosive.

À FAIRE

Voici quelques conseils pour vous aider... Et si vous devez n'en retenir qu'un seul, c'est de rester calme vous-même.

> D'abord, aidez Delphine à mettre des mots sur ce qu'elle ressent: je suis triste, je suis en colère, j'ai peur, etc. Il y aura déjà moins de coups, de hurlements, de morsures, de lancers d'assiettes et de tout le reste.

> Si vous devez la confronter sur un comportement inadéquat, dénoncez le comportement de façon précise. Par exemple, à la suite d'une frustration X, Delphine lance ses jouets dans sa chambre; au lieu de lui dire: «Arrête ta crise», dites-lui clairement: «Arrête immédiatement de lancer et de démolir tes jouets et explique-moi ce qui te fâche.»

> Ce n'est pas mauvais que Delphine prenne conscience de l'impact de ses comportements sur vos réactions. Vous avez sûrement moins envie d'aller jouer au parc avec elle après qu'elle vous a piqué sa crise. Expliquez-le-lui.

> Vous la voyez commencer à pomper son air? Proposez une alternative ou un compromis. Détournez son attention sur autre chose. Offrez-lui votre aide.

> Mettez l'accent sur les bons comportements: félicitez, encouragez, récompensez. La liste des conduites dites «tu-pousses-un-peu-fort-ma-chouette» doit être clairement établie et connue d'avance par Delphine. Seuls les comportements inacceptables méritent un retrait physique ou de privilèges. Par retrait physique, j'entends une période de durée prédéfinie dans un endroit fixé et durant laquelle votre cocotte est hors circuit: assise sur une chaise, sur un petit tapis, sur une marche d'escalier pour une durée équivalente en minutes à son âge en année (4 minutes pour 4 ans, par exemple). Plus longtemps que ça, elle ne sait même plus pourquoi elle est assise là... Et après le retrait, on n'en reparle plus.

> Si c'est convenable, ignorez les mauvais comportements moins sérieux.

> La constance est de rigueur. Pas de yoyo, pas de «une fois ça passe, une fois ça ne passe pas», pas non plus de «ça passe avec papa, ça ne passe pas avec maman». Travaillez en équipe. C'est non négociable.

> Oubliez le point d'interrogation, formulez vos demandes en affirmations: «Range ta chambre, s'il te plaît» et non: «Peux-tu ranger ta chambre, s'il te plaît?»

> Routine, routine, routine. Improvisez le moins possible.

> Vous n'êtes pas au Parlement. Delphine a droit à son opinion, mais on ne s'éternise pas. Argumenter ne mène bien souvent nulle part. On garde un ton calme et assuré.

> Vous n'avez pas réussi à contenir le volcan... Il entre en éruption... Sauve qui peut: isolez Delphine (en tentant de rester calme vous-même) et évacuez les lieux. Laissez-la se calmer seule, ça durera moins longtemps si elle n'a pas d'auditoire. Ce n'est plus le moment de tenter de tempérer les choses.

Restez réaliste dans vos attentes et ne baissez pas les bras au bout d'une semaine... Ça ne se réglera pas du jour au lendemain, mais vous verrez: déjà au bout d'un mois, l'ambiance sera drôlement meilleure.

DOULEURS
DE CROISSANCE

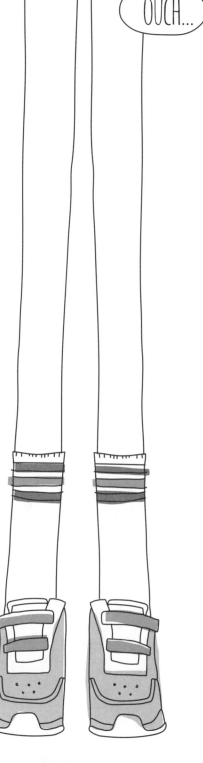

OUCH...

Delphine n'est pas en train de vous monter un bateau pour ne pas rester au lit. Elle a réellement mal aux jambes.

Les fameuses douleurs de croissance ne tiennent pas du mythe : typiquement, elles surviennent la nuit, sont lancinantes et affectent souvent les deux mollets. Elles ont tendance à se pointer après une journée physiquement chargée, ce qui appuie tout à fait l'idée que ce sont des douleurs musculaires. Elles disparaissent aussi mystérieusement qu'elles sont apparues, si bien que Delphine aura retrouvé son erre d'aller et toute son énergie le matin venu et ne vous en fera aucunement mention durant la journée.

On masse un peu, on applique un peu de chaleur et, surtout, on cajole et on rassure. Si cela semble faire beaucoup souffrir notre Delphine, on la soulage avec de l'acétaminophène.

CONSULTEZ

Si Delphine :

> a des douleurs persistantes, nuit et jour ;

> n'arrive plus à faire ses activités habituelles ;

> a une articulation gonflée, rouge ou chaude au toucher ;

> boite ou n'arrive pas à mettre de poids sur sa jambe ;

> a de la fièvre ;

> présente une éruption cutanée avec ses douleurs ;

> a perdu son entrain et semble abattue ;

> se plaint d'une augmentation de douleur lorsque vous la massez.

Consultez votre médecin… Il faut chercher un peu plus loin.

DYSLEXIE

Vous sortez tout juste d'une rencontre avec le professeur de 2ᵉ année de Delphine. Devant les difficultés scolaires de votre poulette, il vous propose de consulter certains spécialistes pour comprendre un peu mieux ce qui se passe. Vous vous doutiez déjà que la lecture n'était pas tout à fait la tasse de thé de votre cocotte, mais de là à mettre un nom à ce manque d'affinité… Dyslexie ? Est-ce vraiment ça ?

QU'EST-CE QUI SE PASSE ?

La dyslexie désigne un trouble touchant l'acquisition de la lecture. Pour Delphine, le décodage des mots qu'elle lit ne se fait pas automatiquement, ce qui l'empêche non seulement d'être rapide et précise dans sa lecture, mais aussi de bien comprendre le sens des phrases. Cet obstacle a des répercussions dans toutes les sphères où la compréhension de texte devient un atout majeur, en français certes, mais aussi dans la résolution de problèmes en mathématiques, par exemple. Et comme les mots sont difficiles à décoder, ils deviennent aussi difficiles à retenir et à épeler, d'où le « champ de fraises » dans son cahier lors de chacune de ses dictées (**dysorthographie**).

Quels sont les signes ?

> Delphine confond facilement les *p* et les *q*, les *b* et les *d*.

> Elle mêle les sons *j* et *ch* ou *t* et *d*.

> Elle escamote, déforme les mots qu'elle lit et essaie parfois de les deviner.

> Sa lecture n'est pas fluide, elle lit comme un disque qui saute.

> Elle ne semble pas avoir d'image «photographique» des mots.

> Les mots irréguliers (œuf, monsieur, femme, etc.) égalent casse-têtes pour elle.

> Elle se décourage devant les travaux qui demandent lecture et compréhension.

À bas les mythes ?

Attention! Ces difficultés n'ont rien à voir avec l'intelligence de votre princesse, et c'est justement grâce à ses grandes forces intellectuelles qu'elle arrive souvent à «compenser» et à trouver des stratégies de travail malgré son problème.

Ne perdez jamais de vue qu'elle ne le fait pas exprès. Elle n'est ni paresseuse ni lâche.

À quoi s'attendre ?

Ce n'est pas une mauvaise idée d'aller chercher de l'aide, d'abord pour mettre le doigt sur le bobo, puis pour s'assurer qu'on traite adéquatement et efficacement le problème ciblé.

S'il s'agit effectivement d'une dyslexie, une aide spécialisée en **orthopédagogie** ou en **orthophonie** sera probablement indiquée pour établir un plan d'action. Non seulement pour vous à la maison, mais aussi ses professeurs à l'école.

La dernière chose que vous désirez voir apparaître chez votre cocotte, c'est un découragement important et une confiance en elle affectée.

COMME
ÉRIKA

ÉCHARDE

C'est une tragédie. Érika, huit ans, a une bien malheureuse et bien minuscule écharde sous son talon gauche. Avant d'y jeter un œil, les manifestations théâtrales de votre princesse vous avaient pourtant laissé croire que c'était le patio au grand complet qu'elle avait dans le pied...

À FAIRE

L'écharde est pratiquement microscopique et ne cause aucune douleur.

> Ne tentez pas de la retirer, ça risque de faire plus de dommage qu'autre chose.

> La desquamation normale de la peau fera en sorte qu'elle disparaîtra comme par magie.

L'écharde, aussi petite soit-elle, semble causer de la douleur.

> D'accord, vous pouvez essayer de l'enlever, mais préparez-vous au visage d'épouvante de votre Érika adorée en voyant arriver l'instrument de torture, plus communément appelé pince à épiler.

> Souvent, ladite pince sera disproportionnée par rapport à l'intrus. Alors, petit truc maison non douloureux qui passe assez facilement : sortez votre ruban à conduits (*duct tape*) et utilisez-le comme si vous aviez à faire une épilation avec de la cire... L'écharde ne résistera pas au pouvoir adhésif et restera prisonnière de votre morceau de ruban collant.

> N'oubliez pas que nos enfants sont très influencés par l'intensité de nos réactions : il se peut qu'Érika soit très souffrante parce que vous avez vraiment l'air de l'être pour elle...

INSTRUMENTS DE TORTURE À UTILISER

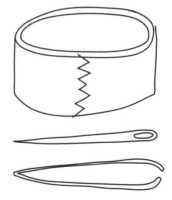

L'écharde est plus grosse et si elle est douloureuse.

Vous avez déjà vu un chirurgien opérer dans la pénombre, sur un coin de comptoir, une grande «traumatisée» tenant en équilibre sur une patte? Bien sûr que non. Mettez donc vous aussi toutes les chances de votre côté et installez-vous dans un endroit bien éclairé tout en vous assurant qu'Érika est aussi confortablement installée que possible.

> Nettoyez la pince à épiler et une petite aiguille avec un peu d'alcool à friction.

> Nettoyez la peau autour de l'écharde avec de l'eau tiède et du savon, mais si c'est un «souvenir du patio» (donc du bois), ne l'immergez pas complètement dans l'eau, car cela rendrait l'écharde plus molle et plus friable en la faisant gonfler… Et ça fera durer le plaisir d'autant plus!

> Avec la petite aiguille, tentez d'agrandir un peu l'accès à l'extrémité de l'écharde afin d'avoir une meilleure prise pour la pince à épiler.

> Retirez l'écharde en tirant dans le même angle que celui dans lequel elle a pénétré dans le talon d'Érika.

> Une fois que vous êtes devenu le héros d'Érika, son sauveur, son idole, nettoyez à nouveau à grande eau et au savon.

> Appliquez un petit peu d'onguent antibiotique en vente libre (p. ex.: Polysporin).

Consultez

> Si la douleur ne cesse d'augmenter, même si vous avez réussi à retirer l'écharde.

> Si vous remarquez que l'endroit où se trouve (ou se trouvait) l'écharde devient rouge, gonflé, douloureux, ou s'il y a un écoulement purulent.

. . . .

ECZÉMA *(dermite atopique)*

C'est comme si vous lui aviez lavé les joues avec du papier «sablé». Érika, huit mois, a le petit visage tout plaqué. Vous l'entendez remuer sans arrêt, la nuit, frotter sa binette sur sa doudou. Vous avez passé des gallons de crème hydratante. Rien n'y fait. Prochaine étape, vous pensiez y étaler de la Vaseline à la truelle. Pas fou, ça… Mais peut-être Érika fait-elle une allergie?

Qu'est-ce qui se passe ?

On parle ici d'eczéma, ou de dermite atopique. Cette condition est une petite cousine de l'asthme, des allergies saisonnières, des allergies alimentaires et autres dans la grande famille qu'on appelle **atopie**. On ne connaît pas les causes précises de la dermite atopique, mais on constate que la peau d'Érika réagit de façon un peu excessive aux irritants de son environnement. Une inflammation s'installe, suivie d'une sécheresse de la peau, de plaques rouges et de démangeaisons. Et c'est sans l'ombre d'un doute le duo prurit/grattage qui pèse le plus lourd dans les désagréments de l'eczéma.

Bien souvent, si on gratte un peu (petit jeu de mots), on réalise que notre puce a hérité de ce «terrain atopique» et on note une histoire d'allergies, d'asthme ou de dermite atopique dans la famille.

L'eczéma commence en général très tôt dans la vie et évolue en montagnes russes, sans que vous puissiez malheureusement prédire les pics et les creux. Le plus irritant dans tout ça, c'est que vous allez probablement tout tenter pour trouver le ou les grands coupables du rouge vif des joues d'Érika, et rien ne vous apparaîtra comme une évidence. Ne vous rendez pas complètement dingue avec ça et ne vous mettez pas à éliminer des tas de trucs de son alimentation. Il est très peu probable qu'il s'agisse d'une réaction allergique de ce type.

Ne désespérez pas: dans une grande proportion des cas, les enfants qui présentent de l'eczéma sont débarrassés de ce problème quand ils entrent en maternelle.

Quels sont les signes?

> Une peau sèche et sensible.

> Des plaques rouges, sèches, avec de petites squames blanches.

> Du prurit et des excoriations (égratignures causées par le grattage).

> Des changements dans la coloration de la peau aux endroits où se trouvaient des plaques eczémateuses.

> Une peau surinfectée, avec des croûtes, des boutons et des suintements.

À faire

Évidemment, même si c'est impossible de mettre le doigt sur tout ce qui irrite la peau de votre princesse, il y a certains facteurs bien connus qu'il faut tenter d'éviter le plus possible:

> L'air sec et surchauffé par le chauffage de la maison l'hiver: on tient la maison à un maximum de 20 °C.

> La transpiration.

> Les bains chauds et prolongés. On préfère l'eau tiède et un maximum de 10 minutes.

> Le frottage intempestif lors des bains. On trempe, c'est amplement suffisant, et on rince bien tout résidu de savon avec de l'eau propre.

> Même principe pour la serviette à la sortie de l'eau : on éponge, on ne frotte pas.

> Les savons et les shampoings parfumés, les bulles dans le bain : poubelle ! On préfère les nettoyants doux, non parfumés.

> On évite les détergents et assouplisseurs forts et parfumés pour la lessive et, pire, les feuilles assouplissantes dans la sécheuse qui laissent un dépôt sur les vêtements.

> Les vêtements en laine et en nylon : préférez le coton.

> Les ongles longs, ce sera pour son bal de fin d'études…

L'**hydratation** de la peau d'Érika est LE facteur clé de votre réussite dans ce combat. Moins la peau d'Érika sera sèche, moins elle aura de plaques eczémateuses. La crème hydratante c'est non négociable au quotidien… et même deux fois par jour si possible. Oui, je sais, c'est déjà un combat en soi de lui en mettre, mais c'est une bataille que vous devez choisir de livrer, car elle en vaut la peine.

Dès sa sortie du bain ou de la douche, on applique de la crème hydratante, ne contenant ni parfum ni alcool. Les crèmes sont plus grasses et plus hydratantes que les lotions, constituées de plus d'eau. Votre idée de Vaseline ou d'onguent plus épais n'est donc pas mauvaise du tout. Vous pouvez en appliquer sur les endroits particulièrement secs de sa peau.

Consultez

Votre médecin prescrira à Érika une crème médicamenteuse à base de corticostéroïdes ou de modulateurs de la réponse inflammatoire. Utilisées selon la prescription, elles ne comportent aucun danger et peuvent soulager efficacement Érika lors des périodes d'exacerbation.

Si des signes indiquant une surinfection apparaissent, il est fort possible qu'un antibiotique s'ajoute au traitement.

Une **varicelle** peut être catastrophique pour la peau eczémateuse et fragile d'Érika. C'est vraiment **une bonne idée de la faire vacciner**. J'insiste un peu dans ce contexte.

EMPOISONNEMENT

Voici un domaine où vous avez totalement le contrôle – enfin, presque... puisque la zone de danger, c'est votre maison ! Érika est aussi rapide à quatre pattes que la fourmi atomique et elle a une envie irrésistible de tout mettre dans sa bouche et de goûter à cet alléchant liquide bleu qui ressemble étrangement à ce que boit occasionnellement son grand ado de frère de 13 ans.

Sans en être tout à fait conscients, nous vivons dans des milieux où pullulent les substances dangereuses, mais depuis que votre princesse explore les moindres recoins de chaque pièce de la maison, ça vous agace un peu. Et avec raison.

PRÉVENONS !

Santé Canada rapporte que les principales causes d'empoisonnement chez nos tout-petits (moins de quatre ans) sont :

> les médicaments (acétaminophène, aspirine, médicaments contre le rhume, médicaments d'ordonnance) ;

> les vitamines ;

> l'alcool à friction ;

> les produits de beauté (vernis à ongles, dissolvant à vernis, parfums, teintures à cheveux, etc.) ;

> les produits de nettoyage.

Au palmarès des autres produits tentants pour la dégustation, on retrouve :

> le liquide antigel ;

> les huiles essentielles et les savons ;

> les pesticides ;

> le camphre, présent dans plusieurs médicaments contre le rhume (vous savez, les pommades qui sentent à 2 km à la ronde).

Parfois, c'est l'air qui nous intoxique… et à notre insu. Le **monoxyde de carbone** est un gaz potentiellement mortel qui **ne sent rien** et **ne se voit pas**. Lorsque vous le respirez, il prend la place de l'oxygène dans votre sang, empêchant graduellement vos organes, alors non oxygénés, de fonctionner normalement, principalement votre cerveau et votre cœur.

Portez aussi une attention particulière aux **plantes** que vous possédez à la maison. L'habit ne fait pas le moine : certaines, aussi jolies soient-elles, peuvent engendrer des réactions chez Érika si elle décide d'y exercer son petit pouce vert et, par la même occasion, d'en mâchouiller un peu les feuilles. Les symptômes varient d'une plante à l'autre : irritation de la peau, vomissements, diarrhées, gonflement du visage et de la gorge, hallucinations…

Quelques plantes populaires à éviter :

À l'intérieur :

> Aloès

> Amaryllis

> Arbre-parapluie

> Piment décoratif

> Croton

> Cyclamen

> Dieffenbachia

> Lierre du diable

> Poinsettia

> Laurier-rose

> Philodendron

> Cerisier de Jérusalem

À l'extérieur :

> Muguet

> Pied d'alouette

> Œillet

> Cœur saignant

> Digitale

> Glaïeul

> Hydrangée

> Iris

> Lupin

> Jonquille

> Gui

> Géranium

1-800-463-5060

Contactez le Centre antipoison du Québec, qui pourra vous aider à garder vos plates-bandes bien plus belles que celles de votre voisin, et ce, sans risque pour la santé de la prunelle de vos yeux.

Et voici un conseil assez simple et universel : gardez tout ce qui est écrit plus haut **hors de la portée** d'Érika !

Des petits trucs :

> Si grand-papa et grand-maman viennent vous visiter, ne laissez pas traîner le sac à main de grand-maman sur le sol. Érika aura immanquablement la charmante idée d'en faire sa nouvelle cible et de trouver ce qu'il ne faut pas dedans...

> Les bouchons de sécurité sur les médicaments, produits de nettoyage, insecticides et autres sont-ils effectivement Érika-*proof* ? Ne vous fiez pas là-dessus. Même chose pour les loquets de sécurité

conçus pour les tiroirs et les portes d'armoire. On ne sait jamais quand votre petite Einstein aura le dessus sur la technologie. L'inaccessibilité reste votre meilleure alliée.

> Ne conservez pas de produits potentiellement toxiques dans d'autres contenants que ceux d'origine. Je ne mets pas en doute votre mémoire phénoménale, mais il est tout de même possible que vous ne sachiez plus que le décapant se trouve maintenant dans un pot de mayo, d'où le risque de le laisser traîner.

> Donnez vos plantes toxiques, vous ferez des heureux !

> Érika n'est sans aucun doute pas à l'âge de faire du ménage, même si ça viendra bien assez vite. Profitez de sa sieste pour faire vos travaux ménagers ; ainsi, les produits de nettoyage ne deviendront pas une source d'inspiration.

> Voiture en marche, fournaise qui

ne fonctionne pas correctement, tondeuse à essence, bref tout ce qui brûle du «gaz» est une source de monoxyde de carbone. Assurez-vous de leur bon état et de les utiliser en milieu bien ventilé (p. ex.: ne laissez pas le moteur de la voiture allumé dans un garage fermé). Procurez-vous un détecteur de monoxyde de carbone si vous pensez être exposé.

> Chez vous, vous avez fait le tour. Ailleurs, c'est hors de votre contrôle. Ne tenez pas pour acquis que tout le monde a fait preuve d'autant de vigilance...

> Le numéro de téléphone du Centre antipoison du Québec, lui, devrait toujours être accessible!

Vous ne l'avez pas vue faire, mais... Voici quelques pistes qui pourraient vous faire penser à un empoisonnement:

> Vous ne savez pas d'où viennent ces taches sur ses vêtements.

> Érika bave et son haleine a une odeur bizarre.

> Elle vomit subitement à répétition.

> Elle semble avoir très mal au ventre.

> Sa respiration est difficile.

> Elle est tout à coup somnolente, irritable, et vous trouvez son comportement très inhabituel.

À FAIRE

Érika a avalé un produit possiblement toxique?

> Ne la faites pas vomir.

> Rincez-lui la bouche.

> On vous suggère de donner du lait? Non. Ça ne sert à rien.

Le produit a éclaboussé ses yeux?

> Enroulez-la dans une serviette pour la garder immobile.

> Couchez-la en tenant sa tête au-dessus de l'évier.

> Gardez l'œil concerné ouvert avec vos doigts.

> Versez de l'eau tiède à l'aide d'un verre pour rincer l'œil.

> Continuez pendant 15 minutes.

Le produit s'est répandu sur sa peau?

> Enlevez les vêtements d'Érika.

> Sous le robinet, lavez-la à l'eau tiède, sans frotter, pendant au moins 15 minutes.

Elle a respiré un produit toxique?

> Ne le respirez pas!

> Amenez Érika dans un endroit sécuritaire et bien aéré.

Appelez le Centre antipoison du Québec au 1-800-463-5060

Ayez en main les informations suivantes (dans la mesure du possible):

> le produit en cause (ayez-le en main);

> la quantité prise;

> le moment où c'est arrivé;

> l'âge et le poids de l'enfant;

> l'état de l'enfant;

> ce que vous avez fait jusqu'à présent.

En tout temps, appelez le 9-1-1 si l'enfant est inconscient et qu'il ne respire plus.

. . . .

Encoprésie

Voir aussi Constipation

Érika est en prématernelle et tout se passe à merveille. Elle participe, elle écoute, elle apprend... Mais la directrice demande tout de même à vous rencontrer. Érika ne peut plus fréquenter le préscolaire tant et aussi longtemps que vous n'aurez pas réglé son problème de selles dans la petite culotte. C'est arrivé encore trois fois cette semaine. Ça vous rend mal à l'aise? Imaginez votre puce...

Qu'est-ce qui se passe ?

Un petit accident occasionnel entre l'âge de deux et quatre ans est tout à fait normal, aucune crainte. L'encoprésie, cependant, est une condition problématique définie par l'incontinence fécale répétitive après l'âge de la propreté, soit environ quatre ans.

La plupart du temps, c'est en fait une complication d'une constipation chronique et sévère. Parfois, un entraînement à la propreté un peu trop soutenu ajoute son grain de sel à cette dynamique.

Des selles dures et compactes sont retenues dans le rectum, formant un véritable bouchon qui devient extrêmement difficile, voire impossible à évacuer. Cette accumulation se nomme **fécalome**. Le rectum se dilate, s'élargit de façon significative, au point où Érika ne ressent même plus le besoin d'aller à la toilette. Les selles continuent de s'accumuler derrière le bouchon, finissent par se fragmenter et glisser autour du fécalome. Les muscles du sphincter de l'anus, qui retiennent normalement les selles à l'intérieur du rectum, deviennent plus étirés, moins efficaces et laissent s'écouler ces selles plus petites et plus molles dans la culotte. Érika ne les sent pas venir et n'a aucun contrôle sur elles. Bref, elle ne le fait pas exprès.

Assez parlé mécanique... L'encoprésie peut avoir un impact important sur le moral et l'estime de soi de votre puce. Elle souille sa petite culotte, sans le savoir, et reste complètement impuissante devant la situation. Il y a bien des chances qu'elle ait aussi eu droit aux railleries des petits camarades de classe qui trouvent qu'elle ne sent pas très bon. C'est le moment d'aller chercher de l'aide, et certainement pas celui de lui faire la morale.

 ## CONSULTEZ

> On procédera probablement à une radiographie du ventre d'Érika, pour évaluer l'importance de la rétention de selles dans le rectum.

> Ensuite, il faudra vider le rectum de cette agglomération de selles, afin qu'il reprenne une taille et une fonction normales. Ce n'est pas une étape agréable, mais elle est essentielle. Le transit intestinal ne pourra reprendre un rythme normal tant et aussi longtemps que le fécalome empêchera l'élimination normale des selles. On y arrivera en utilisant des lavements, des suppositoires et des laxatifs. Votre médecin vous expliquera la séquence à suivre.

> Une fois le rectum libéré du fécalome, on entreprendra les mêmes démarches que pour la constipation de Charles (*voir p. 76*).

> Érika vous dit qu'elle a besoin d'aller à la toilette? Respectez cette demande et encouragez-la à y aller. Elle réapprendra ainsi à reconnaître les signaux que son rectum lui envoie.

> Il faut suivre d'assez près la fréquence des selles afin de ne pas les laisser s'accumuler de nouveau. Deux jours maximum entre les selles.

Des visites médicales régulières seront nécessaires afin de suivre les progrès d'Érika et de rajuster le plan de traitement, s'il y a lieu. Ça peut vous sembler avancer à pas de tortue et être frustrant par moments, mais ne vous découragez pas. Vous le faites non seulement pour le petit ventre, mais aussi pour la petite tête de votre puce...

ENGELURES

Première fin de semaine de ski en famille. Érika était couverte de la tête aux pieds, au point où elle était difficile à reconnaître, mais le vent vous a joué un vilain tour.

La peau fragile d'Érika gèle plus rapidement que la vôtre, même si le mercure n'est pas si bas sous la ligne du zéro. Les parties exposées les plus susceptibles d'être affectées sont les joues, les oreilles, le nez, les mains et les pieds.

PETIT NEZ GELÉ D'ÉRIKA

QUELS SONT LES SIGNES ?

> La zone touchée devient d'abord rouge, puis picote ou brûle.

> Ensuite, elle prend une teinte grisâtre et devient engourdie.

> Finalement, elle tourne au blanc luisant et perd toute sensibilité si l'exposition au froid persiste.

À FAIRE

> Rentrez!

> Débarrassez Érika de ses vêtements mouillés.

> Doucement, réchauffez la région gelée avec vos mains ou de l'eau tiède **sans frotter**.

> N'appliquez pas de chaleur vive (bouillotte, eau chaude) ou ne l'approchez pas trop d'une source de chaleur (foyer), car cela pourrait occasionner une brûlure.

> Autant que possible, ne retournez pas dehors.

CONSULTEZ

> Si, malgré vos soins, la peau d'Érika ne retrouve pas son aspect normal.

ÉTOUFFEMENT

Rien de plus angoissant que d'imaginer Érika s'étouffer avec ce bonbon que la petite voisine vient de lui tendre sans malice... Mais si ça devait arriver, êtes-vous prêt à réagir ?

TOUT VA BIEN

Érika semble avoir avalé de travers, mais tout va bien tant et aussi longtemps que votre puce :

> tousse ;

> respire ;

> pleure ;

> parle.

Ne faites alors absolument rien... Restez à ses côtés, calme (je sais, ça, c'est le bout le moins évident) et faites confiance à son plus puissant mécanisme de défense : la toux.

À NE PAS FAIRE

> Ne donnez pas de tape dans le dos.

> Ne lui demandez pas de lever les bras dans les airs.

> Ne lui donnez pas de gorgée d'eau ni de bouchée de pain.

> Ne tentez pas d'aller chercher le bonbon dans sa bouche avec le doigt **sans le voir** : vous risqueriez alors de le pousser plus loin.

ÇA VA MOINS BIEN

Si Érika s'est vraiment étouffée, qu'elle n'arrive plus à tousser ni à parler et que l'«intrus» bloque vraiment sa respiration.

À FAIRE

Si Érika a moins de 1 an :

> installez-la sur le ventre sur votre avant-bras (appuyé sur votre cuisse pour être plus stable), la tête en bas, en tenant sa mâchoire dans votre main ;

> donnez-lui cinq tapes dans le dos, entre les deux omoplates, avec la paume de votre main.

Si cela n'est pas suffisant :

> retournez Érika sur le dos ;

> placez deux doigts entre ses deux mamelons, sur son sternum ;

Faites cinq pressions rapides.

Si Érika a plus de 1 an :
Faites la manœuvre de Heimlich :

1. Placez-vous derrière Érika.

2. Encerclez son abdomen avec vos bras, juste sous les côtes.

3. Formez un poing avec une main et posez l'autre main dessus.

4. Appuyez fermement sur son ventre, en orientant cette poussée vers le haut.

Ces manœuvres, faciles à apprendre, peuvent changer votre vie, et surtout celle d'Érika. Une maman me disait l'autre jour que son petit bonhomme s'était étouffé avec un morceau de biscuit et que c'était la seule fois qu'elle avait pu mettre à profit ce qu'elle avait appris dans son cours de sauveteur national, mais que cette unique fois valait toutes les éprouvantes longueurs de piscine ! Plusieurs formations sont disponibles, et vous pouvez les suivre sans qu'on vous demande de nager !

Appelez le 9-1-1

Si Érika ne parle plus, qu'elle ne tousse plus, qu'elle ne pleure plus ou qu'elle ne respire plus.

Prévenons !

Essayez de faire en sorte que ce genre d'accident se produise le moins souvent possible, même si vous savez comment y faire face.

Avant quatre ans, les aliments durs ou ceux qui présentent un risque d'étouffement pour Érika, ainsi que plusieurs petits objets sont à bannir : noix, bonbons durs, maïs soufflé, gomme à mâcher, raisins frais entiers, fruits secs, saucisse coupée en rondelles, crudités, boutons, billes, monnaie, bijoux, perles…

COMME FRÉDÉRIC

FENTE LABIALE et PALATINE

Vous passez votre échographie de grossesse. Tout va bien, Frédéric a tous ses morceaux et il bouge vigoureusement. Mais lorsqu'on arrive enfin à obtenir une image plus claire de son petit visage, le radiologiste vous montre un petit trait au niveau de sa lèvre supérieure. Frédéric a une fente labiale... Ça implique quoi, ça, docteur ?

QU'EST-CE QUI SE PASSE ?

Au cours des trois premiers mois de grossesse, les structures formant le palais et les lèvres fusionnent.

Si cette union ne se fait pas complètement, il en résulte un défaut de fermeture qui peut prendre plusieurs aspects :

> Une fente labiale, communément appelée bec-de-lièvre, uniquement (lèvre supérieure fendue seulement).

> Une fente labiale accompagnée d'une fente palatine (lèvre supérieure et palais fendus).

> Une fente palatine uniquement (palais fendu seulement).

Comme la grande majorité des enfants présentant ce type de malformation congénitale, Frédéric sera sûrement en très bonne santé. Cependant, parfois, certains bébés présentent une fente labiale ou palatine associée à d'autres malformations plus complexes.

À QUOI S'ATTENDRE ?

Les fentes labiales et palatines varient énormément en étendue et en sévérité. Dès la naissance de Frédéric, plusieurs spécialistes suivront votre petit coco : son médecin, bien sûr, mais aussi un chirurgien plastique et possiblement un oto-rhino-laryngologiste (ORL), un infirmier, un dentiste pédiatrique, un généticien, un orthophoniste et un audiologiste. La correction chirurgicale est prévue assez tôt, soit dans la première année de vie de votre chaton.

Selon le degré de l'atteinte, les aspects qui seront vérifiés de près sont :

> **L'alimentation** : alors que l'allaitement reste possible avec une fente labiale, il devient en général plus problématique dans le cas d'une fente palatine, car téter devient alors plus laborieux. Maman peut tout de même tirer son lait pour le donner au biberon. Plusieurs techniques d'alimentation, comme certains biberons et tétines adaptés, contournent le problème. Ce qui reste important à garder en vue c'est la prise de poids et la croissance de Frédéric.

> **Les otites et l'audition** : une fente palatine fait courir à Frédéric plus de risques de faire des otites à répétition, ainsi que de subir une accumulation de liquide derrière le tympan, interférant avec son audition.

> **La dentition** : votre coco aura probablement besoin de l'intervention de l'orthodontiste… Mais honnêtement, il ne se sentira pas très différent des autres sur ce point.

> **Le langage** : pour pallier des troubles de prononciation et d'élocution, Frédéric aura possiblement besoin de l'aide d'un orthophoniste.

BON À SAVOIR

Je vous comprends d'être inquiet et triste de voir votre Frédéric naître avec cette condition. Mais si je peux vous rassurer un peu, la chirurgie fait souvent des miracles, si bien qu'on ne voit que très peu de traces de ces malformations après quelque temps. Le généticien vous aidera à déterminer quels sont les risques pour le futur petit frère ou la future petite sœur de Frédéric.

FESSES ROUGES (érythème fessier)

Je crois que notre cœur de parent saigne chaque fois qu'en retirant une couche, on est confronté aux fesses écarlates de bébé... D'autant plus qu'un certain sentiment de culpabilité se mêle volontiers à notre désarroi parce qu'immanquablement on se demande si on n'a pas laissé Frédéric dans sa couche sale trop longtemps...

Effectivement, le responsable numéro un des fesses rouges, c'est la couche :

> parce qu'elle frotte sur la peau sensible de Frédéric ;

> parce qu'elle retient l'humidité ;

> et parce qu'elle contient ce que vous ne voulez pas retrouver sur vos tapis : les selles et les urines de votre tout petit.

On s'entend tous sur un point : difficile de se passer de couches. Il faut donc trouver le moyen d'éviter les rougeurs.

À FAIRE

> Dans la mesure du possible, changez la couche dès qu'elle est sale. Je sais, Frédéric a un don particulier pour faire la grosse besogne au mauvais moment...

> Évitez de trop serrer la couche, elle n'a pas besoin de passer un test absolu d'étanchéité !

> Nettoyez les fesses de Frédéric à l'eau et au savon doux à chaque changement de couche et asséchez-les bien.

> Évitez le plus possible les lingettes humides parfumées et contenant de l'alcool. Elles peuvent irriter sa peau.

> Laissez les fesses à l'air le plus souvent possible. Pour être honnête, en tant que mère de trois enfants, le « possible » est difficile à gérer, j'en conviens.

> La poudre de talc, la fécule de maïs et la poudre pour bébé ne devraient pas faire partie des accessoires retrouvés sur votre table à langer.

> Une crème protectrice sans parfum à base de gelée de pétrole ou d'oxyde de zinc peut servir de barrière entre la couche, son contenu et la délicate peau de bébé.

> Assurez-vous de nettoyer cette crème aux changements de couche et appliquez-en de nouveau par la suite.

 ## CONSULTEZ

Si vous avez tout fait et si vous ne prenez pas le dessus... Pire : si la situation dégénère et que la peau si parfaite des petites fesses de votre puce vous rappelle maintenant la surface de la lune.

> Dans certains cas, particulièrement si la rougeur s'intensifie et que de petits ulcères apparaissent sur le siège de bébé, une crème anti-inflammatoire à base de **corticostéroïdes** vous sera prescrite par votre médecin.

> Dans cet état, les fesses donnent l'occasion à d'autres germes de se joindre à la fête.

>> Le champignon **Candida albicans** est un profiteur très fréquent. La rougeur s'accentuera et touchera même les petits plis. Vous remarquerez aussi de petits boutons tout aussi rouges aux alentours, que nous appelons, dans notre jargon, les lésions satellites. Frédéric a alors besoin d'une prescription de crème antifongique.

>> De plus gros boutons, contenant parfois du pus, signent une surinfection par certaines bactéries, comme le **staphylocoque** ou le **streptocoque**. Une pommade antibiotique doit alors être utilisée.

· ·

FEU SAUVAGE ET HERPÈS

Vous êtes loin d'être enchanté par cette annonce... Le bobo de Frédéric est en réalité un feu sauvage. Je vous vois, cherchant désespérément où il a bien pu attraper ça. On veut trouver un coupable... Bonne chance ! Parce que les coupables sont nombreux et, en fait, la plupart d'entre eux ne savent même pas qu'ils le sont !

Qu'est-ce qui se passe ?

Le virus **herpès simplex** est tout aussi contagieux qu'il est fréquent. Il touche tous les âges et se transmet facilement entre enfants, de parent à enfant et de la maman à son bébé lors de l'accouchement, soit par des lésions actives (feu sauvage, lésions sur les organes génitaux) ou par la salive d'une personne infectée. Inutile d'ajouter que l'herpès est difficile à éviter, d'autant que Frédéric aime partager son cornet de crème glacée avec la jolie petite voisine.

Une fois que ce virus nous adopte, il ne nous lâche plus, se cachant dans nos racines nerveuses. Il décide occasionnellement de nous rappeler sa présence, ce qui explique les agréables réapparitions de feux sauvages, particulièrement lorsque Frédéric est fièvreux ou lors de l'exposition au soleil. Même phénomène pour ceux qui ont des lésions génitales.

L'infection à herpès peut se manifester, certes, par le fameux « bouton de fièvre » que nous connaissons tous, mais aussi par :

> une infection étendue de la bouche chez l'enfant (**gingivostomatite herpétique**) ;

> une infection de la peau, sur un doigt par exemple (**panaris herpétique**) ;

> une infection génitale sous forme d'ulcères douloureux ;

> une infection aux yeux ;

> une infection du cerveau (encéphalite) ;

> une infection du nouveau-né exposé lors de l'accouchement (atteinte possible de la peau, du foie, des poumons, du cerveau) ;

> et plus rarement, après une infection de maman au cours de la grossesse (atteinte de plusieurs organes du fœtus).

Toutefois, la plupart des personnes infectées par l'herpès simplex sont complètement asymptomatiques.

Quels sont les signes ?

Frédéric a une ginvostomatite herpétique s'il :

> a de la fièvre, parfois très forte.

> a plusieurs ulcères douloureux, certains de grande taille, partout dans sa bouche : sur sa langue, sur ses gencives, à l'intérieur de ses joues. Ils ont l'allure de minuscules cratères grisâtres.

> a les gencives gonflées et qui saignent facilement.

> a des ganglions enflés et sensibles dans son cou.

> a des lésions d'herpès autour de la bouche, et sur ses doigts s'ils ont été en contact avec sa salive.

> est tellement incommodé par la douleur qu'il lui est difficile de manger et même de boire. Il risque alors de se déshydrater.

Frédéric a un herpès labial s'il :

> n'a pas de fièvre.

> a, sur le bord de la lèvre, une «grappe» de petites bulles rouges contenant du liquide, qui sèchent rapidement et croûtent par la suite.

> ressent une démangeaison, un picotement, une sensation de lèvre engourdie peu avant l'apparition des lésions.

Le «feu sauvage» est une réactivation du virus. Le virus «dormant» est souvent réveillé par certains facteurs externes contrôlables comme le soleil ou la sécheresse des lèvres, d'où l'importance de bien les protéger avec un écran adéquat.

Quel est le traitement ?
Frédéric a une gingivostomatite :

C'est un virus, donc rappelons que les antibiotiques sont ici complètement inefficaces. Par contre, un médicament antiviral peut atténuer l'intensité de la maladie s'il est commencé très tôt après le début des symptômes. Ce qui importe le plus, c'est de garder Frédéric bien hydraté en lui offrant des liquides, des purées, des glaces, etc. Un peu d'acétaminophène ne lui fera pas de tort non plus… Une dizaine de jours et on n'en parle plus.

Frédéric a un feu sauvage :

Dans ce cas, on peut se procurer un onguent vendu sans prescription : honnêtement, vous en mettez, ça dure cinq jours ; vous n'en mettez pas, ça en dure six… Bref, je vous laisse juger.

Consultez

Si Frédéric :

> présente des lésions d'herpès à l'intérieur ou autour des yeux et se plaint de douleurs.

> devient confus, désorienté.

> est affaissé, très amorphe, et que son état général vous inquiète.

> Si vous avez de la difficulté à le faire boire.

> Si Frédéric est connu pour un déficit immunitaire ou un problème de peau comme l'eczéma, conditions qui pourraient se compliquer lors d'une infection à herpès.

Fibrose kystique

Votre petite sœur vous appelle en panique : elle vient d'apprendre que son petit Frédéric doit passer un test à la sueur pour dépister la fibrose kystique. Le médecin de votre petit neveu semble inquiet de sa croissance et du fait que le petit vient d'être traité pour sa deuxième pneumonie depuis six mois. Sachant que cette maladie est héréditaire, vous regardez votre joufflu Félix de 18 mois, dévorant passionnément son macaroni, et vous vous mettez à mal filer...

La fibrose kystique est effectivement la maladie génétique incurable la plus répandue chez les enfants canadiens. Au Canada, environ un bébé sur 3 600 est atteint de cette maladie. Une personne sur 20 en est porteuse au Québec, et c'est un peu plus fréquent dans la région du Saguenay–Lac-Saint-Jean, où une personne sur 15 porte le gène défectueux.

Qu'est-ce qui se passe ?

On n'aime pas toujours les images que nous inspirent les mots **mucus** et **sécrétions**, mais il s'agit là de barrières très efficaces et essentielles pour protéger notre système respiratoire des poussières, polluants, microbes, etc. Le mucus agit comme un filtre, et, en l'évacuant, Frédéric se débarrasse d'une multitude d'indésirables. Imaginez maintenant que ce mucus devient aussi épais et collant que de la guimauve fondue, ce qui est le cas avec la fibrose kystique. Les sécrétions ne se mobilisent plus efficacement, restent prisonnières dans les poumons et bloquent de petites bronches, ce qui entraîne de la difficulté à respirer. Les microbes en profitent pour s'y installer et s'y multiplier, causant des infections difficiles à traiter et des dommages aux poumons. Résultat : la principale fonction des poumons, soit d'oxygéner le sang, est compromise.

Les bouchons de mucus interfèrent aussi avec le bon fonctionnement d'autres organes, tout particulièrement le pancréas, dont le rôle est de sécréter les enzymes nécessaires à la digestion des aliments. Par conséquent, même si les apports caloriques sont adéquats et parfois impressionnants, le poids ne suit pas le rythme attendu.

Nous avons tous deux copies de chaque **chromosome** constituant notre code génétique : une copie provenant de notre mère, et l'autre de notre père. Nous possédons 22 paires de chromosomes jumeaux, numérotées de 1 à 22, et une paire supplémentaire qui détermine si nous sommes garçon (XY) ou fille (XX), pour un total de 23 paires, donc de 46 chromosomes.

Le défaut responsable de la fibrose kystique se trouve sur le chromosome 7. Si vous êtes **porteur**, cela veut dire qu'un seul de vos deux chromosomes 7 porte le défaut, mais que votre autre chromosome est tout à fait normal et qu'il compense pour son jumeau : vous êtes donc en pleine forme et vous n'avez aucun symptôme de la maladie.

Bébé Frédéric a hérité d'un chromosome 7 de chacun de ses parents. Pour que votre petit coco soit atteint, il faut que maman **et** papa soient **tous les deux** porteurs d'un gène défectueux et qu'en plus ce soit ce gène défectueux que vous transmettiez à Frédéric. On appelle ça une **transmission autosomique récessive**.

Appelons le chromosome porteur «F», et le chromosome normal «N» :

Maman a F et N : maman est porteuse et en pleine santé.

Papa a F et N : papa est porteur et en pleine santé.

Et là, on fait un peu de mathématiques :

> La probabilité que Frédéric soit N et N est de 25 %. **Il n'est ni atteint ni porteur.**

> La probabilité que Frédéric soit F et N est de 50 %. **Il est porteur et en pleine forme.**

> La probabilité que Frédéric soit F et F est de 25 %. **Il est atteint de la maladie.**

Quels sont les signes ?

Un enfant atteint de la fibrose kystique :

> a de la difficulté à respirer ;

> tousse de façon persistante ;

> ne prend pas suffisamment de poids malgré un appétit vorace ;

> a souvent des diarrhées et des selles malodorantes et d'allure graisseuse ;

> fait des pneumonies ou des «bronchites» à répétition.

Pour poser le diagnostic de fibrose kystique, votre médecin demandera un test à la sueur. La sueur est collectée sur la peau, sans douleur, et on mesure sa concentration en chlorure de sodium. Un enfant atteint de fibrose kystique perd davantage de sels dans sa sueur ; d'ailleurs, ce n'est pas rare que les parents rapportent que leur bébé a un «goût salé».

Il est maintenant possible de savoir, par des analyses génétiques, si vous êtes porteur du gène de la fibrose kystique. Parlez-en à votre médecin s'il y a des personnes atteintes de cette maladie dans vos familles.

Certaines provinces canadiennes proposent un dépistage systématique de la maladie dès la naissance ; la mise en place d'un tel programme est actuellement discutée au Québec.

À quoi s'attendre ?

Les enfants dont le diagnostic de fibrose kystique a été confirmé doivent être suivis par une équipe de soins regroupant plusieurs spécialistes : pédiatre, pneumologue, physiothérapeute, infirmier, inhalothérapeute, nutritionniste, travailleur social, psychologue, pharmacien, etc. Grâce aux progrès médicaux et à l'amélioration des soins prodigués, la qualité et l'espérance de vie des personnes touchées par cette maladie se sont considérablement améliorées : au Canada, la moitié d'entre elles atteignent l'âge de 40 ans, et plusieurs mènent une vie normale et active pendant des années.

Il n'existe malheureusement pas encore de traitement curatif de la fibrose kystique, mais la recherche continue d'aller bon train en ce sens. Dans les stades avancés de la maladie, la greffe pulmonaire ou hépatique est envisagée.

FIÈVRE

Voir aussi Convulsions fébriles

Frédéric, cinq ans, fait de la fièvre depuis deux jours. Il a l'air un peu misérable, mais mange tout de même avec appétit son spaghetti et a encore toute l'énergie nécessaire pour protester à l'heure du bain.

QU'EST-CE QUI SE PASSE ?

Ne perdons jamais de vue que la fièvre est un symptôme et non une maladie. Elle nous signale simplement que l'organisme de Frédéric réagit à quelque chose, que son système immunitaire s'est mobilisé pour le défendre. La fièvre peut lui causer de l'inconfort, mais elle n'est pas dangereuse. Et s'il y a une chose dont j'aimerais vous convaincre, c'est de regarder l'allure de Frédéric **avant** de regarder le chiffre indiqué sur le thermomètre.

À FAIRE

D'abord, Frédéric est-il réellement fiévreux?

Selon la technique utilisée pour prendre sa température, il fait de la fièvre si :

> sa température rectale est plus élevée que 38,5 °C ;

> sa température buccale est plus élevée que 38,0 °C ;

> sa température axillaire (aisselle) est plus élevée que 37,5 °C ;

> sa température tympanique (oreille) est plus élevée que 38,0 °C.

Jusqu'à l'âge de cinq ans, malgré toutes les protestations auxquelles vous aurez droit, la technique la plus fiable reste la prise de température rectale. Après avoir nettoyé le thermomètre à l'eau savonneuse, appliquez-y un peu de Vaseline et introduisez le thermomètre dans le rectum jusqu'à un maximum de 3 cm. Personnellement, je trouve les thermomètres numériques en plastique souple plus pratiques. Les thermomètres au mercure ne devraient se retrouver nulle part ailleurs qu'au musée…

Après l'âge de cinq ans, si Frédéric coopère bien, vous pouvez prendre sa température par la bouche. Le thermomètre, propre, doit être placé sous la langue et la bouche doit être bien fermée. Ce n'est pas l'idéal si Frédéric a mangé un cornet de crème glacée dans la demi-heure qui précède la prise de température… On évite donc qu'il boive ou qu'il mange avant de prendre sa température.

La température axillaire est très peu fiable. Cette mesure n'a pas beaucoup plus de valeur que de prendre la température des draps. Elle peut vous indiquer que Frédéric fait de la fièvre, mais ne vous fiez pas à la valeur obtenue.

Le thermomètre tympanique coûte non seulement cher, mais il n'est de plus pas nécessairement très facile à utiliser. La technique devient alors inconstante et les valeurs de température obtenues sont variables.

C'est à l'instant même où vous avez un chiffre sur le thermomètre qu'il faut garder les pieds sur terre. Frédéric fait 40 °C, mais il sourit et court autour de la table du salon? Je ne suis pas trop inquiète… Frédéric fait à peine 38,7 °C, mais il est complètement abattu sur le sofa et vous répond à peine? Je suis plus inquiète. Ce n'est pas parce que le chiffre est plus élevé que la condition est automatiquement plus grave.

La fièvre de Frédéric lui cause de l'inconfort?

> Habillez-le comme si on habitait la Floride, pas l'Arctique.

> Offrez-lui à boire fréquemment.

> Excusez-le auprès des petits amis : Frédéric a besoin de se reposer.

> Vous pouvez lui donner de l'acétaminophène ou de l'ibuprofène en sirop, en comprimés, en suppositoires… Toutes les formes sont aussi efficaces les unes que les autres. Respectez cependant la posologie.

> L'utilisation de ventilateurs, les bains tièdes et les frictions avec de l'alcool sont à éviter complètement.

> Ne donnez jamais d'aspirine à un enfant à moins d'avis contraire de votre médecin.

CONSULTEZ

Si Frédéric fait de la fièvre et s'il :

> **a moins de** 3 mois : on consulte alors sans attendre et sans se poser de questions.

> **a de** 3 à 6 mois : c'est la zone grise. S'il est en pleine forme, si il boit bien, s'il sourit, s'il gazouille et s'il est à peine marabout, on peut se permettre d'attendre 48 heures. Il est le moindrement affaissé ou irritable? On n'attend pas.

> **a de** 6 mois à 2 ans : une fièvre de plus de 48 heures mérite une consultation. On consulte le plus tôt possible s'il y a d'autres symptômes qui vous inquiètent.

> **a plus de** 2 ans : on est plus tolérant. Dans la mesure où il court toujours autour de la table du salon, on peut se permettre d'attendre 48 heures.

CONSULTEZ EN URGENCE

Si Frédéric a de la fièvre et présente une ou plusieurs des conditions suivantes :

> a moins de trois mois ;

> est de plus en plus affaissé ou irritable ;

> est somnolent ;

> a de la difficulté à respirer ;

> vomit à répétition ;

> semble déshydraté ;

> se plaint d'un mal de tête intense, de mal ou de raideur au cou ;

> a des irruptions cutanées ou des rougeurs sur le corps ;

> est beaucoup plus pâle que d'habitude.

Frein de la langue

(ankyloglossie)

Le frein de la langue est un tissu extensible situé sous la langue, et son rôle, comme son nom l'indique, est de retenir la langue. «Mais la retenir de quoi?» me demanderez-vous. Et vous avez bien raison, sa véritable raison d'être n'est pas très évidente...

Le seul hic, c'est que parfois, ce petit filet a le malheur d'être trop court ou trop serré, ce qui peut, dans de très rares cas (et j'insiste sur l'adjectif «rares»), empêcher Frédéric de prendre le sein de façon adéquate, de boire efficacement et donc de prendre du poids normalement. Dans ces circonstances, on parle d'**ankyloglossie**, et bébé Frédéric devra le plus tôt possible subir une très brève intervention visant à couper cette structure pour libérer la langue de son emprise. Aucune raison cependant de procéder à une telle intervention si Frédéric a une bonne succion, grossit bien et ne cause aucune douleur à maman lors de l'allaitement.

Bien des parents me demandent si un frein de langue plus court peut affecter le développement du langage à plus long terme. Aucun lien n'a été établi en ce sens. La seule contrainte qu'aura Frédéric, c'est de ne pas pouvoir jouer au clown en touchant son nez avec le bout de sa langue!

GRIMACE

FUSION DES PETITES LÈVRES

(synéchie)

C'est l'examen de routine de Frédérique, cinq ans, avant son entrée à la grande école. Elle me raconte, très enthousiaste, qu'aujourd'hui, après le rendez-vous, c'est l'expédition au centre commercial pour terminer les préparatifs. Point culminant de cette journée : le choix de la boîte à lunch... Rose, et avec des brillants, de préférence.

Bref, Frédérique est dangereusement en forme, et son examen physique est impeccable... Jusqu'au moment où, à la vérification de ses organes génitaux, je vous parle d'une fusion des petites lèvres. C'est tout comme si je venais de lancer une bombe dans le bureau ; très vite, vous sautez à la conclusion : « Adieu, boîte à lunch, direction l'hôpital. » Non, pas tout à fait...

La **synéchie**, ou fusion des petites lèvres, s'observe très fréquemment chez la jeune fille avant qu'elle ne devienne pubère. Les petites lèvres, protégées par les grandes lèvres de la vulve, peuvent littéralement coller l'une à l'autre à la suite d'une irritation, d'une inflammation ou d'une infection locale. Cette fusion survient au cours du processus de cicatrisation **sans que vous en ayez la moindre idée**, car Frédérique ne s'en plaint pas une miette. Donc, on arrête ça tout de suite : vous n'êtes passé à côté de rien.

QUEL EST LE TRAITEMENT ?

Pendant quelques semaines, il s'agira d'appliquer, en exerçant une légère pression, une crème contenant de l'œstrogène, une hormone féminine permettant de fortifier la peau fragile des petites lèvres et de les décoller. Lorsque la fusion est résolue, utilisez de l'onguent à base de gelée de pétrole de type Vaseline pour consolider la guérison et pour éviter que ça ne se reproduise.

COMME GABRIEL

GANGLIONS

Cette petite bosse dans le cou de votre adorable Gabriel de cinq ans vous fatigue... Ça fait un moment que vous l'avez remarquée. Elle vous paraît diminuer, puis reprendre du volume par la suite. Et ça vous agace, mais pas Gabriel, qui de toute évidence est en pleine forme! On n'aime jamais ça, des «bosses», je vous l'accorde, mais il y a bien des chances que ce ne soit pas la dernière que vous trouviez dans le cou de votre chaton.

QU'EST-CE QUI SE PASSE ?

Comme je l'explique à Gabriel dans mon bureau, la petite bosse que vous sentez dans son cou est un **ganglion lymphatique**. C'est une composante importante de son système de défense contre les infections. Les chaînes ganglionnaires distribuées un peu partout dans son corps agissent comme des «usines à soldats», des structures regroupant des cellules spécialisées du système immunitaire réagissant à l'adversaire en produisant, entre autres, des **anticorps**.

Dès qu'un intrus ose se pointer dans son organisme, les ganglions les plus proches du site d'invasion sont donc mis à contribution pour défendre Gabriel. Par exemple, un rhume fera gonfler les ganglions de son cou, alors qu'une infection à un doigt mobilisera les ganglions situés dans son aisselle. Et puisque Gabriel attrape tout

ce qui occasionne un nez qui coule, des petites bosses qui gonflent et dégonflent dans son cou, vous risquez d'en voir une trâlée.

CONSULTEZ

En général, si le ganglion dans le cou de Gabriel est lisse comme une bille, qu'il roule sous vos doigts, qu'il ne cause aucune douleur et qu'il a une consistance un peu caoutchouteuse, ne soyez pas trop inquiet, surtout s'il prend et perd du volume au rythme des congestions nasales de votre petit bonhomme.

Les signes qui devraient vous amener à consulter sont:

> l'apparition soudaine d'un ou de plusieurs ganglions douloureux et très gonflés;

> un ganglion que vous n'arrivez pas à faire bouger avec vos doigts;

Petite note à garder en tête... Si l'arrière du cou et des oreilles de Gabriel vous semblent garnis de petites boules au cours de l'été, fouillez son cuir chevelu : les piqûres d'insecte sont souvent les grandes coupables de cette réaction !

> un ganglion recouvert d'une peau rouge, chaude ou même un peu cartonnée ;

> un ou des ganglions enflés accompagnés de fièvre, de fatigue, d'apathie ;

> plusieurs ganglions gonflés un peu partout.

Le traitement dépend de la cause et, dans la plupart des cas, ce sera le temps qui fera disparaître la bosse qui vous préoccupe.

Parfois, le ganglion lui-même s'infecte et devient gonflé, douloureux et chaud au toucher. On parle alors d'**adénite**. Cette condition doit être traitée avec des antibiotiques.

GARDERIE

Vous voyez arriver la fin de votre congé parental avec énormément d'appréhension. Vous vous imaginez déjà, au volant de votre voiture, le fatidique premier lundi matin, pleurant toutes les larmes de votre corps en laissant le petit Gabriel derrière vous. En fait, vous vous demandez si ce ne sera pas, à la limite, plus difficile pour vous que pour lui. Et vous n'avez pas tout à fait tort. Vous vous sentez complètement déchiré entre le besoin de vous épanouir dans autre chose que votre valorisant rôle de parent et le « est-ce qu'il sera bien sans moi ? ». Pour agrémenter vos tourments, vous allez recevoir les commentaires et avis de tous, et surtout de ceux à qui vous auriez aimé répondre : « De quoi je me mêle ? » Vous essaierez de vous éclairer en allant fouiller dans la bibliothèque et sur Internet à la recherche d'études, d'analyses, de théories traitant de l'impact possible de votre décision sur le futur glorieux de votre chéri. Je sais tout ça, je suis passée par là... Essayons de vous déculpabiliser un peu...

Au cours des mois suivant sa naissance, vous avez été à l'écoute des moindres besoins de votre trésor, le sécurisant par votre affection et votre constante attention. Vous lui avez ainsi fourni une base affective essentielle : l'attachement. Maintenant, un être confiant pourra « se construire » sur cette fondation solide, développer des relations saines avec les gens qui l'entourent et devenir plus autonome.

C'est bien, mais comment trouver l'équilibre parent-boulot gagnant pour que tout le monde garde le sourire, et surtout pour que vous puissiez bien dormir la nuit ? Pour une fois, je vais vous demander de vous regarder un peu le nombril – pas celui de Gabriel – et de vous centrer sur vos besoins à vous. Ne vous inquiétez pas, je sais que l'exercice est difficile, mais il ne durera pas trop longtemps.

Honnêtement, vous êtes la meilleure personne pour savoir ce qui est bon pour vous. Je n'ai jamais croisé de petit Gabriel complètement épanoui et heureux dans le contexte où ses parents restent à la maison avec lui par culpabilité et non par choix. La même chose s'applique dans la situation inverse. Votre équilibre est essentiel à celui de Gabriel. Un parent visiblement bien dans sa peau comblera beaucoup mieux les besoins affectifs de Gabriel, même si le nombre d'heures passées à ses côtés est moindre. Les deux décisions (rester à la maison avec Gabriel ou non) comportent des compromis, tant sur le plan émotif qu'organisationnel et financier. Une fois que vous avez fait face à la musique sans jouer à l'autruche et que votre décision est prise, le choix d'un milieu de garde, s'il y a lieu, devient beaucoup plus facile.

D'abord, n'essayez pas de trouver LA garderie où Gabriel sera moins enclin à attraper tout ce qui passe. Faites tout de suite le deuil de cette utopie dans vos critères de sélection. Qu'il soit avec seulement six enfants ou dans un milieu de garde de la taille d'une polyvalente, Gabriel attrapera le « virus du mois »... Si cet aspect devient crucial dans votre choix, le meilleur moyen de diminuer l'exposition de votre chéri reste le gardien à la maison. Pécuniairement, c'est effectivement moins avantageux, mais toutes les journées de boulot manquées et l'inquiétude de voir votre chaton constamment malade peuvent faire pencher la balance pour cette option. Et ne vous tracassez pas avec l'aspect « social » : Gabriel aura amplement le temps de bâtir son réseau plus tard. Avant l'âge de 18 mois, avoir des « amis » n'est pas son principal intérêt.

Ensuite, assurez-vous que la garderie offre les « **6 S** » :

> **Sécurité :** Les lieux sont-ils propres, sécuritaires et bien tenus ? Les jeux et l'environnement sont-ils adaptés à l'âge des enfants qui fréquentent la garderie ?

> **Stabilité :** Gabriel sera-t-il victime de changements fréquents

d'éducateurs ou pourra-t-il bâtir une relation stable et de confiance? Et vous avez vous aussi envie d'échanger et de communiquer vos préoccupations quotidiennes concernant votre chaton avec quelqu'un qui le connaît bien...

> **Souplesse:** La garderie vous offre-t-elle, par exemple, la possibilité d'introduire Gabriel graduellement à cette nouvelle routine? Les heures sont-elles flexibles si, une journée, vous devez arriver un peu plus tôt ou un peu plus tard?

> **Santé:** Les repas offerts vous semblent-ils adéquats et sains? Les siestes et les horaires des enfants sont-ils stables et tiennent-ils la route? Les enfants prennent-ils l'air? Le lavage des mains semble-t-il être une habitude de l'endroit? Y a-t-il une vague odeur de cigarette?

> **Sourire:** Lorsque vous visitez la garderie, les enfants ont-ils l'air heureux? Sont-ils enjoués et stimulés? Les jouets, livres et activités proposés vous satisfont-ils en nombre et en qualité? La télévision est-elle constamment allumée?

> **Sous:** Les tarifs vous conviennent-ils? Y a-t-il des frais supplémentaires? Si oui, dans quelles circonstances?

Faites-vous confiance, votre instinct vous guidera...

· ·

GLANDE MAMMAIRE CHEZ LE GARÇON

(gynécomastie)

Gabriel, 14 ans, s'attendait à tout de sa puberté, sauf à ça. Vous avez remarqué, depuis quelques semaines, qu'il n'enlève plus son t-shirt sur le bord de la piscine. Vous pensiez que votre discours sur les dangers du soleil avait simplement porté ses fruits... Bel essai. Il s'est finalement décidé à vous en parler avec gêne : « J'ai un sein qui pousse... »

La gynécomastie, soit l'augmentation de la glande mammaire chez le garçon, est extrêmement fréquente au cours de l'adolescence. On en connaît plus ou moins la cause, qui est possiblement d'origine hormonale. On note une croissance du tissu mammaire, accompagnée d'une sensibilité au toucher. Et pour ajouter au malaise de notre beau Gabriel,

le « sein » pousse bien souvent d'un seul côté.

Il faut faire la différence entre cette condition et un pli graisseux qui se remarque parfois chez le jeune qui présente un surpoids. La consistance de la glande mammaire rappelle plutôt celle du caoutchouc, contrairement au tissu graisseux, plus mollasse.

Consultez

Dans un tel contexte, je préfère examiner Gabriel, non pas parce qu'il s'agit d'une situation grave, mais pour :

> m'assurer par un examen physique que sa puberté se déroule normalement et qu'aucun autre facteur n'entre ici en jeu (p. ex. : la prise de certains médicaments) ;

> rassurer Gabriel et lui expliquer que, dans la plupart des cas, tout rentre dans l'ordre dans l'année qui suit.

Lorsque la gynécomastie persiste plus de deux ans, il devient malheureusement plus rare d'observer une disparition spontanée. Aucun traitement médicamenteux tenté jusqu'à présent ne s'est révélé être une solution miraculeuse. Reste le traitement chirurgical, particulièrement si Gabriel présente une gynécomastie importante et surtout si, psychologiquement, cette condition l'affecte beaucoup.

GRIPPE OU RHUME ?

Voir aussi Congestion nasale *et* Toux

Gabriel a la grippe... Vraiment ? Il n'a pas plutôt attrapé le rhume de sa petite sœur Raphaëlle ?

On utilise le terme «grippe» un peu à toutes les sauces. Il y a cependant des différences majeures entre le rhume et la grippe. Disons que ce sont deux petits comiques qui nous empoisonnent la vie, surtout durant la période hivernale, et si je peux me permettre la comparaison, le rhume c'est Laurel et la grippe, c'est Hardy. Vous aurez tout de suite compris qu'il y en a un plus costaud que l'autre...

QU'EST-CE QUI SE PASSE ?

Le **rhume**, c'est ce que Raphaëlle a, presque sans arrêt, de novembre à avril, surtout si elle fréquente la garderie. Il existe plus d'une centaine de virus responsables du rhume.

La **grippe**, c'est ce que Gabriel développe s'il attrape le virus de l'**influenza** à l'occasion d'une vague dont on parle chaque année de novembre à avril. Et il n'est pas complètement zinzin, le microbe : il a compris que, pour continuer à faire parler de lui, il doit se transformer dans le temps et changer de costume. C'est donc ce qu'il fait,

et c'est aussi pour cela que, chaque année, il est probable que Gabriel ait la grippe de nouveau.

QUELS SONT LES SIGNES ?

Raphaëlle a un rhume si :

> son nez coule comme un robinet, d'abord un liquide transparent évoluant vers le jaunâtre épais et collant (de toute beauté sur la manche du chandail) ;

> elle éternue ;

> elle est congestionnée et respire par la bouche ;

> elle tousse un peu ;

> elle se plaint parfois d'un mal de gorge et d'un mal de tête ;

> elle a un peu de fièvre, mais rien de majeur ;

> elle a un peu moins faim que d'habitude ;

> elle est un peu plus grognonne elle n'a pas l'énergie pour décrocher vos rideaux, mais n'est pas complètement abattue.

Gabriel a une grippe s'il :

> fait soudainement de la fièvre ;

> est terriblement fatigué ;

> a mal partout, se plaint de douleurs musculaires et est courbaturé ;

> a des frissons et tremble par moments ;

> a mal à la tête ;

> a une toux sèche et a mal à la gorge ;

> va même jusqu'à vomir et avoir des diarrhées ;

> n'est pas du tout dans son assiette, manque carrément d'appétit et est affaissé ;

> regarde Raphaëlle décrocher vos rideaux, mais reste étendu sur le divan.

À FAIRE

. . . .

C'est un rhume

> Raphaëlle doit boire beaucoup. Offrez-lui de plus petits repas (format collation), mais plus fréquemment dans la journée.

> Ça ne sert à rien de l'habiller comme une Inuite… Au contraire, si elle est un peu fiévreuse, ne la faites pas surchauffer ! Qu'elle porte des vêtements légers et confortables.

> Si ce n'est pas le premier article du livre que vous lisez, vous aurez probablement deviné que je suis une grande militante de l'eau saline.

Mettez-en dans son nez aussi souvent que nécessaire, et systématiquement avant les boires si votre toute petite a le nez bouché. Aucun danger de noyade, juste de protestations (*voir Congestion nasale, p. 73*).

> Par contre, je ne suis pas une grande adepte des poires nasales ou des mouche-bébé. Mon expérience personnelle m'a appris qu'en général votre petite Raphaëlle se débat tellement durant l'aspiration que vous risquez de blesser sa fragile muqueuse nasale. De plus, il se peut que Raphaëlle pleure à tel point que l'utilisation de la poire nasale provoquera encore plus de sécrétions. Bref, comme le dit si bien Hippocrate, *primum non nocere,* ce qui signifie « ne pas nuire ».

> Tenez-vous encore plus loin de tous les sirops, comprimés croquables et suppositoires contre la toux ou le rhume. Ils peuvent occasionner des effets secondaires, surtout si votre amour a moins de six ans. Oui, je comprends parfaitement que vous vouliez la soulager… Mais croyez-moi, tout ce que vous apaiserez, c'est votre anxiété due à votre impuissance devant la situation. Ces médicaments ne chassent pas le virus plus vite et peuvent même prolonger certains symptômes, comme la congestion nasale dans le cas des décongestionnants. Vous y tenez mordicus ? Parlez-en à votre pharmacien ou à votre médecin d'abord.

> Aucun problème pour l'acétamino-phène ou l'ibuprofène cependant. Vous soulagerez ainsi fièvres, douleurs musculaires, maux de tête, maux de gorge... Sachez cependant qu'ils ne guériront rien ; il s'agit seulement de pansements sur le bobo, qui ont pour seul effet de rendre l'épisode moins pénible, point. Respectez les indications sur la boîte.

> L'aspirine est toujours à proscrire chez l'enfant à cause du risque de **syndrome de Reye**, une maladie rare mais grave qui affecte le cerveau et le foie.

> Les antibiotiques ont autant d'utilité ici que vos bottes d'hiver à Cuba. On parle d'infections virales donc, à moins que le rhume ne s'accompagne d'une complication bactérienne (otite, sinusite, pneumonie, etc.), on n'y pense même pas.

> **Humidificateur** : à moins d'avoir envie de signer avec moi un contrat qui vous engage à le nettoyer méticuleusement tous les jours pour éviter une contamination possible par des champignons ou des bactéries, oubliez-le ! Ouvrez plutôt la fenêtre. Ce sera beaucoup plus économique et, honnêtement, bien moins compliqué à caser dans votre horaire.

VIRUS
DE LA GRIPPE

ATCHOUM!!!

Normalement, un rhume dure quelques jours et n'affecte pas trop la routine de votre puce. Si elle se sent bien, a assez d'énergie pour vous faire perdre la vôtre et n'est pas fiévreuse, elle peut continuer à fréquenter sa garderie. Petit clin d'œil : le rhume n'est pas une contre-indication à aller jouer dehors.

· ·

C'est une grippe

> Tous les conseils pour le rhume de Raphaëlle s'appliquent à la grippe de Gabriel. Évidemment, la grippe frappe en général un peu plus solidement que le rhume et votre coco aura probablement besoin de plus de repos, de plus d'attention et de plus de câlins.

> Une médication antivirale pourrait être prescrite. Les enfants suivis pour des problèmes de santé chroniques, respiratoires ou cardiaques et ceux qui ont un système de défense immunitaire affaibli ont parfois besoin d'un petit coup de pouce pour combattre l'influenza. L'antiviral doit alors être administré très tôt, soit dès les deux premiers jours de la maladie. Contactez votre médecin aux premiers soupçons de grippe si votre Gabriel fait partie de ces enfants plus fragiles.

> Comptez une bonne semaine avant de retrouver le Gabriel qui aide sa sœur à décrocher vos rideaux. Ne précipitez pas son retour à l'école. Il pourra y retourner seulement lorsqu'il sera assez en forme pour y passer une journée sans avoir l'air d'une loque au milieu de l'après-midi. La fièvre doit quant à elle avoir disparu depuis au moins 24 heures.

CONSULTEZ

si Gabriel ou Raphaëlle présentent au moins un des symptômes suivants (que ce soit lors d'une grippe ou d'un rhume) :

> Gabriel a une fièvre qui persiste au-delà de trois ou quatre jours.

> Raphaëlle a les yeux rouges et collés par du pus.

> Gabriel tousse sans arrêt.

> Raphaëlle a le nez qui coule depuis plus de 10 jours, et disons que ce n'est pas ce qu'il y a de plus joli…

> Gabriel a mal aux oreilles.

> Raphaëlle boit et mange très peu.

> Gabriel souffre d'un problème de santé (p. ex. : asthme, diabète, malformation cardiaque) et vous pensez qu'il a effectivement une **grippe** ? Il vaut mieux être prudent et le faire examiner par votre médecin ; les risques de complications sont alors plus importants.

CONSULTEZ EN URGENCE
(peu importe si c'est un rhume ou une grippe)

Si Gabrielle ou Raphaëlle:

> a moins de trois mois et fait de la fièvre;

> ne veut rien boire et semble déshydraté (*voir Déshydratation, p. 95*);

> a les lèvres bleutées;

> a de la difficulté à respirer ou respire très rapidement ou bruyamment;

> s'étouffe en toussant ou vomit avec des épisodes de toux;

> est plus qu'affaissé, est plutôt léthargique ou somnolent;

> est très irritable ou inconsolable.

PRÉVENONS!

> Je ne frapperai jamais assez fort sur le clou du lavage des mains. E-s-s-e-n-t-i-e-l.

> Pas d'eau et de savon en vue? Ayez avec vous un désinfectant à base d'alcool (p. ex.: Purell).

> Apprenez à vos enfants à ne pas tousser ni éternuer dans leurs mains, mais plutôt dans le pli de leur coude ou dans un mouchoir qu'on jette immédiatement après. Cela limitera les microbes en suspension qui se promènent sur les petites mains qui aiment toucher à tout.

BON À SAVOIR

Virus du rhume ou virus de la grippe, ils se propagent de la même manière, soit:

> par contact direct avec Raphaëlle, comme par de gros bisous;

> par contact avec un objet contaminé par Gabriel, comme une manche de chandail ayant servi de mouchoir;

> par les gouttelettes en suspension dans l'air après les convaincants éternuements de Raphaëlle et la toux arrache-cœur de Gabriel.

> Certes, c'est tout à fait louable d'être généreux et d'aimer tout partager – gobelets, cuillères, jouets, etc. N'oubliez jamais que ces articles seront très souvent bien enduits de microbes et permettront à Raphaëlle d'offrir gracieusement son virus à Gabriel en un rien de temps… Je ne vous dis pas ça par manque d'altruisme! Partager, c'est bien, mais prévenir, c'est encore mieux…

> Maintenant, vous reconnaîtrez en moi la mère poule: votre petit poussin de moins de trois mois devrait autant que possible rester loin des personnes malades. D'abord, son système de défense contre les microbes n'est pas encore bien équipé, et votre amour est plus vulnérable aux complications possibles. Ensuite, si la fièvre se pointe, il sera contraint de passer toute une série de tests afin d'éliminer des infections possiblement plus sérieuses: pneumonie, infection urinaire, infection du sang, méningite…

> Une autre mesure très efficace de prévention contre la grippe est la vaccination. Les enfants de six mois et plus peuvent recevoir sans danger le vaccin contre l'influenza, une fois par année, en général au cours des mois d'octobre ou novembre. Jusqu'à neuf ans, si c'est la première fois que Gabriel est vacciné, il aura besoin de deux doses à environ un mois d'intervalle. Après cette vaccination initiale, une dose par année sera suffisante. Raphaëlle change de couleur juste à l'idée d'une aiguille? Il existe maintenant, pour les enfants de deux ans et plus, un vaccin en vaporisation, administré dans le nez de votre princesse. Moins menaçant, hein?

Pour qui ce vaccin est-il particulièrement important?

> Les enfants de 6 mois à 2 ans.

> Les enfants et les adultes vivant dans la même maison qu'un nourrisson de moins de six mois.

> Les enfants connus et suivis pour un problème de santé chronique.

> Les enfants qui ont un système immunitaire affaibli.

CONSEILS DE MAMAN

Deux de mes puces sont nées au cours de la saison hivernale, saison de prédilection des atchoums! Une de mes stratégies favorites pour éloigner de mes trésors les bisous et les mains contaminées (surtout dans les réunions du temps des fêtes, au centre commercial, etc.), c'était de les installer dans le porte-bébé ventral, petites mains à l'intérieur et petits visages à l'abri, bien collés contre moi ou contre papa. Bébé s'endormira, je vous le garantis, et vous verrez que les gens seront beaucoup moins à l'aise de venir déranger votre petit trésor.

À BAS LES MYTHES !

Gabriel a 16 ans, il fait moins 25 °C, il n'a pas mis sa tuque et c'est pour ça qu'il a attrapé son gros rhume… Non! Le froid n'est aucunement responsable de son état (mais il est responsable de son engelure, par contre).

Le vaccin contre l'influenza a donné une grippe à Raphaëlle… Impossible. Le vaccin ne donne pas la maladie. Il met le système immunitaire de votre chérie en branle afin de le préparer à combattre l'influenza avec les bons soldats.

Vitamine C format géant et au revoir rhumes et grippes! Plusieurs études montrent qu'une consommation accrue de vitamine C (ou de toute autre potion magique) n'a rien de miraculeux, alors rien ne sert de faire comme Obélix et de tomber dans la marmite.

COMME
HENRI

HALEINE, MAUVAISE

L'haleine d'Henri tuerait une mouche en plein vol. Ce n'est pas une blague. Et c'est aussi désagréable pour un petit loup de cinq ans que pour un grand de 15.

QU'EST-CE QUI SE PASSE ?

La poussée dentaire: les petites gencives à vif et gonflées peuvent saigner un peu, laissant une odeur plus ou moins agréable… On avait besoin de ça en plus de tout le reste, me direz-vous.

L'hygiène dentaire et les caries: pas de surprise, on est d'accord.

La déshydratation: une quantité insuffisante de salive, et donc une bouche plus sèche, laisse les bactéries normalement présentes prendre du terrain, avec les conséquences odorantes que vous constatez.

La congestion nasale: Henri peut être congestionné à la suite d'un rhume, d'une allergie, d'une sinusite et d'**adénoïdes** volumineuses… Il respire alors la bouche ouverte, assèche ses muqueuses et favorise la prolifération bactérienne. Dans ce cas, on «irrigue la tuyauterie» et on abuse de l'eau saline. Selon la cause sous-jacente, on ajoutera le traitement approprié. Petit truc simple: profitez du brossage des dents pour frotter un peu la langue.

CONSULTEZ

Si vous avez tout fait et si vous êtes sur le point de mettre du Lysol sur la brosse à dents d'Henri, parlez-en avec votre médecin ou votre dentiste.

HERNIE INGUINALE OU SCROTALE

« Je vous assure, docteur, il avait une bosse, là, dans l'aine, hier soir, quand je l'ai sorti du bain... » Évidemment, c'est comme quand on va porter l'auto au garage : le pépin qui vous rend fou depuis trois jours s'est mystérieusement envolé, ce qui vous rend d'autant plus nerveux.

Pas d'inquiétude, je vous crois sur parole. Il y avait fort possiblement une masse qui a pu disparaître depuis la veille et qui risque de revenir ce soir quand je ne serai plus avec vous! On appelle ça une **hernie**, inguinale dans ce cas-ci. Elle aurait pu aussi bien porter le petit nom de scrotale si vous aviez remarqué la même protubérance au niveau du scrotum d'Henri.

QU'EST-CE QUI SE PASSE ?

La hernie résulte, la plupart du temps, d'un défaut congénital : la fermeture incomplète d'un passage dans la paroi abdominale (passage normalement présent au cours de la vie fœtale) laisse une bribe de l'intestin d'Henri faire **protrusion**. La hernie peut apparaître et disparaître, sans préavis, mais se manifeste plus spontanément lorsque Henri force, tousse ou hurle.

Aucunement douloureuse, elle a tendance à se pointer au cours de la première année de vie de votre petit homme, et surtout chez les bébés prématurés.

CONSULTEZ EN URGENCE

> Si Henri se plaint subitement d'une douleur à l'endroit où se trouve la hernie.

> La masse habituellement molle et silencieuse devient soudainement plus volumineuse, plus rouge et plus sensible.

La hernie est alors probablement restée «coincée»; c'est ce que nous appelons une **hernie incarcérée**.

Pour éviter ce scénario, on recommande de réparer chirurgicalement une hernie inguinale ou scrotale dans les meilleurs délais après sa découverte.

HERNIE OMBILICALE

« Ouf, par moments j'ai l'impression que sa hernie va exploser ! »

QU'EST-CE QUI SE PASSE ?

Oui, la hernie ombilicale se révèle parfois très impressionnante, mais aucunement dangereuse ni douloureuse. Elle est due à une faiblesse musculaire au niveau de l'ombilic, ce qui permet à une partie de l'intestin de faire saillie par cette «ouverture». Résultat: le nombril d'Henri présente une protubérance. On la retrouve moins souvent chez les bébés de race blanche, mais 4 bébés de race noire sur 10 en présentent une. Elle peut ne mesurer que quelques millimètres, mais Henri peut tout avoir un petit ballon de 5 cm au niveau du nombril, gonflant et dégonflant selon l'intensité de ses pleurs et de ses efforts pour remplir sa couche.

À QUOI S'ATTENDRE ?

Aucun danger d'explosion, promis. Je vois beaucoup de parents qui essaient de «contenir» la hernie, de retenir son expansion en serrant un peu plus la couche ou en installant une bande élastique autour de la taille de bébé: peine perdue. C'est le temps qui se chargera de la faire disparaître: dans la majorité des cas, elle se sera volatilisée à l'âge de six ans.

La hernie ombilicale, contrairement à la hernie inguinale ou scrotale, ne se complique que très rarement d'un étranglement. La correction chirurgicale n'est donc pas de mise, à moins qu'elle ne perdure, augmente visiblement en taille avec l'âge ou cause des problèmes.

HOQUET

C'est presque prévisible... Après chaque boire, Henri, trois mois, est secoué d'un hoquet qui vous dérange en général bien plus que lui.

Le hoquet résulte tout simplement d'une contraction involontaire du diaphragme, un muscle situé entre les poumons et l'abdomen, en partie responsable des mouvements respiratoires. Ces spasmes, bruyants, inconstants et imprévisibles, sont simplement causés par quelques gorgées d'air avalées en trop.

Rassurez-vous. Bien que parfois impressionnant, le hoquet n'a aucune conséquence fâcheuse. Et de tous les trucs miraculeux dont vous avez entendu parler, quel est le seul qui fonctionne vraiment? Prendre votre mal en patience!

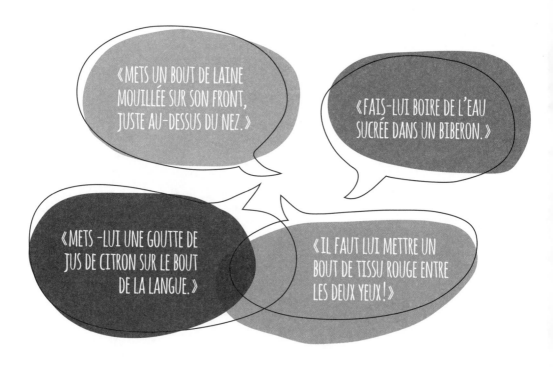

« METS UN BOUT DE LAINE MOUILLÉE SUR SON FRONT, JUSTE AU-DESSUS DU NEZ. »

« FAIS-LUI BOIRE DE L'EAU SUCRÉE DANS UN BIBERON. »

« METS-LUI UNE GOUTTE DE JUS DE CITRON SUR LE BOUT DE LA LANGUE. »

« IL FAUT LUI METTRE UN BOUT DE TISSU ROUGE ENTRE LES DEUX YEUX! »

HYDROCÈLE

(liquide autour des testicules)

Rendez-vous de routine d'Henri, deux mois. Ses testicules ont l'air enflés depuis sa naissance... Après l'avoir bien examiné, je vous parle d'hydrocèle, ce qui est ni plus ni moins qu'une accumulation de liquide autour de ses testicules.

« De l'eau autour des testicules d'Henri! C'est grave ? »

Non. En fait, 2 nouveau-nés sur 100 présenteront une hydrocèle d'un ou des deux côtés du scrotum, qui se résoudra spontanément vers l'âge de un an dans la plupart des cas. L'hydrocèle est non douloureuse, et son volume peut varier au cours d'une même journée, selon les activités, les pleurs ou les efforts d'élimination de votre chéri. Il est tout de même important de le mentionner à votre médecin et que votre chaton soit examiné pour éliminer d'autres conditions pouvant ressembler à ce gonflement.

COMME INÈS

INFECTION URINAIRE

Inès est assise depuis 10 minutes sur la toilette et refuse catégoriquement de faire pipi. Elle y est allée plusieurs fois ce matin, et vous aviez la nette impression qu'elle se moquait de vous parce qu'elle n'avait produit chaque fois que quelques gouttes. Mais là, si c'est du cinéma, vous l'inscrivez demain matin à l'École nationale de théâtre, car elle est très convaincante. Son petit visage est tout crispé et elle vous répète que le pipi fait bobo...

QU'EST-CE QUI SE PASSE ?

Les infections urinaires ne sont pas monnaie courante chez l'enfant, mais on doit garder à l'esprit qu'elles peuvent survenir et que, non traitées, elles peuvent occasionner de sérieux dommages aux reins, d'où l'importance de **consulter si on a le moindre soupçon**.

On n'attrape pas une infection urinaire de notre meilleure amie à la garderie. Ce sont plutôt les bactéries qui habitent la peau autour des parties génitales et de l'anus d'Inès qui décident de remonter par l'**urètre** (le petit tuyau qui mène l'urine vers l'extérieur) vers sa vessie, un peu comme votre puce lorsqu'elle remonte le toboggan en haut de la pente. Si les bactéries infectent uniquement la vessie, on parle de **cystite**; si elles remontent jusqu'aux reins, on parle de **pyélonéphrite**. Plus rarement, l'infection aura pour origine une bactérie en circulation dans le sang qui est allée se loger dans les reins, causant l'infection.

QUELS SONT LES SIGNES ?

Les signes d'infection urinaire peuvent ne laisser aucun doute, mais parfois être plus subtils, surtout chez une toute petite Inès. Ne soyez donc pas surpris si votre médecin cherche une infection urinaire alors que votre puce ne présente qu'une fièvre isolée.

Les symptômes qui peuvent suggérer une infection urinaire sont:

> une prise de poids inadéquate ou une perte d'appétit;

> des envies urgentes;

> des envies fréquentes;

> l'urine qui chauffe ou qui brûle lors de la miction;

> du sang dans l'urine ;

> des incontinences, des pertes d'urine involontaires ;

> un mal de ventre ;

> des urines nauséabondes ;

> des vomissements ;

> un mal de dos ;

> de la fièvre.

Consultez

Il est important de consulter si Inès présente un ou plusieurs signes d'infection urinaire.

À quoi s'attendre ?

Si votre médecin suspecte une infection urinaire chez Inès, il est fort possible qu'il commencera par utiliser une petite bandelette réactive qui lui indiquera la présence de globules blancs dans l'échantillon d'urine. Normalement, les globules blancs (**leucocytes**) qui nous défendent contre les infections ne se retrouvent pas dans l'urine ou alors en très petite quantité. Par la suite, une culture d'urine confirmera le diagnostic en identifiant la bactérie en cause.

Selon l'âge d'Inès, son état général et ses symptômes, elle devra prendre des antibiotiques par la bouche ou recevoir ses traitements par voie intraveineuse. Inès devrait se sentir mieux au bout de deux jours, mais il est indispensable qu'elle prenne le traitement jusqu'au bout. Votre médecin demandera probablement une échographie des reins d'Inès. La **cystographie mictionnelle**, un autre examen radiologique, vérifie si l'urine remonte anormalement de la vessie vers les reins. Cette condition, qu'on appelle **reflux vésico-urétéral**, augmente les risques qu'Inès développe d'autres infections urinaires et donc, en conséquence, des cicatrices sur ses reins. Si c'est le cas, votre puce aura besoin d'un suivi plus rigoureux.

Prévenons !

Vous n'avez malheureusement pas beaucoup d'influence sur le cours des choses... Assurez-vous qu'Inès ne développe ni de constipation ni la mauvaise habitude de retenir ses urines parce qu'elle a mieux à faire. Une montre qui sonne à une fréquence régulière pour lui signaler la pause pipi est un truc efficace... Mais, un conseil : laissez-la choisir la montre.

Les enfants chez qui on découvre un reflux vésico-urétéral devront parfois prendre une petite dose d'antibiotiques tous les jours pour éviter d'exposer leurs reins aux risques d'infection.

Le jus de canneberges ? Si vous voulez et si vous réussissez à lui faire aimer le goût !

Étant donné qu'une simple irritation dans cette région peut fréquemment donner « un pipi qui chauffe » sans qu'il s'agisse d'une infection urinaire, évitez les fausses alertes en éliminant les bulles dans le bain, les assouplisseurs parfumés, certains tissus synthétiques et compagnie.

INTOXICATION ALIMENTAIRE

Voir aussi Diarrhée et gastroentérite *et* Vomissements

Vous êtes tellement fier de votre Inès : elle a défendu son but avec brio durant toute cette glorieuse saison de soccer qui s'achève. Pendant que l'entraîneur, presque aussi fier que vous, n'en finit plus de distribuer ses remerciements, chacun s'affaire à installer sur la grande table le plat apporté pour le pique-nique... Il fait beau, chaud – vous me voyez venir avec mes gros sabots, hein ? –, et les enfants jouent et grignotent une bonne partie de l'après-midi.

C'était génial... Jusqu'à ce que, six heures plus tard, votre Inès ne se sente pas bien du tout: mal au ventre, vomissements, diarrhée... Le lendemain, vous apprenez que presque toute l'équipe y est passée...

Maintenant, un petit exercice comme à l'école. Voici ce qui, dans l'histoire ci-dessus, nous permet de conclure à une intoxication alimentaire:

Pique-nique (sandwichs, mayonnaise, viandes froides, fromages, etc.)

+

Aliments exposés à la chaleur plusieurs heures

+

Petites mains pas vraiment propres dans les plats

=

Combinaison gagnante pour mettre toute une équipe *knock-out*

QU'EST-CE QUI SE PASSE ?

Les grands acteurs de ces contaminations? Vous savez probablement déjà un peu qui ils sont:

> **Staphylocoque**: Le grand champion des buffets! Cette bactérie se multiplie et produit une toxine lorsque les aliments ne sont pas gardés à une tempéra-ture adéquate, comme dans notre histoire.

PIQUE-NIQUE EXPOSÉ À LA CHALEUR

+

PETITES MAINS PAS VRAIMENT PROPRES DANS LES PLATS

=

COMBINAISON GAGNANTE POUR RENDRE TOUTE UNE ÉQUIPE K.O.

> **Salmonelle** : On la trouve dans le poulet et les œufs crus, mais elle est complètement détruite par une cuisson adéquate.

> **E. coli** : C'est la responsable de la fameuse maladie du hamburger, mais aussi de certaines éclosions de contamination de l'eau.

> **Clostridium perfringens** : Autre ami des buffets et des cafétérias, il s'invite sans scrupule à vos *partys* !

> **Shigelle** : Bactérie adepte des milieux où l'hygiène laisse à désirer, elle peut donner des diarrhées contenant du sang.

> **Campylobacter** : Encore un favori de la viande crue ou mal cuite, qui peut aussi toucher Toutou et Minou à la maison.

> **_Clostridium botulinum_** : Il s'agit du responsable du botulisme : attention aux conserves et au miel !

À FAIRE

Peu importe le nom bizarre de la bibitte qui fait vomir Inès en ce moment, on fait quoi ? Suivez les conseils donnés à l'article _Diarrhées et gastroentérite_. Et mon petit doigt me dit que le prochain party d'équipe se fera au resto…

PRÉVENONS !

Voici les règles de base à respecter pour que ce genre de désagréments ne fasse plus partie de vos prochaines petites fêtes.

Propreté

> Soyez très vigilant lors de la manipulation des aliments pour éviter la contamination croisée, soit de contaminer vos aliments avec les germes de la viande et de la volaille crues (planches, couteaux, comptoir, etc.).

> Lavez-vous les mains à chaque étape de la préparation et de la manipulation des aliments et avant de manger.

> Si vous êtes malades, passez donc le flambeau aux autres, pour une fois.

Qualité

> Jetez toute nourriture suspecte, toute conserve non étanche, toute boîte de conserve bosselée. Bien souvent, les aliments contaminés ne changent ni d'odeur, ni de couleur, ni d'apparence… Pas de chance.

> Le miel est à éviter complètement chez les enfants de moins de un an.

Consommation

> Ne laissez pas les viandes froides, les fromages, les plats cuisinés et les préparations à base de mayonnaise à la température de la pièce pendant plus de deux heures.

> Réfrigérez vos restes immédiatement, ne les laissez pas tiédir avant de les mettre au frigo.

> Cuisez adéquatement les viandes, particulièrement les viandes hachées et la volaille.

J

COMME
JÉRÔME

JAUNISSE (ICTÈRE)

*Jérôme est votre nouveau et premier trésor. Il a deux jours
et vous êtes sur le point de quitter l'hôpital avec lui. Au
moment de partir, alors que papa vient de passer tout près de
45 minutes à tenter d'ajuster adéquatement la ceinture du
siège d'auto pour que le minuscule Jérôme y soit confortable
(ce qui n'est pas toujours évident), l'infirmière qui vient vous
donner ses derniers conseils et toute la paperasse du congé
regarde votre amour bien coincé dans sa coquille et dit :
« Hum... Me semble qu'il est une petite affaire jaune... »*

QU'EST-CE QUI SE PASSE ?

Vous auriez eu tendance à lui trouver un teint un peu basané, mais, à la lumière
du jour, il est vrai que votre petit amour est plutôt bronzé comme un... citron!
Pas de panique, plus d'un nouveau-né sur deux présente ce teint jaunâtre de la
peau et du blanc des yeux dans ses premiers jours de vie. On parle alors d'**ictère physiologique**.

Cette pigmentation jaune est causée par la bilirubine, présente en plus grande quantité dans le sang de Jérôme. Ceci est dû au fait que, naturellement, à la naissance, une destruction rapide de ses globules rouges se produit naturellement. Et la séquence suivante se produit (vous allez avoir l'impression que je vous chante «L'arbre est dans ses feuilles») : le globule rouge détruit contient de l'hémoglobine (responsable du transport de l'oxygène), l'hémoglobine se dégrade en hème, l'hème est transformé en biliverdine, qui a son tour est transformée en bilirubine «non conjuguée», qui doit être conjuguée par le foie pour être éliminée. L'immaturité passagère du jeune foie de Jérôme et le fait que la bilirubine n'est alors pas efficacement éliminée par l'intestin contribuent à la jaunisse. Dans la très grande majorité des cas, le tout rentre dans l'ordre tout seul.

Mais alors, si ce phénomène est «normal», pourquoi vous demande-t-on de revenir à l'hôpital le lendemain pour vérifier si Jérôme n'a pas jauni davantage? Très rarement, la bilirubine en circulation peut atteindre des niveaux si élevés qu'elle devient toxique pour le cerveau et peut laisser de graves séquelles neurologiques, comme la surdité et de lourds retards de développement. Les bébés prématurés ou de petits poids sont plus vulnérables à cette complication.

QUELS SONT LES SIGNES ?

Ce n'est pas inquiétant si :

> Jérôme devient jaune **après** les 24 à 48 premières heures de vie ;

> le ton de jaune le plus prononcé arrive aux alentours de son quatrième jour ;

> l'ictère disparaît au bout d'une semaine ;

> Jérôme reste vigoureux et son état général est bon ;

> Jérôme boit et élimine bien ;

> la bilirubine n'augmente pas trop rapidement dans son sang, ce qui sera vérifié, au besoin, par des prises de sang.

Parfois, pour des raisons encore imprécises, la jaunisse peut persister beaucoup plus longtemps chez un bébé allaité ; on parle d'**ictère d'allaitement**. N'arrêtez pas d'allaiter pour autant ! Tant que Jérôme prend du poids, boit bien et vous fait cadeau de plusieurs couches à changer par jour, pas d'inquiétude. La jaunisse disparaît en général après six à huit semaines et n'a aucune conséquence fâcheuse.

D'autres conditions peuvent amener la bilirubine à grimper plus rapidement vers le seuil toxique.

L'évolution de l'ictère sera suivie de très près si Jérôme :

> est prématuré ;

> a un très petit poids à la naissance ;

> a comme souvenir de sa naissance un gros hématome au cuir chevelu ;

> et sa maman ont des groupes sanguins non compatibles, ce qui a pour résultat une destruction plus importante des globules rouges ;

> a une infection.

À FAIRE

Jérôme a une jaunisse peu sévère et vous pouvez rentrer avec lui à la maison ?

La meilleure façon de donner un coup de main à Jérôme afin qu'il se débarrasse rapidement de son teint citronné est de le nourrir à la demande dès ses premières heures de vie. Le surplus de bilirubine sera ainsi évacué dans ses selles. Malgré ce que vous avez peut-être entendu, inutile de le mettre tout nu devant la fenêtre… C'est très efficace pour, en un rien de temps, le faire passer du jaune au rouge tomate dans des cris d'inconfort, mais aucunement pour éliminer la bilirubine de son système.

Jérôme a une jaunisse plus sévère et nécessite des soins ?

Votre petit chou aura peut-être besoin de ce qu'on appelle la **photothérapie**. Le principe est d'exposer la peau de Jérôme à une lumière qui transforme la bilirubine en une forme qui peut être éliminée dans l'urine. Ce n'est aucunement douloureux ou dangereux ; il aura plutôt l'air d'être au salon de bronzage, avec des petites lunettes pour protéger ses yeux…

CONSULTEZ EN URGENCE

> Si Jérôme devient de plus en plus jaune en peu de temps.

> S'il est difficile de le nourrir.

> S'il semble mouiller moins de couches et passer peu de selles.

> S'il est somnolent et moins réactif.

> S'il a de la fièvre.

BON À SAVOIR

Une jaunisse qui perdure chez un bébé de plus de trois semaines ou qui se présente chez un plus grand doit absolument être évaluée par un médecin. Il existe une multitude de causes : les infections (infection urinaire, hépatite, etc.), les malformations du foie et des voies biliaires, les maladies génétiques qui affectent le métabolisme, les anémies hémolytiques, etc. Jérôme passera alors les examens appropriés pour déterminer de quoi il s'agit.

JUS

Jérôme a deux ans et demi. Il aime le jus. Il aime tellement le jus qu'il refuse de boire quoi que ce soit d'autre. Mais le boss, ce n'est pas Jérôme : c'est vous. Et Jérôme ne connaissait pas le jus avant que vous ne lui en donniez. Je suis aussi coupable que vous, j'ai fait la même gaffe. C'est facile d'aimer le jus, c'est sucré, c'est frais, il y en a partout et en format brontosaure !

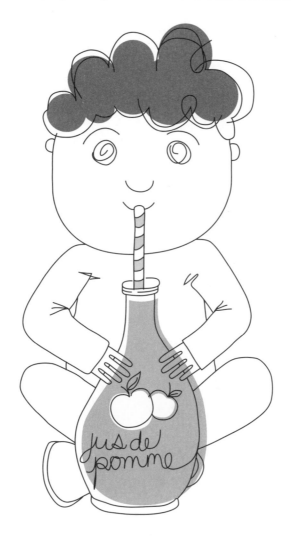

Les jus de fruits procurent des vitamines et des minéraux. En revanche, ils contiennent énormément de sucre (même s'ils sont purs à 100 %) et de calories, sans offrir le bénéfice des fibres du fruit entier.

Trop de jus rime avec :

> Une augmentation du risque de développer des caries.

> Une diminution de l'appétit pour les autres aliments nécessaires à la croissance.

> Des maux de ventre et des diarrhées (si Jérôme a tendance à en boire beaucoup).

> Un risque pour la santé de nos adolescents qui boivent des boissons

sucrées en quantités phénoménales, à une époque où nous voyons grimper le taux d'obésité et de diabète de type 2 chez les jeunes.

> La mise au rancart d'un liquide désaltérant simple et essentiel : l'eau.

Conseils de maman

Je ne vous dis pas de devenir tortionnaire avec Jérôme demain matin. Restons raisonnables.

On peut donner du jus à Jérôme à partir de l'âge de six mois. Diluez-le avec de l'eau, il n'y verra que du feu, et comme par magie, vous aurez coupé le sucre et les calories de moitié !

> **De 6 mois à 1 an** : de 2 à 3 oz (60 à 90 ml) par jour.

> **De 1 an à 6 ans** : de 4 à 6 oz (120 à 180 ml) par jour.

> **Plus de 7 ans** : de 8 à 12 oz (240 à 360 ml) par jour.

> **Adolescence** : 12 oz (360 ml) par jour. Je ne me fais pas beaucoup d'illusions, mais vous pouvez toujours essayer…

On choisit les jus pasteurisés purs à 100 % et on évite tout ce qui ressemble de près ou de loin à du punch, à des boissons en cristaux, à des cocktails, à des boissons sportives, etc. Les jus non pasteurisés sont à éviter chez les jeunes enfants, car ils peuvent contenir des bactéries potentiellement nuisibles à leur santé.

COMME
KIM

KAWASAKI, MALADIE DE

Kim fait de la fièvre depuis plusieurs jours sans qu'on puisse mettre le doigt sur le bobo. Ça commence à vous inquiéter, et pour vous rassurer, vous interrogez votre bon ami Google, qui, pour la recherche «fièvre sans explication enfant 4 ans», vous expédie toute une liste de possibilités plus angoissantes les unes que les autres... Mais il y a un truc qui revient assez souvent dans vos résultats, la maladie (ou le syndrome) de Kawasaki. Vous n'aviez jamais entendu parler de cette condition : ce nom, jusqu'à aujourd'hui, ne pouvait être associé qu'à la moto de votre voisin...

QU'EST-CE QUI SE PASSE ?

La maladie de Kawasaki porte le nom du médecin japonais qui l'a décrite vers la fin des années 1960. C'est une condition rare, touchant principalement les enfants de un an à six ans, et dont les causes ne sont pas encore clairement établies. Il est cependant important pour nous de ne pas la rater, car un traitement précoce permet éventuellement d'éviter la complication majeure, soit une atteinte des

 **BON À SAVOIR** La maladie de Kawasaki est une des rares conditions où l'on administre de l'aspirine aux enfants, n'en soyez donc pas surpris, mais ne décidez jamais d'en donner sans un avis médical.

artères coronaires, les vaisseaux qui nourrissent le cœur.

Ce n'est pas toujours évident de conclure qu'il s'agit bien de la maladie de Kawasaki ; les symptômes peuvent étrangement imiter un gros virus que Kim pourrait avoir attrapé à la garderie.

Quels sont les signes ?

Il y a d'énormes chances qu'au bout de trois jours de fièvre et de «Kim-ne-s'endure-pas», l'envie incontrôlable de consulter vous prenne… Et vous avez tout à fait raison. Si à ce moment le médecin ne met pas en évidence une cause à son état, il vous demandera en général de revenir 48 heures plus tard si la fièvre n'est pas tombée ou si votre cocotte n'a pas retrouvé le sourire.

Consultez

Le diagnostic de la maladie de Kawasaki est fait par un médecin et doit répondre à des critères spécifiques.

Consultez immédiatement si Kim a de la fièvre (bien souvent plus de 39 °C) depuis au moins cinq jours et qu'elle présente quatre des cinq autres signes suivants :

> Les yeux de Kim sont rouges (conjonctivites) mais ne coulent pas et ne sont pas collés par du pus.

> Sa gorge est rouge, ses lèvres sont sèches et fissurées ou sa langue a l'aspect de la chair de framboise.

> Ses pieds et ses mains semblent gonflés ou ses plantes de pied et ses paumes sont rouges. Au cours de la deuxième semaine de la maladie, on peut noter une desquamation (peau sèche qui pèle) autour des ongles.

> Kim a des éruptions cutanées qui peuvent prendre plusieurs formes : plaques rouges, plaques d'urticaire ou plaques ressemblant à du papier de verre.

> Elle a un ou des ganglions enflés dans son cou.

En plus de cette fièvre qui ne lâche pas, votre princesse vous semblera particulièrement de mauvaise humeur, ce qui vous amènera très certainement à venir nous consulter. Je vous répète que cette maladie est très peu fréquente, mais si votre médecin pense que Kim présente les symptômes décrits précédemment, des examens plus poussés seront immédiatement organisés.

COMME
LAURA

LAIT ET INTOLÉRANCE AU LACTOSE

Voir aussi Allergie au lait

On accuse le lait un peu à tort et à travers de toutes sortes de maux, et le pauvre a eu relativement mauvaise presse récemment. Comme n'importe quel autre aliment, il a ses vertus et, sans être un élixir miraculeux, il n'est pas non plus synonyme de poison pernicieux.

Le lait est une excellente source de calcium et de protéines et, de plus, il est additionné de vitamine D. Il contribue à la croissance osseuse et au maintien d'une bonne dentition chez Laura, 18 mois. On introduit le lait de vache vers un an et on donne celui contenant 3,25 % de matières grasses jusqu'à deux ans au moins, car le cerveau de Laura a besoin de ces gras pour se développer adéquatement. Pas de grande méthode scientifique pour passer de son lait maternisé au lait « normal » : on choisit une journée (c'est la partie la plus difficile) et on y va.

QU'EST-CE QUI SE PASSE ?

« Docteur, c'est une guerre pour faire boire du lait à Laura! Va-t-elle manquer de quelque chose? »

Le lait n'est pas une denrée essentielle à sa survie, et, rassurez-vous, il n'y a pas de cible minimale à atteindre en matière de quantité journalière. Elle trouvera ce dont elle a besoin ailleurs, dans d'autres produits laitiers qu'elle préfère (p. ex.: fromage, yogourt) ou dans des produits enrichis en calcium (p. ex.: jus d'orange). Si vous n'en dormez plus la nuit, offrez-lui du lait autrement, par exemple dans des potages, des desserts, des *smoothies*…

« Laura peut boire plus de 1 l (40 oz) de lait par jour. Elle me demande sans arrêt de remplir son biberon… »

D'abord, si on arrêtait de lui donner un biberon? Effectivement, boire trop de lait peut s'avérer être un problème lorsque cette habitude vient perturber l'appétit de Laura pour le reste. Quand elle s'assoit à table à l'heure du souper, après avoir allégrement englouti un biberon plein de lait, il est fort possible que vous ayez de la difficulté à la convaincre de manger le saumon qui se trouve dans son assiette. De la même manière, si vous offrez du lait à votre princesse « pour qu'elle ait au moins un petit quelque chose dans l'estomac » alors qu'elle vient de décorer le plancher de votre cuisine avec ce même saumon, vous courez, à mon avis, après les problèmes en entretenant l'habitude. Autrement dit, la quantité de lait est raisonnable tant et aussi longtemps que Laura mange bien.

« Laura a beaucoup de gaz lorsqu'elle prend des produits laitiers. Est-il possible qu'elle ait une intolérance au lactose? »

Une intolérance au lait (à ne pas confondre avec une allergie) donnera à Laura:

> des crampes et des maux de ventre;

> des ballonnements et parfois des nausées;

> des gaz;

> des diarrhées.

Le **lactose** – sucre contenu dans le lait et les autres produits laitiers – doit être digéré par une enzyme nommée **lactase**, produite naturellement par la muqueuse de notre intestin. Si cette enzyme est absente ou en quantité insuffisante, le lactose reste intact et non digéré, ce qui entraîne des malaises 30 minutes à 2 heures après l'ingestion.

À FAIRE

Vous pouvez jouer au détective: éliminez tout produit contenant du lactose de la diète de Laura pendant deux semaines (attention, il y en a parfois ailleurs que dans les produits laitiers). Le problème semble résolu? Parfait! Réintroduisez doucement les produits laitiers et observez si Laura présente à nouveau des symptômes.

Lait sans lactose, fromage sans lactose... Allez faire un tour du côté du rayon des produits laitiers, car les choix ne manquent pas aujourd'hui, par exemple les boissons enrichies à base de soya qui ne contiennent naturellement pas de lactose. Une autre option est d'administrer de la lactase sous forme de comprimés (p. ex. : Lactaid) au moment des repas.

Plusieurs personnes intolérantes arrivent à digérer des produits laitiers jusqu'à un certain seuil avant d'avoir des symptômes. Petite règle facile : plus le produit laitier est solide, moins il contient de lactose ; par exemple, le lait en renferme beaucoup et le fromage de type parmesan, très peu. Votre rôle sera d'aider votre Laura à établir son seuil de tolérance.

CONSULTEZ

En parlant de vos soupçons à votre médecin, il est aussi possible de confirmer le diagnostic par un test respiratoire (ou *breath test*), pendant lequel on mesure l'hydrogène dans la respiration de Laura après la prise d'une solution contenant du lactose.

LANGAGE

Je l'ai fait, mes amies l'ont fait, et je suis sûre que vous le faites si vous lisez cette section : le décompte détaillé des mots « jargonnés » par Laura dès la première fois où quelque chose d'à peu près compréhensible est sorti de sa bouche... Et il n'y a assurément pas de mal à ça. Mais c'est aussi à cet instant précis que vous commencez à vous poser des questions... Est-ce normal pour son âge ? Est-ce suffisant ? Quand s'inquiéter ?

Langage est synonyme d'interaction, de communication. L'apprentissage du langage est une étape géniale et parfois très rigolote du développement de votre cocotte; vous interagissez enfin de plus en plus efficacement avec elle. Gardez en tête qu'il ne s'agit pas seulement de mots correctement prononcés et de vocabulaire: le «non» qui secoue vigoureusement la tête de Laura devant les épinards juste avant qu'elle ne catapulte l'assiette par-dessus bord, c'est aussi du langage... Et c'est parfois très efficace!

Qu'est-ce qui se passe ?

Laura vous observe quand vous lui parlez, puis elle sourit (**deux mois**), elle pleure, elle gazouille (**trois mois**), elle pousse de petits cris aigus qui la surprennent elle-même, elle imite vos intonations et elle finit, à votre grand bonheur, par dire «papa» et «maman» autour de l'âge de un an. Laura est dans la phase du **prélangage**. Cette période couvre la première année de vie, durant laquelle Laura saisit assez rapidement que crier équivaut à «Maman qui accoure», et que crier plus fort équivaut à «Papa et maman qui accourent ensemble et plus vite encore». Elle comprend de mieux en mieux l'intonation que vous utilisez dans certains contextes, par exemple lorsque vous lui dites fermement non.

Dès **l'âge de quatre mois**, les principes de la conversation et du «chacun son tour» s'installent lorsque vous répondez à ses «areeeee» par d'autres «areeeeee», au risque d'avoir l'air un peu gaga par moments. À partir de **8 ou 9 mois**, elle vous tend les bras quand elle veut que vous la preniez, elle pointe du doigt ce qu'elle désire, elle fait «bye-bye» et secoue un «non» ferme de la tête plus souvent que vous n'auriez pu l'imaginer.

Laura prononce ses premiers mots, en général autour de un an. «Papa» vient souvent avant «maman», simplement parce que c'est plus facile à dire (ne vous faites pas d'illusions!). Au départ, les mots ne sont pas toujours appropriés à la bonne personne ou au bon moment... Pas de problème, ça va venir. Laura se retourne lorsqu'on l'appelle par son prénom. Vous restez parfois très surpris de constater qu'elle comprend cependant plus de choses qu'elle n'est capable d'en dire, surtout tout ce qui touche son train-train quotidien: repas, dodo, bain, promenade... Tout comme vous en voyage dans un pays étranger, elle apprend beaucoup en répétant ce qu'elle entend, d'où l'importance de lui parler souvent et le moins possible dans un «langage de bébé». On s'attend à ce que Laura intègre de 10 à 50 mots de plus à son vocabulaire dans les six mois suivant ses premiers mots, soit jusqu'à environ **18 mois**. Et on n'est pas en train de jouer au Scrabble ici: «miam-miam», «wouf wouf» et autres comptent pour des mots. Pas de panique: à cet âge, le nombre et l'utilisation des mots peuvent varier énormément d'un enfant à l'autre. On évite donc de comparer.

Vers l'âge de **deux ans**, l'association de deux mots apparaît : « où maman ? », « parti wouf wouf ». Ce sont les fondations de la structure de la phrase. Les demandes simples sont facilement comprises, même si elles ne sont pas toujours exécutées... Habituez-vous, c'est vrai à tout âge ! Les nouveaux mots de vocabulaire déboulent : à deux ans, on peut compter de 200 à 300 mots ; à **trois ans**, de 600 à 800 mots... Mais ici encore, chacun a son rythme. La prononciation n'est pas toujours extraordinaire aux oreilles d'oncle Jean, mais vous, vous la comprenez très bien.

À **trois ans**, la phrase devient plus complexe. Elle inclut le « moi » avant l'arrivée du « je », s'agrémente d'adjectifs et d'adverbe (beaucoup, avant, après, etc.) Les consignes peuvent comporter deux ou trois actions : « Va chercher ton manteau, mets tes bottes et attends-moi devant la porte. » Laura commence à raconter des histoires, à apprendre de courtes chansons et même à faire des semblants de blagues ! Maintenant, oncle Jean doit presque parfaitement la comprendre.

Vers **quatre ans**, Laura entre dans la phase des « pourquoi » et du flot continu de questions. Répondez clairement, succinctement et sans entrer dans les grandes théories dont elle n'a que faire. Ses récits sont clairs et plus organisés, plus logiques. Elle aime jouer avec les mots, surtout ceux qui riment ! Vous remarquez que la prononciation r, des j et des ch est encore difficile ? C'est normal.

À **cinq ans**, Laura déborde d'imagination, fabule, invente et possède tous les outils du langage pour élaborer ses scénarios. Environ 2 000 mots composent son vocabulaire.

À **six ans**, Laura commence à comprendre le sens figuré des choses, lit « entre les lignes » et n'a près de 10 000 mots à son actif !

À FAIRE

Laura a moins de 1 an :

> Répondez à ses gazouillis et à ses vocalises.

> Parlez-lui de ce que vous êtes en train de faire, sans utiliser un vocabulaire compliqué ou des structures de phrases plus indigestes qu'un contrat juridique.

> Jouez avec elle à des jeux qui l'amènent à imiter : marionnettes, faire coucou, etc.

> Chantez-lui des chansons, récitez des comptines en faisant les gestes appropriés.

> Racontez-lui des histoires avec des livres aux images colorées.

Laura a 2 ans :

> Restez conscient que vous êtes son modèle : elle voudra donc aussi imiter votre langage...

> Lisez avec elle, même si vous êtes au mois de juillet et qu'elle vous demande pour la mille et unième fois la même histoire de père Noël.

> Ne lui demandez pas de répéter les mots après vous : le seul résultat que vous obtiendrez sera de lui couper le sifflet.

> Échangez, partagez avec Laura ce que vous faites, ce que vous observez.

> Portez attention lorsqu'elle parle, posez-lui des questions et montrez que cela vous plaît de discuter avec elle.

> Exercez votre puce à suivre des consignes simples lorsque vous jouez avec elle : « attrape le ballon », « cache-toi »…

Laura a 3 ans :

> Encouragez-la à vous raconter sa journée, à vous « lire » une histoire…

> Utilisez des mots un peu plus compliqués pour qu'elle ait l'occasion de les entendre avant de les utiliser.

> Invitez des petits amis pour qu'elle puisse « pratiquer » ses conversations.

> Restez toujours attentifs lorsqu'elle vous adresse la parole.

Laura a 4 ans :

> Traitez-la en grande fille, demandez-lui son avis.

> Demandez-lui de planifier les courses, les activités de la fin de semaine, le souper avec vous.

> Aidez-la à téléphoner à ses grands-parents ou à une amie.

> Continuez d'encourager la lecture.

Laura a 5 ans :

> Discutez avec elle de ses idées, de ses craintes, de ses désirs.

> Chantez, récitez, comptez, apprenez par cœur avec votre cocotte.

> Répondez à ses questions, posez-lui des questions à votre tour et surtout écoutez-la.

CONSULTEZ

> Si vous êtes inquiet, peu importe la raison. Écoutez votre instinct et, dans le doute, n'hésitez surtout pas à poser des questions.

> Si vous avez l'impression que bébé Laura ne réagit pas aux sons ou qu'elle n'entend pas bien.

> Si vous trouvez que Laura, à **six mois**, ne gazouille que très peu.

> Si vous n'obtenez aucune réaction de votre puce de **neuf mois** quand vous lui parlez, que vous l'appelez par son prénom ou que vous tentez d'attirer son attention.

> Si vous constatez qu'à **15 mois** elle ne dit aucun mot, jargonne à peine, n'imite pas les sons, ne pointe pas pour communiquer ce qu'elle désire ou ne semble pas comprendre de petites choses simples.

> Si vous notez qu'à **30 mois** Laura ne combine toujours pas deux mots pour former une petite phrase ou vous communique ses besoins principalement par des signes.

> Si vous remarquez que votre Laura, **trois ans**, répète les questions sans y répondre, a peu d'intérêt pour les autres ou reste incompréhensible pour un étranger.

> Si vous n'êtes pas compris par votre cocotte de **quatre ans** lorsque vous formulez des consignes du quotidien. Si vous n'arrivez pas à converser avec elle, si vous notez qu'elle ne vous pose aucune question, qu'elle n'arrive pas à faire une phrase complète, qu'elle ne conjugue pas les verbes dans ses phrases ou qu'elle semble peu intéressée à entrer en interaction avec les autres enfants.

> Si vous notez que Laura, à **cinq ans**, n'arrive pas à raconter une histoire de façon logique et semble s'isoler socialement.

Parlez de vos moindres inquiétudes à votre médecin qui vous dirigera, si nécessaire, vers des évaluations en audiologie pour vérifier l'audition de votre cocotte et une prise en charge en orthophonie.

À BAS LES MYTHES !

> Non, ce n'est pas le petit filet trop court sous la langue de Laura qui la rend incompréhensible lorsqu'elle parle.

> Ce n'est pas non plus parce que Louis, son grand frère, parle pour elle qu'elle accuse un retard.

> « La télévision est un bon outil d'apprentissage du langage… » PAS DU TOUT !

> « C'est essentiel de lui parler en bébé lorsqu'elle est toute petite. » Complètement faux ! C'est tout le contraire.

> « Les garçons parlent beaucoup plus tard que les filles… » C'est vrai, mais pour une différence d'un gros mois, maximum ! Donc pas d'excuse ici.

> « Apprendre deux langues à la fois n'engendre aucun retard. » C'est faux au départ, car le total des mots de vocabulaire est divisé par deux entre les deux langues apprises, mais c'est vrai à long terme, car Laura rattrapera cette lacune lorsqu'elle arrivera à l'école.

LARYNGITE (FAUX CROUP)

Laura, deux ans, vous réveille au milieu de la nuit avec une toux très impressionnante... Vous aviez remarqué que son nez coulait depuis la veille, mais elle semble maintenant fiévreuse, se plaint d'avoir mal à la gorge et d'avoir de la difficulté à avaler, et sa petite voix douce semble éteinte.

Il s'agit fort probablement d'une laryngite, plus communément appelée **faux croup**. Typiquement, cette infection virale qui atteint la gorge et le larynx survient au cours de la saison hivernale chez les enfants de six mois à six ans.

Le larynx devient enflé, ce qui gêne la respiration de Laura, qui manifestera probablement les symptômes suivants :

> une toux ressemblant à un chien qui aboie ou même à un phoque ;

> une inspiration difficile, sifflante, qu'on nomme **stridor** ;

> une voix rauque ou éteinte ;

> de la fièvre ;

> parfois, dans les jours précédents, les symptômes d'un petit rhume.

À FAIRE

Pour aider Laura :

> Allez prendre l'air avec elle ! L'humidité froide soulage les symptômes et, bien souvent, Laura respirera beaucoup plus aisément après une promenade dehors par temps froid. Vous pouvez aussi vous enfermer dans la salle de bain avec elle dans les vapeurs d'une douche chaude qui coule. Un humidificateur à air froid dans sa chambre est une autre option, bien que je ne sois pas une grande fan de l'humidificateur.

> Les sirops pour la toux sont inutiles et, comme c'est une infection virale, les antibiotiques aussi.

> Soulagez sa fièvre et son inconfort avec de l'acétaminophène ou de l'ibuprofène.

> Offrez-lui fréquemment à boire.

> Restez calme. Laura sera possiblement apeurée et un peu anxieuse et elle aura besoin d'être rassurée.

Bien souvent, ces quelques mesures feront en sorte que Laura respirera mieux et tout rentrera dans l'ordre en quelques jours. Cependant, il arrive parfois que la condition se détériore et qu'une visite à l'urgence s'impose.

Tout va bien

> Si l'état général de Laura est bon.

> Si elle tousse sans avoir de grandes difficultés à respirer.

> Si elle arrive à boire et à dormir.

> Si l'humidité froide la soulage.

 ## Consultez en urgence

Si Laura présente un ou plusieurs des symptômes suivants :

> Laura respire avec beaucoup d'effort de façon continue malgré l'humidité froide ;

> elle est pâle ou a les lèvres bleutées ;

> elle bave, crache et n'arrive pas à avaler ;

> vous suspectez qu'elle a peut-être aspiré un petit objet qui bloque ses voies respiratoires.

LARYNGOMALACIE

Depuis sa naissance, Laura émet un drôle de son chaque fois qu'elle inspire. En fait, ça ressemble à celui que fait sa petite girafe en caoutchouc lorsque vous appuyez dessus. Ça peut sembler mignon formulé comme ça, mais ça vous inquiète, surtout quand Laura s'énerve un peu et que la petite girafe devient plus impressionnante...

QU'EST-CE QUI SE PASSE ?

Les structures et les tissus du larynx de Laura, situés près des cordes vocales, sont trop mous. Lorsqu'elle inspire, la succion négative fait en sorte que les parois du larynx collent l'une sur l'autre, ce qui produit le gloussement que vous entendez, que nous appelons stridor. Évidemment, dès que Laura respire plus rapidement, qu'elle se fâche ou qu'elle a un petit rhume et des sécrétions, le stridor augmente et peut vous alarmer.

Un oto-rhino-laryngologiste pourra non seulement confirmer le diagnostic, mais suivre l'évolution du problème, de concert avec votre médecin.

À QUOI S'ATTENDRE ?

Laura ne sera probablement pas très affectée par cette condition, comme la plupart des enfants qui en sont atteints. Elle respire bruyamment, oui, mais elle grandira normalement et elle finira, vers l'âge de 18 mois, par ne plus émettre de stridor. Il est très rare que l'on doive procéder à une chirurgie. La solution chirurgicale sera envisagée seulement si Laura éprouve des difficultés respiratoires importantes ou encore si elle a du mal à se nourrir et à prendre du poids.

CONSULTEZ EN URGENCE

Si Laura :

> semble respirer plus difficilement suite à infection ;

> fait des pauses respiratoires ;

> a le tour ou l'ensemble des lèvres bleuté.

LEUCÉMIE

Laura a la mine basse en sortant de sa classe cet après-midi. Après un silence inhabituel, elle vous demande : « C'est quoi la leucémie, maman ? » Sa petite copine ne vient plus à l'école depuis quelques jours, et Laura vient d'apprendre la triste nouvelle. Votre puce a tout de suite compris qu'elle ne reverrait probablement pas son amie avant un bon moment... Vous devez maintenant répondre à ses questions.

QU'EST-CE QUI SE PASSE ?

La leucémie est une forme de cancer qui affecte les globules blancs, lesquels sont des cellules présentes dans le sang. C'est le cancer le plus fréquent chez l'enfant, et 8 fois sur 10, il s'agira d'une **leucémie lymphoblastique aiguë**, une des quatre formes de leucémie.

Vous pouvez expliquer à Laura que, dans notre sang, nous avons besoin de trois types de cellules :

> les globules rouges, qui transportent l'oxygène dans l'organisme ;

> les plaquettes, qui font coaguler le sang pour que le saignement cesse lorsqu'on se blesse ;

> les globules blancs, qui ont principalement pour fonction de nous défendre contre les infections.

L'usine de ces cellules se trouve à l'intérieur de nos os : c'est la moelle osseuse. La leucémie survient lorsqu'un très jeune globule blanc, situé dans la moelle osseuse, subit une mutation entraînant un changement dans son « programme » génétique. Cette cellule immature s'emballe et se met à se diviser de manière anarchique, ce qui l'amène à produire de nombreuses cellules qui ne fonctionnent pas normalement. De plus, l'accumulation de ces cellules dans la moelle osseuse nuit à la production et au développement des autres types de cellules.

Les chercheurs essaient toujours de comprendre les facteurs à l'origine de cette altération de la cellule immature, aussi appelée **cellule souche**. Il existe assurément des prédispositions génétiques, mais l'environnement et les virus auraient possiblement un rôle à jouer dans le développement de la leucémie.

Quels sont les signes ?

Les symptômes de la leucémie reflètent les conséquences d'une moelle osseuse qui n'arrive plus à produire des cellules sanguines saines et de l'accumulation de cellules anormales dans certains organes.

Les principaux symptômes sont :

> fièvre ;

> fatigue extrême ;

> manque important d'appétit ;

> pâleur ;

> douleurs osseuses qui peuvent causer une difficulté à marcher ;

> saignements prolongés après des blessures banales ;

> ecchymoses (bleus) à des endroits inhabituels ;

> **pétéchies**, petits points rouges sur la peau de la taille d'une tête d'épingle ;

> ganglions enflés ;

> ventre gonflé par un foie ou une rate dilaté.

D'autres signes, moins fréquents, peuvent être présents selon l'endroit où s'infiltrent les cellules leucémiques, par exemple dans le système nerveux.

Lorsqu'on soupçonne la présence d'une leucémie, la première étape consiste à faire une prise de sang. Par la suite, pour confirmer le diagnostic et déterminer le type de leucémie auquel on a affaire, un échantillon de moelle osseuse doit être prélevé.

À quoi s'attendre ?

Il faudra expliquer à Laura que sa copine subira des traitements qui la garderont loin de l'école pendant quelque temps. La leucémie se traite principalement par **chimiothérapie**, mais aussi parfois par **radiothérapie** ou même par **greffe de moelle osseuse**. L'objectif de ces traitements est de se débarrasser des cellules leucémiques envahissantes et de permettre à la moelle osseuse de produire à nouveau des cellules sanguines saines.

Beaucoup de progrès médicaux permettent aujourd'hui d'être optimiste quant au sort de la petite copine de Laura. Les trois quarts des enfants atteints de leucémie lymphoblastique aiguë sont vivants cinq ans après le diagnostic, et la plupart d'entre eux sont alors considérés comme guéris.

LUXATION CONGÉNITALE DE LA HANCHE

(dysplasie développementale de la hanche)

Bon, déjà que mademoiselle Laura vous a donné du fil à retordre en se présentant par le siège, le pédiatre qui vient de l'examiner dans votre chambre vous dit qu'il ressent un « clic » en examinant ses hanches... Un quoi ?

QU'EST-CE QUI SE PASSE ?

La luxation congénitale de la hanche, ou **dysplasie développementale de la hanche** est une anomalie où la tête de l'os du fémur (os de la cuisse) n'est pas bien positionnée dans l'articulation de la hanche. L'examen physique que passent tous les bébés dès leur naissance comporte un examen méticuleux des articulations des hanches visant à mettre en évidence cette condition afin de la prendre en charge le plus rapidement possible. Parfois, les indices sont subtils et la luxation ne sera diagnostiquée que plus tard, lorsque Laura aura commencé à marcher et qu'on notera une boiterie.

On ne connaît pas la cause exacte de ce problème, mais on sait qu'il touche plus fréquemment les bébés qui sont nés par le siège et ceux qui ont, dans leur famille élargie, des parents qui en ont été atteints.

QUEL EST LE TRAITEMENT ?

Afin qu'on puisse confirmer le diagnostic, Laura passera une échographie de la hanche. Plus on mettra rapidement le doigt sur le bobo, meilleures sont les chances de corriger la luxation sans séquelles et sans complications. Selon l'âge de Laura, les traitements peuvent comporter le port d'une orthèse pour maintenir l'articulation en place. Cette orthèse (**harnais de Pavlik**) permet à l'articulation de la hanche de se développer normalement en maintenant les jambes de votre puce en position « de la grenouille ». Cette mesure est habituellement suffisante chez le jeune bébé.

L'intervention chirurgicale est plus souvent nécessaire pour les enfants chez qui le diagnostic a été fait tardivement.

COMME MATHILDE

Mal de gorge

Voir aussi Grippe ou rhume ? *et* Rougeurs et boutons

Ce soir, Mathilde refuse d'avaler quoi que ce soit. Pourtant ce n'est vraiment pas dans ses habitudes : elle est plutôt du genre à terminer volontiers l'assiette de sa petite sœur. Elle était pourtant en super-forme ce matin au moment de quitter la maison pour sa journée à l'école…

Mais, une minute… Vous venez justement de repenser à une lettre de l'école ! Vous l'avez lue, un peu en diagonale (ça ne vous arrive jamais d'habitude, bien sûr), et elle doit probablement être dans le bac de recyclage à cette heure-ci : streptocoque quelque chose… Y a-t-il un lien ?

Qu'est-ce qui se passe ?

Le fameux mal de gorge peut avoir plusieurs causes. Si on exclut les encouragements de haute intensité lors du dernier match du Canadien en finale de la coupe Stanley, il reste :

> Le **rhume** : tous les rhumes, ces petites et fréquentes infections virales, peuvent être accompagnés d'un mal de gorge. On retrouvera aussi au menu nez qui coule, éternuements, congestion et fièvre légère.

> La **pharyngite virale** : certains virus donneront typiquement un mal de gorge isolé, sans nécessairement qu'il soit accompagné des autres symptômes habituels du rhume (p. ex. : le virus de la mononucléose et celui du **syndrome pieds-mains-bouche**). Les virus occupent, une fois de plus, la première place au palmarès des causes des maux de gorge.

> La **pharyngite bactérienne** : la pharyngite à streptocoque du groupe A, ou celle dont on traitait dans cette lettre de l'école, est la plus fréquente des pharyngites bactériennes et, contrairement à celles de causes virales, elle nécessite un traitement par antibiotiques. Seulement un mal de gorge sur cinq sera causé par cette bactérie.

Quels sont les signes ?

Virus ou bactérie ? Ce n'est malheureusement pas écrit en grosses lettres carrées dans le fond de la gorge de Mathilde, mais je vous donne tout de même quelques repères :

Mathilde a probablement une pharyngite virale **si elle a :**

> un écoulement nasal ;
> des éternuements ;
> une congestion nasale ;
> de la toux ;
> une voix rauque ;
> des yeux rouges ;
> une légère fièvre ;
> un appétit préservé.

Vous n'avez donc pas besoin de courir sur-le-champ à la clinique.

Mathilde a probablement une pharyngite bactérienne **si elle a :**

> un mal de gorge qui apparaît soudainement ;
> une douleur marquée en avalant ;
> une fièvre assez forte ;
> des nausées ou des vomissements ;
> un mal de ventre ;
> un mal de tête ;
> une enflure et une sensibilité des ganglions du cou ;
> une éruption à l'allure d'un coup de soleil avec de tout petits boutons rouges et une texture de papier « sablé » (scarlatine).

Dans ce cas, il vaut mieux consulter.

À quoi s'attendre ?

Plusieurs indices laissent entrevoir la possibilité que le streptocoque ait élu domicile dans le « gorgoton » de votre Mathilde ? Votre médecin lui fera une culture de gorge (on chatouille le fond de gorge de votre puce à l'aide d'un long coton-tige afin d'obtenir des sécrétions qu'on envoie ensuite au laboratoire) pour confirmer cette hypothèse et lui prescrira des antibiotiques si la culture s'avère positive. On obtient généralement ce résultat en 48 heures, mais il existe aussi un test rapide, moins sensible cependant, qui donne un résultat en quelques minutes.

À faire

Que ce soit une pharyngite bactérienne ou une pharyngite virale :

> Mathilde doit boire beaucoup.
> C'est le temps idéal pour les compotes, la crème glacée, les *popsicles* et compagnie.
> Ça fait mal ? Soulagez la douleur et la fièvre avec de l'acétaminophène ou de l'ibuprofène.
> Lavez-vous bien les mains si vous ne voulez pas être sur le carreau dans deux jours.
> Mathilde reste à la maison tant qu'elle fait de la fièvre et qu'elle n'a pas retrouvé suffisamment d'énergie pour faire sa journée de classe sans se traîner.

CONSULTEZ

Si vous suspectez une pharyngite bactérienne.

> Si c'est le cas, votre médecin pres-crira des antibiotiques à Mathilde, fort probablement de la famille de la pénicilline (à moins qu'elle ne soit allergique).

> Une pharyngite à streptocoque non traitée peut se compliquer : otite, sinusite, adénite, abcès... Le rhu-matisme articulaire aigu, complica-tion beaucoup plus rare, se prévient aussi par un traitement adéquat.

> Malgré le lot de protestations, poursuivez le traitement jusqu'au bout. Le martyre durera probable-ment 10 jours. Vos négociations risquent d'être compromises par le fait que Mathilde se sentira beau-coup mieux au bout de deux jours de traitement et qu'elle sera par le fait même moins persuadée de la nécessité d'avaler la mixture.

> Mathilde n'est plus contagieuse après 24 heures d'antibiotiques et peut donc réintégrer l'école, mais seulement à partir de ce moment.

> Mathieu, son petit frère, refuse de manger à son tour, et ce n'est pas des épinards qui se trouvent dans son assiette... Seules les per-sonnes ayant été en contact avec votre petite malade et qui déve-loppent des symptômes simi-laires devraient consulter. La même approche (culture et traitement selon le résultat) sera appliquée. On ne donne pas d'antibiotiques par «prévention»!

• •

MAL DE TÊTE (CÉPHALÉE)

Voir aussi Migraine et céphalée de tension

Depuis la rentrée, Mathilde se plaint de temps à autre de maux de tête en rentrant de l'école. En arrivant à la maison, un peu pâlotte, elle s'écrase littéralement sur le divan du salon... Fait rassurant, après une petite demi-heure de repos et une bonne collation, elle se sent prête à affronter ses devoirs. Vous avez pris rendez-vous chez l'optométriste, c'est peut-être sa vision qui cloche ? Vous avez souvent des maux de tête vous-même, mais ça vous chicote que votre puce de 10 ans s'en plaigne. Et si c'était plus grave...

MAMAN, MON FRONT
FAIT BOBO...

Qu'est-ce qui se passe ?

Si le mal de tête demeure une plainte plus souvent formulée par nos grands enfants et nos ados, il peut cependant affecter Mathilde peu importe son âge. Ses causes sont multiples, mais je vous rassure tout de suite, la plupart du temps, on ne trouve rien de grave. Par exemple, il est tout à fait normal d'avoir un peu mal à la tête quand on a un gros rhume ; ça vous explique déjà au moins six maux de tête de Mathilde pour la prochaine année…

Les autres causes d'une céphalée peuvent être:

> les infections (rhume, grippe, sinusite, otite, méningite, pharyngite, etc.);

> les coups à la tête;

> la déshydratation;

> les problèmes dentaires;

> la congestion nasale due aux allergies;

> les tensions musculaires (céphalée de tension);

> la migraine;

> les troubles visuels;

> les intoxications;

> les médicaments;

> le stress, la fatigue, l'anxiété;

> les tumeurs au cerveau;

> les saignements ou les malformations des vaisseaux dans le cerveau.

Il y a plusieurs autres causes... dont l'imitation! Eh oui, parfois les petits veulent faire comme les grands. Génial! On a l'embarras du choix! Maintenant, comment reconnaître ce qui doit vous faire courir à la clinique?

Tout va bien

> Si le mal de tête est intermittent et si Mathilde est en pleine forme entre les épisodes.

> Si son mal de tête n'interfère pas avec son sommeil ou son appétit.

> Si son mal de tête ne s'aggrave pas avec le temps et ne revient pas fréquemment.

> Si son mal de tête ne lui nuit pas dans la vie quotidienne.

Consultez

Si Malthide a un mal de tête:

> continu, sans relâche;

> qui est apparu de façon subite;

> qui s'aggrave de jour en jour;

> qui la réveille la nuit;

> présent au réveil le matin;

> accompagné de vomissements, de raideurs au cou ou de troubles de la vision;

> qui la rend somnolente ou confuse;

> accompagné de fièvre;

> qui l'empêche de se concentrer ou même d'aller à l'école et de faire ses activités habituelles;

> qui survient après un coup, un traumatisme crânien;

> qui ne diminue pas avec de l'acétaminophène ou de l'ibuprofène.

Consultez en urgence

Un mal de tête qui arrive sans préavis, de façon soudaine et intense et qui manifestement atterre votre puce doit être évalué rapidement par un médecin. Rendez-vous à l'urgence.

À quoi s'attendre ?

Si vous prenez rendez-vous avec le médecin de Mathilde pour lui parler de ces céphalées qui vous tracassent, essayez auparavant de trouver une réponse aux quelques questions qui suivent. Les indices de votre enquête s'avéreront très utiles…

> Depuis combien de temps Mathilde souffre-t-elle de maux de tête?

> Qu'est-ce qui décrit le mieux son mal de tête: il serre comme un bandeau, il cogne comme son cœur (ou un marteau, ça dépend des goûts) dans sa tête?

> Combien de temps dure son mal de tête: 10 minutes, une heure, toute une journée?

> Est-ce que son mal de tête est accompagné d'autres symptômes, comme des vomissements, une vision embrouillée, des étourdissements, de la fièvre, de la congestion, une allergie?

> À quel moment de la journée son mal de tête arrive-t-il? Seulement le jour, la nuit, la semaine, la fin de semaine, au moment de faire la vaisselle?

> Certaines conditions ou situations semblent-elles le déclencher (p. ex.: les jeux vidéo, un aliment, la lumière forte, la prise de médicament, la voiture, les menstruations)?

> Mathilde a-t-elle fait une chute?

> Est-ce que les câlins, la noirceur, le sommeil, boire ou manger soulagent son mal de tête?

> Est-ce que Mathilde rate l'école ou délaisse ses activités préférées?

> D'autres membres de la famille ont-ils des maux de tête?

Mal de ventre

Voir aussi Appendicite *et* Constipation

« J'ai mal au ventre… » Un souper sur trois, c'est la même chanson. Votre Mathilde, cinq ans, vous lance cette plainte lancinante après quelques bouchées. Vous négociez un peu, mais elle finit par se lever de table et par retourner à sa besogne. Ça vous agace, mais vous n'êtes pas trop inquiet lorsque vous la voyez s'en donner à cœur joie dans la salle de jeu. Par moment, vous vous demandez même si elle ne vous manipule pas un peu… Ça coïncide avec la naissance de son petit frère… Ça ressemble à une recherche d'attention un peu déguisée, mais vous ne voulez surtout pas passer à côté de quelque chose. Comment y voir plus clair ?

Qu'est-ce qui se passe ?

Un enfant qui se plaint de mal de ventre, c'est presque aussi fréquent qu'un adulte qui dit qu'il est fatigué. La fatigue, c'est parfois très sérieux, mais la plupart du temps, c'est passager et sans cause grave. Il en est de même pour le mal de ventre de Mathilde.

On ne passera pas en revue ici toutes les causes de mal de ventre, car ça pourrait être le sujet d'un livre complet. Ce que vous voulez avant tout savoir, c'est quand il est utile de vous inquiéter et de consulter et quand ça ne vaut pas la peine de vous créer un ulcère d'estomac.

Quels sont les signes ?

Vous pouvez vous permettre d'attendre un peu avant de consulter si Mathilde :

> a encore envie de jouer et de faire enrager son grand frère ;

> dort bien et n'est pas dérangée par son mal de ventre ;

> manque parfois d'appétit, mais mange bien aux autres repas ;

> se plaint d'une douleur vague, souvent autour du nombril, mais sans localisation précise ; décrite comme une douleur qui vient et qui va, ayant plus l'allure de crampes, mais qui ne la cloue pas au sofa ;

> marche, court, saute sans inconfort.

À FAIRE

La cause numéro un de mal de ventre chez l'enfant reste la constipation. Même si Mathilde n'apprécie pas trop l'enquête, posez-lui des questions au sujet de la fréquence et de la consistance de ses selles (quitte à demander l'inspection, sans vouloir être trop explicite).

Si le mal de ventre de Mathilde tombe dans la catégorie «ne vous faites pas d'ulcère», ce n'est pas absolument nécessaire de le traiter. Câlins et bouillotte feront amplement le travail. Soyez tout de même attentif à l'humeur de votre cocotte ; il se peut que quelque chose la tracasse et son mal de ventre devient alors un «occupe-toi de moi». N'en faites pas tout un plat, restez simplement à l'écoute.

 ## CONSULTEZ

Si Mathilde présente un ou plusieurs des signes suivants :

> Elle a de plus en plus mal au ventre, ou si la douleur s'est installée et augmente rapidement.

> Elle a de la difficulté à s'intéresser à ses jeux préférés.

> Elle est affaissée, et son état général n'est pas bon.

> Elle a complètement perdu l'appétit.

> Elle est immobile et recroquevillée sur le sofa.

> Elle est réveillée la nuit par la douleur.

> Elle est en mesure de vous pointer un endroit précis de douleur.

> Elle a d'autres symptômes associés : fièvre, vomissements, modification des urines, toux, mal de gorge, rougeurs sur la peau…

> Elle a reçu un coup au ventre.

> Elle est possiblement victime d'une intoxication ou d'un empoisonnement.

> Elle a des selles anormales, avec du sang par exemple, ou ayant l'aspect de gelée de groseilles comme lors d'une invagination.

> Elle a des pertes vaginales inhabituelles (chez le garçon, il y a un gonflement, une rougeur ou une douleur aux testicules).

Mal des transports

Mathilde est superbe dans sa petite robe blanche. Pourtant, vous savez bien qu'elle ne risque pas de rester impeccable très longtemps. Mais, quand même, ce n'est pas tous les jours qu'on assiste au mariage de tante Catherine. Vous vous asseyez dans la voiture, déjà un peu angoissé parce que les routes dans Charlevoix sont tout sauf droites et que votre adorable Mathilde est un peu sensible à ce genre de manège. Et ce qui devait arriver arriva... Vous n'auriez jamais cru que la robe changerait de couleur si vite.

Qu'est-ce qui se passe ?

Le mal des transports survient lorsque le cerveau de Mathilde reçoit des informations contradictoires et qu'il devient impossible pour lui de les intégrer. Je m'explique : lorsque Mathilde est en voiture (en avion, en train, en bateau) et qu'elle regarde dehors, son oreille interne, ses yeux et les nerfs de ses muscles et de ses articulations envoient tous le même message à son cerveau : ça bouge. Par contre, si Mathilde ne voit pas dehors, son oreille interne et ses nerfs sentent le mouvement, mais ses yeux ne le perçoivent pas. Il en résulte un conflit d'informations, un mal de cœur et...

Pourquoi Mathilde et pas Mathieu? On ne sait pas. Toutefois, on a observé qu'il y avait un certain lien avec la migraine.

À faire

Si vous voulez mon avis, vos meilleurs amis sont le sac de plastique, le rouleau d'essuie-tout et les vêtements de rechange. Ne partez pas sans eux.

> Si Mathilde manifeste son inconfort avant d'être malade, si possible, arrêtez la voiture de façon sécuritaire et laissez-la faire un petit tour dehors.

> Conseillez à Mathilde de regarder dehors vers l'avant et de toujours s'asseoir dans le sens du mouvement afin d'harmoniser ses perceptions.

> Gardez la voiture bien aérée, ouvrez une fenêtre.

> La poutine avant le voyage? Pas très gagnant. Préférez de petites collations fréquentes et légères.

> Faites les clowns, chantez, jouez à «dans ma petite valise, j'apporte...», bref changez-lui les idées.

> Pas de lecture, de jeux électroniques ou de tout ce qui peut y ressembler. On regarde dehors, devant soi, et si l'âge de Mathilde le permet, on l'assoit sur le siège avant.

> Si ces mesures ne suffisent pas, du dimenhydrinate (Gravol) 30 minutes avant le départ puis toutes les quatre heures peut prévenir les symptômes, mais il risque de garder votre Mathilde endormie une bonne partie de la messe.

Masturbation

Si vous pouviez disparaître sous le tapis, vous le feriez... Vous ne savez tout simplement pas comment agir adéquatement – et confortablement – devant ce tout nouveau comportement de votre Mathilde, quatre ans... Mais elle, ça ne semble pas la gêner du tout !

La masturbation, bien que le mot vous laisse une drôle d'impression lorsqu'on parle de jeunes enfants, désigne tout simplement l'autostimulation des organes génitaux... Et c'est un comportement n-o-r-m-a-l tant chez la petite fille que chez le petit garçon. Nos petits sont curieux, et c'est une façon saine de découvrir certaines facettes du corps humain.

Après l'âge de six ans, Mathilde comprendra assez vite que cette «exploration» se fait de préférence dans sa chambre, surtout parce qu'elle deviendra plus consciente du malaise provoqué et de ce qui est moralement acceptable en société. La puberté et son afflux hormonal, je n'ai pas besoin de vous faire de dessin, donnera une tout autre importance à cet aspect de la découverte sexuelle.

À faire

C'est bien beau tout ça, mais ça ne vous rend pas plus à l'aise quand Mathilde s'exécute devant grand-maman...

Alors, qu'est-ce qu'on fait ?

> N'en faites pas un drame et oubliez les grands discours.

> Si cela survient en public, vous pouvez tenter de détourner son attention en lui proposant une autre activité.

> Expliquez-lui gentiment que ses organes génitaux sont des parties intimes de son corps et qu'il serait plus approprié de faire ça quand elle est seule, dans sa chambre.

> Surtout, évitez d'attribuer à ces gestes une connotation négative, sale ou honteuse...

Consultez

> Si vous jugez que la masturbation devient excessive et accaparante, qu'elle s'accompagne d'autres comportements qui vous inquiètent ou qu'elle est associée à un langage sexuel inapproprié, consultez.

MÉDICAMENTS SANS ORDONNANCE

Qu'est-ce qu'il y a dans mon panier de pharmacie ?

Vous souvenez-vous de ce petit jeu qui venait irrémédiablement après la question: «Quand est-ce qu'on arrive?» lors des longs trajets en voiture? Il y en avait plusieurs versions: «Je reviens du marché et dans mon petit panier, il y a…» ou: «Je pars en voyage et dans ma valise, il y a…» Bref, chacun ajoutait un article et il fallait se souvenir, dans l'ordre, de tous les items. Des heures de plaisir. Mais vous n'avez certainement pas envie de passer des heures à la pharmacie, alors je vais tenter ici de vous guider un peu sur ce qui pourrait aider (ou non) votre petite Mathilde. Votre pharmacien reste cependant l'expert ici et peut vous apporter une aide inestimable.

Les règles de base

> Peu importe la médication utilisée, respectez toujours la posologie indiquée sur l'emballage. Si vous avez un doute concernant la dose appropriée pour le poids de Mathilde, demandez à votre pharmacien.

> Faites attention lorsque vous utilisez des médicaments qui en combinent plusieurs. Par exemple, certaines médications contre le rhume contiennent déjà de l'acétaminophène; n'en donnez pas une double dose.

> Certains médicaments peuvent être utiles pendant un temps, mais produire exactement l'effet contraire de celui recherché si on l'administre trop longtemps: c'est le cas des décongestionnants. Soyez vigilant.

> Si Mathilde est connue pour avoir un problème de santé ou si elle prend des médicaments sur une base régulière, assurez-vous que ces derniers n'ont pas d'interaction avec celui que vous voulez lui administrer. Parlez-en à votre pharmacien.

> Vérifiez la date d'expiration des médicaments et faites du ménage.

> Utilisez des mesures exactes: la petite cuillère de Dora ou de Spiderman ne contient peut-être pas les 5 ml recommandés.

> «Une cuillère de sirop pour papa, une cuillère de sirop pour Mathilde...» Non, un médicament sécuritaire pour l'adulte ne l'est pas nécessairement pour l'enfant. Le contraire s'applique rarement, évidemment!

L'acétaminophène

Tempra, Tylenol, Abenol... Plusieurs marques de commerce et plusieurs formes (gouttes, sirops, comprimés croquables, suppositoires) sont vendues sur le marché. L'acétaminophène reste une valeur sûre pour contrôler fièvre et douleur. Il devrait faire partie de votre kit Dr Parent.

L'ibuprofène

Advil, Motrin... Se donne pour les mêmes bobos que l'acétaminophène, c'est-à-dire en cas de fièvre ou de douleur. Il agit un peu plus longtemps que l'acétaminophène (de six à huit heures environ) et, personnellement, pour cette raison, je le trouve assez utile la nuit. Malheureusement pour nos palais plus fins, l'ibuprofène n'existe pas en suppositoires.

L'aspirine (acide acétylsalicylique)

On s'abstient **en tout temps** de donner de l'aspirine à un enfant. Le syndrome de Reye, qui atteint le foie et le cerveau, est une complication rare mais grave de l'utilisation de l'aspirine chez l'enfant.

Les médicaments contre le rhume : sirops et compagnie

Ces médicaments vous sont offerts en multiples de 10, sous toutes les formes, couleurs et saveurs imaginables. Mais ce n'est pas parce qu'il y en a autant qu'ils sont efficaces et qu'il faut à tout prix les utiliser. Vous avez déjà deviné mon opinion à leur sujet...

> D'abord, ils contiennent des décongestionnants, dont le but principal est de soulager le nez bouché et qui coule. Ils obtiennent cet effet en «resserrant», en contractant les vaisseaux sanguins des muqueuses nasales. Cependant, s'ils sont utilisés sur une trop longue période, les vaisseaux finissent par répondre par l'effet inverse et se dilatent d'autant plus, créant une congestion «rebond». Le cercle vicieux s'installe : plus de congestion, plus de décongestionnant, encore plus de congestion et ainsi de suite... Si je peux me permettre d'enfoncer le clou un peu plus loin, les décongestionnants peuvent faire en sorte que Mathilde soit agitée et qu'elle ait de la difficulté à dormir.

> Ensuite, ils contiennent des **médicaments contre la toux** (DM, ou **dextrométhorphane** et **diphénhydramine**). La toux, rappelons-le, est un mécanisme de défense normal et important de l'organisme pour se débarrasser de l'adversaire, le microbe, et du mucus engendré par sa présence. Nuire aux défenses de Mathilde est la dernière chose qu'on a envie de faire, non?

L'eau saline pour le nez

Oui! Je suis complètement vendue. Aucun risque d'effet secondaire, aucun danger de surdosage, aucune accoutumance, aucune limite journalière, aucun problème, peu importe l'âge... Je vous ai convaincu?

Les médicaments contre les allergies

Les antihistaminiques (Benadryl, Claritin, Reactine, etc.) sont très utiles si votre Mathilde est connue pour avoir des allergies respiratoires et si elle présente un urticaire ou une réaction à une piqûre d'insecte, mais ils ne servent absolument à rien si votre petite chérie a un rhume.

Les crèmes et les onguents

Il est toujours pratique d'avoir sous la main un petit tube de crème antibiotique de type Polysporin ou Bactroban. L'eau et le savon forment un duo génial pour nettoyer une égratignure de dérapage de trottoir, mais parfois, une plaie un peu moins propre mérite une «touche de crème»!

Les onguents contenant de la cortisone peuvent donner un petit coup de pouce anti-inflammatoire en cas d'eczéma, de piqûre d'insecte ou de réaction cutanée à un irritant (herbe à puce ou bijou contenant du nickel, par exemple).

Les médicaments contre la constipation

Ce n'est pas à la pharmacie que vous trouverez le meilleur remède pour la constipation de Mathilde, mais bien au supermarché: d'abord et avant tout, on contrôle sa constipation en changeant ses habitudes alimentaires et en augmentant sa consommation d'eau. Avant d'utiliser quoi que ce soit comme médicament de ce type, parlez-en à votre médecin.

Et en passant, la médication utilisée dans le cas contraire, la diarrhée, ne devrait jamais faire partie de votre arsenal (p. ex.: Imodium).

Les médicaments contre les nausées et les vomissements

Avant d'utiliser le dimenhydrinate (Gravol), surtout chez nos petits de moins de six ans, demandez conseil à votre pharmacien. Ce genre de médication n'a sa place que dans certaines situations et il est essentiel de connaître d'abord la cause des vomissements.

Les produits de santé naturels

Je clarifie tout de suite: je ne prétends pas être une grande experte en ce domaine, loin de là. Je vous fais tout de même part des conseils que je donne dans mon bureau aux parents de mes petits protégés.

L'utilisation de ces produits a explosé au cours des dernières années. Il faut tout de même rester prudent et il y a ici un message auquel je tiens : ce n'est pas parce que ces produits sont vendus sans prescription et qu'ils sont certifiés « naturels » qu'ils sont automatiquement inoffensifs pour Mathilde. Certains d'entre eux peuvent interagir avec d'autres médicaments ou causer des ennuis s'ils sont donnés en trop grande quantité ou à un âge inapproprié. Souvent, lorsqu'on en fait usage, on ne pense pas à le mentionner à notre médecin ni à notre pharmacien parce qu'on ne les voit pas nécessairement comme des produits potentiellement dangereux. Pourtant, je vous encourage vivement à le faire et à poser des questions à leur sujet.

L'homéopathie

Elle fait partie de la petite pharmacie de bien des familles canadiennes. Bien que des effets néfastes ne soient que rarement rapportés, ses effets bénéfiques restent cependant à confirmer par des études scientifiques plus étendues que celles menées jusqu'à présent.

Pour vous assurer que le produit que vous avez entre les mains est passé sous la loupe de Santé Canada, regardez attentivement l'étiquette : vous devriez y retrouver un DIN (numéro d'identification du médicament), un NPN (numéro d'identification du produit naturel) ou un DIN-HM (numéro d'identification du produit homéopathique).

MÉNINGITE

À la radio ce matin, vous avez entendu parler d'un vaccin recommandé contre la méningite. Malheur... Vous ne vous rappelez plus si Mathilde a reçu ce vaccin, et elle a justement mal à la tête. Donc elle a la méningite. C'est clair. Ce raisonnement parfaitement fondé et nuancé, nous l'avons tous comme parents parce que nous avons souvent tendance à imaginer le pire... et à nous sentir coupables. Mais bonne nouvelle, dans le cas de la méningite, ce « pire » est relativement peu fréquent et en partie évitable par la vaccination.

Pas besoin de « se creuser les méninges » bien profondément – les méninges sont les enveloppes protectrices superficielles couvrant le cerveau et la moelle épinière –, on parle de méningite lorsqu'il y a inflammation de ces membranes, principalement à la suite d'une infection par un virus ou une bactérie.

Qu'est-ce qui se passe ?

Les **méningites bactériennes** sont des infections très sérieuses, d'où l'importance d'un diagnostic rapide et de l'administration d'antibiotiques efficaces sans délai.

Les vaccins ont cependant complètement changé le visage de la méningite chez nos petits en les protégeant efficacement des bactéries qui en sont responsables. Ainsi, lorsque Mathilde a reçu ses vaccins contre le pneumocoque, le méningocoque et l'*haemophilus influenzae* de type B, elle a développé des anticorps contre trois bactéries susceptibles de causer une méningite, laquelle peut laisser de graves séquelles comme la surdité, des problèmes de vision, des déficits neurologiques ou des troubles d'apprentissage.

Les **méningites d'origine virale** sont beaucoup moins inquiétantes, sauf lorsqu'elles touchent un très jeune bébé ou qu'il s'agit d'une méningite causée par le virus de l'herpès.

Habituellement, l'intensité des symptômes de la méningite virale est nettement moindre que dans le cas d'une méningite d'origine bactérienne, et l'état général de votre enfant demeure plutôt rassurant. Aucun besoin d'antibiotiques ici, puisqu'il s'agit d'une infection virale et, en règle générale, on n'en parle plus au bout de quelques jours.

Consultez en urgence

Si Mathilde a moins de 3 mois **et :**

> elle a de la fièvre (mais ce n'est pas toujours le cas chez le tout-petit), accompagnée d'une irritabilité anormale ou de pleurs intenses ;

> elle est somnolente ;

> elle vomit ;

> sa fontanelle est bombée (ce qui arrive parfois).

Si Mathilde a de 3 mois à 2 ans **et :**

> elle a de la fièvre, souvent élevée ;

> elle vomit ;

> son état général est notablement atteint : elle est particulièrement abattue ou très irritable ;

> elle a une éruption cutanée, parfois des bleus ou des petits points rouges en éclaboussures (**pétéchies**) ;

> elle fait des convulsions.

Si Mathilde a plus de 2 ans **et:**

> elle présente les symptômes décrits précédemment, auxquels s'ajoute un mal de tête qui ne semble pas vouloir s'estomper;

> elle souffre d'une douleur au cou et au dos;

> elle a le cou raide, comme «en bloc».

Prévenons !

Dans certaines situations, les membres de la famille de l'enfant présentant une méningite – et parfois même, de façon plus étendue, les amis du service de garde ou de l'école – doivent prendre des antibiotiques en prévention. Posez la question à votre médecin si vous-même ou Mathilde avez été en contact avec un enfant chez qui le diagnostic de méningite a été posé.

Évidemment, la vaccination reste un excellent moyen de protéger Mathilde.

BON À SAVOIR

Pour faire un diagnostic, on doit procéder à une ponction lombaire, laquelle consiste à faire un prélèvement de liquide céphalo-rachidien dans le bas du dos, c'est-à-dire le liquide qui circule normalement autour des méninges. L'analyse de ce liquide nous permet de vérifier s'il y a présence d'une infection, qu'elle soit bactérienne ou virale. Cette ponction peut vous sembler impressionnante, mais ne vous inquiétez pas: elle ne comporte aucun danger et n'est pas plus douloureuse qu'une prise de sang. Les informations qu'elle nous fournit sont essentielles au bon diagnostic et à l'orientation d'un traitement adéquat.

Si les analyses de la ponction lombaire nous orientent vers une méningite bactérienne, Mathilde sera hospitalisée, recevra des antibiotiques intraveineux et sera surveillée pendant quelques jours afin qu'on ne passe à côté d'aucune complication.

Sauf exception (dans le cas du virus de l'herpès p. ex.), la méningite virale se guérit d'elle-même, sans séquelles.

Menstruations

Mathilde vous appelle discrètement à venir la voir dans sa chambre TOUT DE SUITE. Petite mine perplexe, elle a l'air contente, mais avec un bémol... Elle a ses premières règles. Ça vous remue complètement. Vous en avez les larmes aux yeux. Votre grande fille, déjà... Jusqu'au moment où elle vous sort radicalement de votre bulle émotive en vous bombardant de questions à ce sujet. Vous maîtrisez la matière, mais il y a quand même quelques petits points à clarifier...

QU'EST-CE QUI SE PASSE ?

En général, les premières menstruations surviennent environ deux ans après le début de l'apparition des seins. Grosso modo, à 12 ou 13 ans, on tombe dans la moyenne. Mathilde aura probablement tendance à suivre un parcours pubertaire qui ressemble sensiblement à celui de maman.

Chez la jeune fille pubère, chaque mois, un ovule atteint sa maturité dans un des deux ovaires sous l'influence des hormones féminines. Ce cycle, bien établi et gouverné par la sécrétion des hormones dans une séquence précise, donne lieu à la préparation de l'intérieur de l'utérus pour recevoir un ovule fécondé. Si l'ovule n'est pas fécondé (en d'autres termes, si la femme n'est pas enceinte), cette «préparation» de l'endomètre de l'utérus est inutile et s'écoule sous forme de menstruations. Ce cycle peut varier de 21 à 35 jours.

Bien souvent, quand les règles se mettent en route, le cycle est encore **anovulatoire** (c'est-à-dire sans ovulation). La séquence manque un peu d'entraînement. Ça peut même parfois prendre plus de deux ans avant que Mathilde ne voie un cycle régulier s'établir. Ne soyez donc pas étonné si elle saute quelques mois de menstruations, ou, au contraire, si elle a la surprise d'être réglée aux deux semaines... Comme si ce n'était déjà pas assez déstabilisant comme ça, il faut qu'en plus ce ne soit pas prévisible!

Les saignements durent en général six jours, et Mathilde devrait utiliser cinq à six serviettes ou tampons par jour. S'il est normal que les serviettes soient préférées au départ, les tampons sont cependant vite adoptés chez la plupart des adolescentes, soit dès qu'elles se sentent plus à l'aise.

À FAIRE

> Ouvrez la porte aux questions et abordez le sujet avec votre grande fille. Elle n'ira peut-être pas spontanément vers vous si vous n'avez pas fait les premiers pas. A priori, elle se gardera une petite gêne et en parlera plus volontiers avec ses copines ou cherchera dans Internet des sources plus ou moins fiables dans un cas comme dans l'autre.

> Assurez-vous, du moins au début, qu'elle possède en tout temps un kit de survie aux règles imprévues. Autant que possible, choisissez à la pharmacie les emballages de tampons et de serviettes les plus compacts et discrets possible. Pas la peine d'attirer les regards.

> Petit truc qui facilite l'adoption du tampon : évitez les dispositifs en carton qui glissent mal et optez pour les tampons minces avec applicateur en plastique.

> Bon, c'est vrai, c'est une étape importante dans sa vie, mais je vous promets qu'elle n'aimera pas que vous sortiez le champagne et que vos voisins soient au courant. On garde ça entre nous.

> Mathilde a des douleurs au bas du ventre, parfois au dos lors de ses règles? L'ibuprofène administré toutes les six heures peut la soulager, dans la mesure où on débute dès le moindre symptôme. Idéalement, si vous êtes capable de prévoir le début des menstruations, commencez à lui faire prendre le médicament la veille.

CONSULTEZ

> Si Mathilde a 16 ans et n'a toujours pas de règles.

> Si elle a des saignements qui durent plus d'une semaine ou qui nécessitent plus de serviettes ou de tampons qu'à l'habitude.

> Si elle a des douleurs qui ne sont pas soulagées par l'ibuprofène.

> Si elle doit rester à la maison tellement ses règles sont importantes ou douloureuses.

MERCURE ET POISSON

Le mercure est un métal qui se retrouve naturellement dans le sol, l'eau et le roc. À moins que Mathilde ne se nourrisse exclusivement de terre et de cailloux, son exposition au mercure la plus plausible résulte de sa consommation de poisson.

Le *Guide alimentaire canadien* recommande de consommer deux portions de poisson par semaine. Il y a plein de bonnes raisons de le faire, entre autres parce que le poisson contient des acides gras à longue chaîne oméga-3, acides gras « héros » dont on vante haut et fort les vertus depuis quelques années : maintien d'une bonne fonction cardiaque, développement du cerveau chez le fœtus et le nourrisson, avantages au niveau de la vision du bébé, effets bénéfiques sur les troubles de concentration, amélioration de l'humeur et bien d'autres. Si bien que je vous mets au défi de trouver des aliments sans oméga-3 ajoutés : pains, œufs, lait, jus, biscuits, céréales… Toujours est-il que les poissons gras en sont une excellente source, et pour ajouter au plaisir, ils représentent une bonne source de vitamine D, qui aide à l'absorption du calcium.

Mais il fallait un « mais »… Certaines espèces de poissons gras contiennent aussi du mercure en plus grande quantité et doivent donc être consommées modérément. Ce sont principalement les poissons prédateurs, c'est-à-dire ceux dont l'alimentation se compose en majeure partie d'autres poissons. Chez le fœtus et le très jeune enfant, le mercure peut s'avérer toxique, particulièrement pour leur cerveau et leur système neurologique encore en formation.

Les poissons et mollusques riches en oméga-3 avec une faible concentration de mercure (à inscrire sur votre liste de course) :

> Anchois
> Capelan
> Omble
> Merlu
> Hareng
> Maquereau
> Meunier noir
> Goberge
> Saumon

> Éperlan
> Truite arc-en-ciel
> Crabe
> Crevette
> Palourde
> Moule
> Huître

Le thon pâle en conserve n'est pas touché par cette mise en garde. Mathilde peut donc continuer à manger ses sandwichs au thon dans l'allégresse, à condition de choisir le thon pâle, plus jeune, plus petit et donc moins susceptible de contenir du mercure en quantité jugée possiblement néfaste à sa santé.

Ceux qui doivent se retrouver moins souvent au menu :

> Thon frais et congelé
> Requin
> Espadon
> Marlin
> Hoplostète orange
> Escolier

De façon plus précise, on vise moins de **125 g par mois** (un peu moins qu'une tasse) pour les enfants de 5 à 11 ans, et moins de **75 g par mois** (une demi-tasse) chez nos petits de un à quatre ans.

Les femmes enceintes, celles qui veulent le devenir et celles qui allaitent ne devraient pas consommer plus de **150 g par mois** (une tasse) de ces poissons.

MIEL ET BOTULISME

« Trempe sa suce dans le miel. Tu vas voir, c'est magique... »,
entend-on souvent. Surtout, oubliez ce conseil.

MIEL = MAUVAISE IDÉE

Le miel, qu'il soit pasteurisé ou non, peut contenir des spores inactives d'un germe du nom de *Clostridium botulinum*. Si vous offrez du miel à Mathilde, huit mois, vous risquez qu'elle ingère ces spores qui ont la capacité de proliférer dans l'intestin de votre chérie, dont la flore intestinale n'est pas encore prête à combattre cette bactérie de façon efficace. Une toxine produite par ces germes peut ensuite entraîner des paralysies musculaires s'installant progressivement et aux conséquences parfois très graves. On parle alors de botulisme infantile.

Quels sont les signes ?

> Une constipation qui s'intensifie.

> Une succion qui s'affaiblit et une difficulté à avaler.

> Des pleurs de moins en moins vigoureux.

> Un visage de moins en moins expressif.

> Une diminution graduelle du tonus et une difficulté à contrôler sa tête.

> Possiblement des difficultés respiratoires et même un arrêt respiratoire.

Et pourquoi Mathieu, son grand frère de trois ans, peut-il en manger ? Comme vous et moi, Mathieu a une flore intestinale suffisamment développée pour neutraliser les spores avant qu'elles ne se multiplient. Après l'âge de un an, le miel ne pose plus de problème.

· ·

MIGRAINE ET CÉPHALÉE DE TENSION

Voir aussi Mal de tête

Notre Mathilde, qui a mal à la tête, sort du bureau du docteur. « Céphalée de tension », vous a-t-on confirmé. Tension, tension... Mais qu'est-ce qui peut déjà la rendre si tendue à 10 ans ?

Qu'est-ce qui se passe ?

Dans la catégorie «maux de tête qui récidivent sans qu'on vous ait demandé votre avis», les gagnants sont la migraine et la céphalée de tension.

Voici, en quelques mots, comment les distinguer. Vous pourrez ainsi diriger vos efforts vers les bons moyens de les prévenir et de soulager votre puce.

Quels sont les signes ?

La céphalée de tension ressemble typiquement à :

> un mal de tête qui est décrit comme une douleur en bandeau qui sert, comme une pression ;

> un mal de tête qui touche les deux côtés de la tête ;

> un mal de tête qui ne s'accompagne pas de vomissements ;

> un mal de tête qui peut s'intensi-fier (quoique rarement) lorsque Mathilde est exposée à une lumière forte ou à du bruit.

La migraine ressemble typiquement à :

> un mal de tête qui siège seulement d'un côté de la tête ;

> un mal de tête dont la douleur est ressentie comme un battement, une pulsation, un cognement ;

> un mal de tête qui augmente en intensité lorsque Mathilde saute, court ou même marche ;

> un mal de tête qui s'accompagne fréquemment de nausées ou de vomissements ;

> un mal de tête qui peut s'intensifier lorsque Mathilde est exposée à une lumière forte ou à du bruit ;

> un mal de tête qui est parfois pré-cédé d'une aura, symptôme neu-rologique temporaire et complè-tement réversible (changements touchant la vision ou les percep-tions, difficultés à parler).

La migraine a une tendance familiale, et une histoire de mal des transports peut aussi y être associée.

À FAIRE

Les symptômes de Mathilde correspondent à ceux d'une céphalée de tension

En inscrivant sur un calendrier les épi-sodes de maux de tête de votre grande fille, vous identifierez probablement les conditions qui les déclenchent. Rassurez-la et soyez à l'écoute de ses peurs et de ses angoisses. N'oubliez pas : ce qui peut sembler anodin à vos yeux peut représenter une montagne pour elle.

Faites un peu de ménage dans ses habi-tudes de vie : instaurez des heures de sommeil suffisantes et régulières (même devant l'argument massue que TOUS ses amis se couchent plus tard qu'elle) et assurez-vous qu'elle a une alimen-tation variée et bien équilibrée, qu'elle boit beaucoup d'eau, qu'elle prend l'air et qu'elle fait de l'exercice.

Vous pouvez atténuer ses douleurs avec de l'acétaminophène ou de l'ibu-profène au besoin.

Les symptômes de Mathilde correspondent à ceux d'une migraine

Le diagnostic de migraine peut vous surprendre et vous alarmer un peu. Ne vous inquiétez pas : la migraine, bien qu'elle redéfinisse le mot « pénible », n'est pas menaçante.

Certains éléments semblent doués pour provoquer des migraines : les menstrua-tions, la fatigue, le stress, quelques ali-ments (ananas, avocats, fromages forts, bananes, sauce soya, chocolat, raisins, fèves, figues… Le vin aussi, mais on n'en est pas là). On les prévient autant que possible, et les bonnes habitudes de vie ne sont pas négociables ici.

Pour soulager les douleurs, on débute par de l'acétaminophène ou de l'ibuprofène. L'erreur souvent commise dans le cas des migraines, c'est d'attendre... Dès que le moindre mal se pointe le nez, on casse immédiatement la crise en prenant un analgésique. Assurez-vous que Mathilde peut y avoir facilement accès en tout temps.

MONONUCLÉOSE

Je lis parfois sur vos visages un doute, par exemple lorsque je vous explique que votre adorable Mathilde, six ans, affiche tous les indices d'une mononucléose. « Ben voyons, c'est impossible ! La "mono", c'est une maladie que les ados se transmettent par la salive lors de longs baisers langoureux ! » Ça n'est pas tout à fait vrai, alors ne changez pas de pédiatre tout de suite.

QU'EST-CE QUI SE PASSE ?

C'est un virus nommé Epstein-Barr qui est le grand chef d'orchestre de cette maladie, mais ses petits cousins peuvent donner le même genre de tableau :

> de la fièvre ;

> un mal de gorge avec parfois des placards blanchâtres visibles près des amygdales ;

> de la fatigue ;

> des ganglions enflés, plus particulièrement dans le cou ;

> des yeux gonflés ;

> une rate dilatée à l'examen physique ;

> plus rarement, une jaunisse ou une éruption sur la peau.

Oui, on attrape ce virus par la salive ; on est donc d'accord avec le principe que les séances répétées de *french kiss* sont tout indiquées pour donner au suivant, mais n'oublions pas que cette salive se retrouve aussi sur la crème glacée que le grand frère de Mathilde a goûtée, sur la paille de son jus d'orange et dans les innombrables gouttelettes que le même grand frère partage avec vous lorsqu'il éternue élégamment au milieu de la cuisine. Nous risquons tous d'attraper ce microbe... Pas juste vos ados !

Vous avez cependant toutes les raisons d'avoir cet air perplexe en ce qui concerne Mathilde, car l'enfant plus jeune passe souvent à travers une mononucléose comme à travers un banal rhume, si bien qu'un enfant sur deux commencera son primaire en ayant déjà fait une mono sans que personne ne l'ait vue passer. Les symptômes décrits plus haut s'observent typiquement chez les adolescents et les jeunes adultes, principalement de 15 à 30 ans. Certains examens sanguins peuvent nous aider à faire le diagnostic.

En règle générale, Mathilde peut prendre d'une à trois semaines avant d'être complètement remise de la mono, et vous ne pourrez pas y changer grand-chose. La fatigue, parfois, se prolongera quelques semaines de plus. Repos, sucettes glacées, acétaminophène ou ibuprofène au besoin (jamais d'aspirine!) aideront à passer le cap.

PRÉVENONS !

Chez un adolescent sur deux, on notera que la rate est plus gonflée lors de l'examen physique. La rate est un organe qui, en temps normal, est complètement protégé par les côtes. Lors d'une mononucléose, elle peut se dilater et donc présenter un risque de rupture en cas de coup violent, car elle n'est plus à l'abri. C'est heureusement extrêmement rare, mais si cela devait arriver, une hémorragie importante pourrait survenir. On demande donc de ne pas faire d'effort intense ou de pratiquer de sport avec risque de contact (football, hockey, soccer, etc.) pendant environ un mois, le temps que tout rentre dans l'ordre.

• •

MORSURES

L'éducatrice de la garderie voudrait pouvoir se déguiser en courant d'air, mais elle respire plutôt un grand coup avant de vous expliquer calmement que Mathilde a été mordue par une de ses copines aujourd'hui. Vous vous sentez tout doucement bouillir en l'écoutant, et c'est une réaction tout à fait normale. J'espère seulement que vous aurez eu le temps de lire ces quelques lignes avant d'exploser.

QU'EST-CE QUI SE PASSE ?

Les jeunes enfants mordent, c'est un fait. Pour jouer, pour se défendre, pour attirer l'attention et, la plupart du temps, pour aucune raison évidente. Quel que soit le milieu de garde que vous choisirez, il y aura des mordeurs et des mordus.

Ce qui est aussi un fait, c'est que la grande majorité de ces morsures sont complètement sans danger. Pourquoi? Parce que même si ça fait fichtrement mal, les dents de vos bambins ne traversent pas la peau. Je sais, vous pensez immédiatement au VIH, à l'hépatite B et à toutes sortes de choses que vous devriez immédiatement chasser de votre esprit si vous ne voyez pas de marques de morsure ayant traversé la barrière cutanée.

À FAIRE

Si la morsure ne traverse pas la peau:

> Lavez la morsure avec de l'eau et du savon. Même si vous ne voyez pas l'empreinte des dents, lavez tout le site de la morsure.

> Faites de gros câlins!

Si la morsure traverse la peau:

> Le sang est un excellent antiseptique. Laissez saigner doucement puis nettoyez à l'eau et au savon.

> Dans un tel cas, l'information relative à la vaccination des enfants devient importante, particulièrement pour l'hépatite B et le tétanos. Tentez d'obtenir le statut vaccinal tant pour le mordeur que pour le mordu et **consultez sans faute** votre médecin pour la suite des choses.

> On devra garder un œil sur la morsure pendant quelques jours afin de ne pas passer à côté d'une surinfection (gonflement, rougeur, écoulement).

CONSULTEZ

Dans tous les cas, il faut consulter lorsque la morsure traverse la peau.

MUGUET *(candidose buccale)*

Mathilde, deux mois, semble soudainement avoir une tempête de neige dans sa petite bouche. Vous venez en effet de remarquer une multitude de taches blanchâtres sur ses gencives, à l'intérieur de ses joues et même sur son palais. Cela ne semble pas la contrarier, puisqu'elle continue à boire normalement et n'économise pas ses sourires.

Le muguet, ou **candidose buccale**, causé par le champignon *Candida albicans*, se voit principalement chez les nourrissons de moins de un an. On peut le confondre avec des dépôts de lait, mais contrairement au muguet, les dépôts de lait n'affecteront que la langue de Mathilde et seront facilement délogés si on les gratte délicatement.

À FAIRE

> Appliquez le traitement que vous aura prescrit votre médecin jusqu'à la disparition des amas blanchâtres, c'est-à-dire pendant environ deux semaines.

> Nettoyez bien les tétines et les suces de Mathilde à l'eau chaude savonneuse chaque fois qu'elle les aura eues en bouche.

CONSULTEZ

> Si vous remarquez que la « neige » ne disparaît pas en la frottant doucement. Votre médecin prescrira une solution antifongique avec laquelle vous badigeonnerez la bouche de votre puce quatre fois par jour, après ses boires.

> Si vous allaitez, il se peut que le champignon affecte vos mamelons. Appelez votre médecin si vous ressentez des douleurs en allaitant ou si vous remarquez que la peau de vos mamelons semble à vif.

COMME
NICOLAS

NOMBRIL

Peu après la naissance, le cordon ombilical qui reliait maman au petit Nicolas s'est retrouvé décoré de deux pinces plus ou moins esthétiques entre lesquelles le médecin (ou le papa, s'il a tenu le coup) a coupé la circulation sanguine qui vous permettait de donner à votre bébé nutriments et oxygène et de le libérer de ses déchets. Nicolas reste donc avec un petit morceau de cordon blanchâtre, pas très gracieux avouons-le, au milieu de son ventre tout rose... Et vous ne savez pas trop quoi faire avec cette chose.

Vous n'aurez pas à vous poser la question bien longtemps, car cette relique de la vie intra-utérine de Nicolas séchera très rapidement, deviendra plutôt brunâtre et finira par se détacher pour lui laisser un ombilic de top-modèle cinq jours à trois semaines après sa naissance.

À FAIRE

> N'ayez pas peur d'y toucher. Nicolas n'éprouve aucune douleur lorsque vous manipulez ce petit bout de chair.

> Nettoyez-le deux fois par jour en passant délicatement un coton-tige imbibé d'eau tiède dans le repli entourant le cordon à sa base. Avec l'autre extrémité du coton-tige, asséchez-le bien.

> Gardez-le au sec en permanence et évitez qu'il ne soit couvert par la couche de bébé. C'est le meilleur moyen de se débarrasser sûrement et rapidement de ce petit extra.

> N'ayez pas peur de donner son bain à Nicolas. Il suffit encore là de bien assécher le cordon par la suite.

> N'utilisez pas d'alcool, car il peut irriter la peau et n'est donc pas conseillé.

En mettant en pratique ces simples conseils, vous mettrez toutes les chances de votre côté pour que la cicatrisation laisse derrière elle un adorable petit ombilic...

Normalement, un nombril qui reste propre ne dégage aucune mauvaise odeur et ne coule pas. Il peut se détacher partiellement et pendouiller quelques jours en laissant quelques gouttes de sang sur les vêtements de Nicolas (je vois d'ici votre grimace).

CONSULTEZ

> Si le cordon dégage une odeur désagréable.

> Si vous remarquez un saignement plus important ou un écoulement jaunâtre.

> Si une rougeur ou un gonflement se développe au pourtour de l'ombilic.

> Si Nicolas ne semble pas aimer que vous touchiez cette région.

NOUVEAU-NÉ

C'est tout un chambardement dans votre vie… Beaucoup de bonheur, de moments tendres, d'émerveillement, mais en même temps beaucoup d'inconnu et de petites angoisses quotidiennes. Nicolas n'est pas né avec un mode d'emploi. Et comme il est devenu le centre de votre univers, vous l'observez beaucoup, si bien que vous arrivez à votre première visite médicale avec une multitude de points d'interrogation dans les yeux. Fatigue aidant, vous vous demandez si vous n'êtes pas parfois un peu excessifs dans vos préoccupations. Ne soyez pas gêné de poser vos questions, que ce soit à un infirmier, à un médecin, à un pharmacien ou à une sage-femme. Jamais vous ne regretterez de vous être informé : aussi ridicule que puisse vous paraître la demande, il n'y a aucune mauvaise question. Je dis toujours aux parents, dans mon bureau, que si ça réussit à les tracasser, c'est que ça mérite d'être dit.

Voici donc, en rafale, quelques-uns de vos petits soucis les plus fréquents :

> La tête de Nicolas, qui vient de voir le jour, a la même forme qu'un cône orange. Pas d'inquiétude, on appelle ça du «moulage» : le crâne s'est adapté au passage étroit du bassin de sa maman et reprendra rapidement une forme arrondie.

> «Il a les yeux bleu foncé, ça va rester?» Non, la couleur définitive des yeux de Nicolas sera fixée vers six mois… et même un peu plus tard parfois. J'ai appris : dans ce domaine, je ne me prononce plus avant l'âge de un an !

> « Il louche ! » Oui, c'est normal. Et il ne voit pas très clair non plus, à peine à 25 cm devant lui. Il distingue vos visages lorsqu'il est collé contre votre poitrine. La vision se développe rapidement dans les semaines qui suivent la naissance et, dans quelques mois, il verra, sous la table, la miette qu'il mettra dans sa bouche.

> « Son dos, ses bras et parfois son visage sont couverts d'un duvet assez foncé, comme celui d'un petit singe ! » N'économisez pas tout de suite pour des traitements au laser : le **lanugo** (poils fins) aura disparu dans quelques semaines.

> « Il grogne en continu, surtout quand il dort… Quelque chose le dérange ? » Pas du tout. « Dormir comme un bébé » est une utopie. Nicolas fait toutes sortes de petits bruits plus bizarres les uns que les autres, et ce n'est pas du tout parce qu'il est incommodé.

> Étant donné la vitesse à laquelle il remplit ses couches, vous pensez téléphoner directement à la compagnie pour une livraison d'un camion plein dans votre garage. Nicolas peut faire de 12 petites selles par jour à une selle par semaine… Tant et aussi longtemps que votre chéri boit bien, qu'il grossit bien et que le système de plomberie semble bien fonctionner, ne vous inquiétez pas.

> « Nicolas respire parfois très rapidement pendant quelques secondes, puis fait un court arrêt, un grand soupir, et repart… Comme s'il respirait par intervalles ! » On appelle ce phénomène la respiration périodique du nouveau-né. Son rythme respiratoire deviendra plus régulier au cours des prochaines semaines.

> Petit bébé hivernal ? Pas de problème pour les sorties à l'extérieur (–15 °C étant la limite inférieure acceptable), mais ne dépassez pas une demi-heure et protégez Nicolas du vent, qui lui causera de l'inconfort.

> Vous avez été sermonné par des gens de votre entourage qui vous critiquent d'avoir trop souvent votre petit Nicolas dans vos bras ? Vous allez le gâter, lui donner de mauvaises habitudes ? En faire un enfant roi ? N'importe quoi ! Prenez, bercez, cajolez votre bébé. **Impossible** de trop le gâter. Vous êtes en train de créer un lien d'attachement avec lui, un lien capital qui lui permettra d'établir des relations sociales saines à long terme. Ne laissez pas pleurer Nicolas, répondez à ses besoins ; ça le sécurise et ça instaure la confiance. Dites au sermonneur que c'est votre pédiatre qui vous a dit de faire ça. J'ai le dos large !

Vous avez le droit d'être épuisé, dépassé par les événements… Je me rappelle qu'avec ma première fille j'arrivais parfois à la fin de l'après-midi sans avoir pris le temps de me doucher… Dans ces moments-là, on ne voit pas très clair et on n'ose souvent pas demander de l'aide. Les gens autour de vous, que ce soit votre famille, vos amis ou vos voisins, n'attendent que ça. Vous n'avez qu'à lever le petit doigt pour obtenir un coup de main. Ne vous rendez pas au bout de votre rouleau, parlez-en au moins à votre médecin ou à une infirmière, qui pourront vous suggérer des solutions. Il n'y a aucune honte à ça, vous n'êtes pas un mauvais parent pour autant, au contraire.

CONSEIL DE MAMAN

Voici une astuce pour le test sur papier buvard que vous devez faire à trois semaines de vie. Chaque fois que j'ai mis le petit papier directement dans la couche, devinez ce qui arrivait? Eh oui, c'était automatique, je n'avais pas que du pipi en échantillon! Alors ma tactique était de l'attraper au vol: après le boire, détachez la couche de Nicolas et installez-vous patiemment devant lui. Dès qu'il joue au pompier, imbibez le papier buvard d'urine! Et croyez-moi, la petite fille peut aussi jouer au pompier!

COMME
OCÉANNE

OBÉSITÉ

C'est le sujet de l'heure, et une préoccupation bien réelle : un jeune Canadien sur quatre a un surplus de poids. La mauvaise nouvelle ? L'embonpoint peut se compliquer d'hypertension artérielle, de diabète de type 2, de maladies cardiaques et vasculaires, de certains cancers, de problèmes articulaires et d'autres problèmes de santé. La bonne nouvelle ? On peut renverser la vapeur en s'attaquant rapidement aux facteurs favorisant l'installation de l'obésité chez l'enfant, afin d'éviter qu'Océanne ne traîne ce poids et ses conséquences à l'âge adulte.

QU'EST-CE QUI SE PASSE ?

D'abord, rectifions tout de suite le tir… De la **naissance à un an**, on ne parle pas d'obésité, juste de bébé dodu. Aucun aliment allégé ne devrait intégrer sa diète. Vous n'avez aucun contrôle sur l'appétit d'Océanne, seulement sur la qualité des aliments offerts. Rappelez-vous : vous décidez de la qualité, Océanne décide de la quantité.

Deux principes à garder en tête :

> Ce n'est pas parce qu'Océanne habille du XL qu'elle doit manger des solides plus rapidement que son voisin de petit format. Sa taille ne lui donne pas obligatoirement une maturité digestive plus précoce.

> Faites attention de ne pas offrir des aliments à Océanne pour l'occuper. Car s'il peut effectivement être pratique de l'installer occasionnellement dans sa chaise haute à côté de vous pendant que vous soupez avec des amis et de la «divertir» avec des petits morceaux pris dans votre assiette alors qu'elle a déjà mangé son repas, il ne faut pas en faire une habitude.

De **un an à quatre ans**, le goût de la découverte de votre Océanne est plus développé que son goût pour la gastronomie. Elle court partout ? Ne courez pas derrière elle avec la cuillère et ne vous inquiétez pas : elle reviendra quand elle aura faim. Elle perdra probablement son «gras de bébé» au cours de cette période.

Quelques conseils...

> Établissez un horaire et des habitudes alimentaires saines, avec des tricheries occasionnelles. Une maman de trois adorables garçons m'a fait bien rire à ce propos : une fois par mois, la famille se réserve le droit d'avoir une soirée « coco »... coco pour cochonneries !

> Petit truc pour ne pas trop se laisser tenter au supermarché : longez les murs ! Ce que je veux dire par là, c'est de faire le tour du marché d'alimentation en évitant le plus possible les rangées, soit là où se trouvent les pièges. En général, vous croiserez les légumes, les fruits, les produits céréaliers, les viandes et poissons, les produits laitiers et les surgelés.

Après l'âge de quatre ans, si Océanne affiche un surplus de poids, il est souvent utile de consulter un nutritionniste qui vous donnera de judicieux conseils sur le « comment faire ».

Deux règles d'or :

> Aucune privation, mais de la modération.

> Le mot « régime » ne devrait jamais faire partie du discours.

À FAIRE

> On bouge le plus possible et, de préférence, ceci vous inclut.

> On limite le « temps d'écran » à une ou deux heures par jour maximum : télévision, ordinateur, jeux vidéo, téléphone intelligent, etc.

> On déjeune, on ne saute aucun repas.

> On limite le grignotage, on respecte un horaire de repas et de collation.

> On mange plus souvent à la maison et en famille.

> On mange à table, pas devant la télévision.

> On mange lentement, car vingt minutes sont nécessaires au cerveau d'Océanne pour lui envoyer le message qu'elle n'a plus faim.

> On limite les calories liquides : jus, boissons gazeuses et boissons sportives sont de grandes sources de calories rapidement assimilées.

Plus facile à dire qu'à faire, vous me direz... Et vous avez tout à fait raison. La lutte au surpoids peut s'avérer frustrante pour Océanne, et ce n'est pas une bataille gagnée d'avance. Encouragez-la, félicitez-la dans ses efforts, mais n'en faites ni une obsession ni un sujet trop fréquent de discussion. Enfin, n'oubliez jamais que vous êtes un modèle pour elle.

ŒIL LARMOYANT

Voir aussi Œil rouge

Océanne a neuf mois et vous regrettez presque de ne pas l'avoir appelée Calimero... Elle pleure en permanence !

En fait, ce n'est pas vrai. Elle ne «pleure» pas réellement, mais elle a constamment une larme à l'œil droit. Elle mange, ça coule. Elle joue, ça coule. C'est pire lorsqu'elle est dehors, et c'est la catastrophe quand elle a un rhume. Et tout ça sans parler du réveil matinal, où vous devez nettoyer son petit œil tout collé par des sécrétions séchées qui vous rappellent étrangement la texture des Corn Flakes...

Si Océanne décidait de devenir actrice, ce serait probablement très utile pour elle de pouvoir ainsi verser une larme sans le moindre effort, mais ce petit problème a toutes les chances de disparaître pour de bon avant l'âge de un an.

Qu'est-ce qui se passe ?

Un nouveau-né sur cinq présente les mêmes symptômes qu'Océanne. Il s'agit d'une obstruction partielle du canal lacrymonasal, ou, plus simplement dit, d'un blocage du petit tuyau qui relie l'œil au nez, celui qui fait en sorte que vous êtes obligé de vous moucher lorsque vous pleurez. Les larmes, produites naturellement et de façon continue pour garder l'œil humide et le protéger, ne peuvent donc pas être drainées par ce petit canal chez Océanne. Il y a alors débordement sur sa joue. Tout ce qui vient augmenter l'obstruction du canal – comme un rhume – augmentera le larmoiement. Cependant, Océanne n'en est aucunement affectée et sa vision, nullement endommagée.

Il ne s'agit que d'un petit retard de maturation dans la «tuyauterie» du système lacrymal, et la plupart de vos bouts de chou seront débarrassés du problème avant l'âge de six mois, ou au plus tard à un an.

À faire

On masse... Le coin de son œil, je veux dire! Le dos de Maman, c'est bien aussi, mais ça n'aidera malheureusement pas Océanne.

On utilise son petit doigt – inutile de préciser qu'on se lave bien les mains avant – et on fait un petit massage circulaire, en appliquant une légère pression au coin interne de l'œil d'Océanne (près du nez), juste au-dessous de la petite bosse que l'on peut palper. On le fait aussi souvent que possible ; je recommande géné-ralement aux parents de profiter du changement de couche. Si Océanne est toujours Calimero après l'âge de un an, votre médecin vous dirigera vers un ophtalmologiste.

 ## Consultez

Océanne a besoin d'un traitement à base d'antibiotiques si :

> elle a l'œil tout rouge ;

> elle a l'œil tout gonflé ;

> elle a l'œil tout collé par beau-coup de sécrétions jaunâtres et purulentes ;

> elle a une bosse toute rouge et douloureuse au coin interne de son œil.

La plupart du temps, il n'y a rien de grave : on traite avec des gouttes pour quelques jours (**conjonctivite**). Le défi sera uniquement d'arriver à mettre ces dernières dans l'œil d'Océanne.

Si l'infection semble plus étendue – par exemple lors d'une **dacryocys-tite**, c'est-à-dire une infection du sac lacrymal –, on utilisera plutôt les anti-biotiques par la bouche ou parfois par intraveineuse.

· ·

ŒIL ROUGE *(conjonctivite)*

Ce matin, Océanne se lève et son petit œil gauche est tout collé. Ça fait déjà quelques jours qu'elle traîne un rhume. Un autre. Depuis qu'elle va à la garderie, son nez coule autant que les érables au printemps. Vous nettoyez délicatement son œil avec une débarbouillette et de l'eau tiède et vous remarquez que le blanc de son œil a pris une teinte rosée. Bon, ça va passer. Elle va très bien et elle a mangé tout son bol de céréales. En arrivant à la garderie, vous n'avez même pas le temps de lui enlever sa tuque que l'éducatrice vous avise que votre puce ne peut pas rester avec un œil dans cet état et qu'elle ne sera la bienvenue que lorsqu'elle sera traitée... Pardon ? Et pourquoi ?

Qu'est-ce qui se passe ?

On appelle cette condition une **conjonctivite**, et comme vous avez pu le constater, ce simple petit œil rouge peut donner la trouille à votre éducateur qui en a pourtant vu d'autres. Votre Océanne est en quarantaine parce que cette infection est archicontagieuse. Pour éviter qu'elle ne contamine toute la garderie, votre puce devrait se laver les mains chaque fois qu'elle effleure son visage. Vous comprenez alors le «pratique» de la chose! La conjonctivite infectieuse peut être causée par un virus ou une bactérie.

Virus:

> L'œil a tendance à être plus rose que rouge.

> Les deux yeux sont souvent touchés.

> Il n'y a généralement pas d'écoulement de pus, mais les yeux peuvent être larmoyants.

> Les paupières sont légèrement gonflées.

> Les yeux sont irrités (on dirait qu'on a du sable dans les yeux).

> Un rhume accompagne fréquemment la conjonctivite.

Bactérie:

> Un seul œil est atteint (du moins avant qu'Océanne ne frotte son autre œil avec ses mains contaminées).

> Il y a des sécrétions jaunâtres et collantes (pus).

> Il peut y avoir des croûtes sur la paupière.

> La paupière paraît gonflée.

Allergie:

La conjonctivite peut aussi être allergique dans certains cas (p. ex.: allergies saisonnières, allergie aux animaux, allergie à un produit cosmétique, etc.).

> Les deux yeux sont touchés.

> Il n'y a pas d'écoulement.

> Les yeux piquent et démangent.

À faire

Vous pouvez nettoyer l'œil piteux d'Océanne avec de l'eau tiède, une débarbouillette propre et une goutte de shampoing pour bébé qui ne pique pas les yeux.

Quand un virus est en cause, il n'y a rien à faire, sauf être patient pendant 7 à 10 jours... Et malheureusement, malgré vos explications scientifiques, c'est parfois très difficile de convaincre la garderie d'accepter qu'Océanne réintègre sa vie sociale.

Consultez

Si la conjonctivite d'Océanne semble être causée par une bactérie ou une allergie, consultez. Dans le cas d'une conjonctivite bactérienne, vous aurez besoin de gouttes ou d'un onguent antibiotique et, à moins qu'Océanne ne soit la seule enfant dans ce monde qui aime recevoir des gouttes dans les yeux, d'une paire de bras supplémentaires... Elle peut retourner jouer avec ses petits camarades 24 heures après le début du traitement.

La conjonctivite allergique est quant à elle soulagée par la prise d'antihistaminiques par la bouche ou sous forme de gouttes oculaires.

CONSULTEZ IMMÉDIATEMENT
Si, en plus d'avoir l'œil rouge :

> Océanne fait de la fièvre ;

> sa paupière est très enflée ;

> elle se plaint de douleurs à l'œil ;

> elle est incapable d'ouvrir son œil ;

> sa vision est affectée.

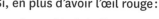

ONGLE INCARNÉ

Du ballet classique, Océanne en mange littéralement et elle a depuis peu, à son grand ravissement, commencé les pointes. Or, ce soir, en sortant de son cours, vous la voyez retirer son chausson droit en grimaçant. Ce n'est qu'à la maison, après beaucoup de persuasion de votre part, qu'elle finit par vous montrer son gros orteil droit, qui a honnêtement l'air d'une tomate bien mûre.

QU'EST-CE QUI SE PASSE ?
L'ongle incarné se produit lorsqu'un coin de l'ongle blesse la peau qui l'entoure et s'y enfonce. Juste de l'écrire, ça fait déjà mal...

QUELS SONT LES SIGNES ?
> D'abord, la douleur débute graduellement au coin de l'ongle affecté et elle est surtout présente lorsqu'on applique une pression. Elle s'accompagne d'un léger gonflement et d'une rougeur. Océanne est alors inconfortable dans sa chaussure.

> Si on laisse progresser les choses, l'ongle meurtrit de plus en plus la peau avoisinante, l'inflammation augmente et l'infection se met de la partie, avec l'apparition de pus. Océanne agonise dans sa chaussure.

> Si, malheureusement, la situation dégénère, on risque de se retrouver avec une inflammation importante, un gonflement impressionnant et archidouloureux et une infection qui s'aggrave et qui s'étend. Océanne fuit alors complètement

tout ce qui ressemble de près ou de loin à une chaussure.

À FAIRE

Il n'est pas nécessaire de consulter tout de suite si l'infection reste localisée.

Commencez par les remèdes maison :

1. Faites tremper le pied d'Océanne 15 minutes dans de l'eau tiède à laquelle on a ajouté un peu de savon doux. Le but ici est de ramollir l'ongle et la peau qui l'entoure.

2. Bien sûr, selon l'âge d'Océanne, seau d'eau peut rimer avec désastre : utilisez alors une compresse d'eau tiède savonneuse.

3. Rincez et asséchez bien.

4. Glissez un petit morceau de coton d'ouate propre sous le coin de l'ongle incarné pour le forcer à pousser vers le haut, ce qui permettra à la peau blessée de guérir.

5. Appliquez un onguent antibiotique en vente libre, qu'on se procure à la pharmacie.

6. Répétez la séquence deux fois par jour. Entre l'école, le boulot, les devoirs, le souper, le cours de ballet, le marché, le changement de pneus, la guerre du brossage des dents, la promenade du Pitou, l'eau saline dans le nez, je sais… Bref, faites ce que vous pouvez !

7. Ne coupez pas l'ongle et soyez très patient. Une fois qu'il aura dépassé

le coin de quelques millimètres et que tout sera rentré dans l'ordre, faites-lui une petite coupe droite.

CONSULTEZ

> Si la condition de l'ongle d'Océanne ne s'améliore pas au bout de deux ou trois jours de soins.

> Si l'infection semble se propager.

PRÉVENONS !

> Quand on coupe les ongles d'Océanne, ce n'est pas un concours de bricolage ni une coupe à blanc : vous ne gagnerez rien à les couper très court en pensant avoir moins vite besoin de répéter la manœuvre.

> Les ciseaux sont souvent préférables au coupe-ongles.

> Les ongles doivent être taillés bien droit, et on laisse les coins dépasser un peu la peau. Non aux arrondis.

> Évitez les chaussures de style Peter Pan. On choisit un soulier large, confortable, et on s'assure qu'il est de la bonne taille. Ceux-là aussi peuvent être *cools* !

> Les mêmes règles s'appliquent aux ongles de nos tout-petits. Ils sont souvent plus fragiles et plus cassants, donc raison de plus d'éviter les bottines trop serrées.

> Pour avoir moi-même porté des chaussons de danse plusieurs années, je sais très bien que ce n'est certes pas de tout confort, tout comme les patins, les bottes de ski, les souliers à

crampons, alouette… Ce n'est cependant pas une raison d'arrêter de pratiquer nos activités préférées: il s'agit simplement de porter attention à la coupe des ongles et de réagir au moindre signe d'alarme.

CONSEIL DE MAMAN

Lorsque mes filles étaient petites, j'utilisais souvent une lime à ongles douce au lieu d'un coupe-ongles ou de ciseaux… Et je passais à l'action pendant qu'elles faisaient dodo!

OREILLONS ET PAROTIDITE

Océanne a l'air d'un petit hamster qui fait ses provisions pour l'hiver. Vous fouillez Internet et « oreillons » est la seule chose qui vous semble correspondre à l'image de votre cocotte. Elle est pourtant vaccinée! Est-ce possible ?

QU'EST-CE QUI SE PASSE ?

L'infection virale des oreillons atteint la glande parotide, située à l'avant et un peu plus bas que l'oreille, à l'angle de la mâchoire. La glande parotide produit de la salive afin d'aider à la mastication et à la digestion des aliments. En général, les oreillons touchent les deux glandes parotides, d'où le *look* de hamster.

Quels sont les signes ?

> Un gonflement des glandes parotides de chaque côté du visage, à l'angle de la mâchoire.

> Une douleur, une sensibilité au toucher des glandes parotides enflées.

> De la fièvre.

> Une augmentation de la douleur avec la mastication des aliments, surtout lorsqu'ils sont acides.

À faire

> Soulagez votre puce avec de l'acétaminophène ou de l'ibuprofène.

> Évitez les aliments qui demandent à être mastiqués longtemps ; les purées passent nettement mieux.

> Évitez les aliments acides, comme les oranges et les tomates, qui augmentent la production de salive.

> N'envoyez pas Océanne à la garderie avant que les gonflements aient complètement disparu, car c'est contagieux.

Consultez

Il est possible que d'autres virus ou bactéries soient à l'origine de l'infection des glandes parotides d'Océanne. Dans ce cas, on parle de parotidite et le vaccin ne pouvait pas la protéger. Dans le doute, votre médecin demandera des analyses sanguines pour confirmer le diagnostic.

Consultez en urgence
Si Océanne :

> a très mal à la tête ou au cou ;

> vomit de façon répétée ;

> semble très affaissée et malade.

La méningite et l'encéphalite sont des complications possibles des oreillons.

Prévenons !

Le vaccin RRO est efficace à 95 % et sans danger… Il reste donc la meilleure protection disponible.

À quoi s'attendre ?

La fièvre devrait avoir disparu en cinq jours et le gonflement et la douleur, en une bonne semaine. Les garçons atteints par les oreillons peuvent développer une inflammation des testicules (**orchite**), qui peut exceptionnellement mais malheureusement évoluer vers une stérilité. La surdité, très rare complication bien heureusement, justifie la vaccination de nos tout-petits.

OTITE

Voir aussi Otite du baigneur

Océanne, 13 mois, se réveille au beau milieu de la nuit en pleurant... Elle était un peu chaude cet après-midi, mais vous aviez mis ça sur le compte du gros rhume qu'elle traîne depuis trois jours. Elle se tire l'oreille droite avec beaucoup d'insistance... Ça vous rappelle ce qu'Olivier, son grand frère, vous faisait quand il avait une otite. Et évidemment, pour faciliter les choses, c'est la fin de semaine... Est-ce que vous pouvez attendre à lundi matin ou est-ce que vous devez courir à l'urgence ?

QU'EST-CE QUI SE PASSE ?

Quand on parle d'otite tout court, on fait bien souvent allusion à l'**otite moyenne aiguë**, bien fréquente chez les jeunes enfants, particulièrement chez ceux de moins de cinq ans. En fait, sur 100 petites Océanne de deux ans, uniquement 15 seraient épargnées par l'otite.

L'oreille moyenne désigne l'endroit où, derrière le tympan, se trouvent les petits osselets qui vibrent pour transmettre les sons au nerf auditif. Dans un monde idéal, cet espace ne contient que de l'air. Lorsqu'Océanne attrape un rhume ou qu'elle est congestionnée, la trompe d'Eustache, qui relie l'oreille moyenne au nez, se remplit de liquide qui inonde l'espace prévu pour l'air, si bien que les petits osselets bougent plus difficilement et qu'Océanne entend plus sourdement, comme si elle avait la tête sous l'eau.

Tant que ce liquide accumulé derrière le tympan reste joli et translucide, ça va. Mais lorsque l'appétissant mucus, épais et jaunâtre, qui coule de son adorable petit nez en période de gros rhume envahit les lieux et s'infecte, on parle alors d'otite moyenne aiguë.

QUELS SONT LES SIGNES ?

> Océanne a mal aux oreilles.

> Elle se frotte les oreilles.

> Elle pleure, est irritable et se réveille la nuit.

> Elle fait parfois de la fièvre.

> Elle a une oreille qui coule ou qui sent mauvais.

> Elle refuse d'avaler quoi que ce soit.

CONSULTEZ

Consultez si Océanne présente un ou plusieurs des signes décrits plus haut. Il n'est pas nécessaire de vous ruer à l'urgence si votre puce reste en bon état général. Donnez-lui de l'acétaminophène ou de l'ibuprofène et prenez un rendez-vous avec votre médecin dès le lendemain matin.

Il est fort possible que des antibiotiques soient prescrits à Océanne. Si c'est le cas, il importe qu'elle les prennent jusqu'à la dernière goutte, même si vous avez l'impression qu'elle est complètement guérie.

Devant la hausse préoccupante de la résistance aux antibiotiques, et le fait que 8 otites sur 10 guérissent d'elles-mêmes, votre médecin vous proposera peut-être d'observer et d'attendre un peu, surtout si Océanne garde quand même son erre d'aller, qu'elle fait peu ou pas de fièvre et qu'elle a plus de deux ans. Dans ce cas, un suivi deux ou trois jours plus tard doit être planifié.

Ce qui prédispose aux otites…

Océanne présente plus de risques de faire des otites si:

> elle a un rhume;

> elle souffre d'allergies respiratoires;

> elle est connue pour une hypertrophie des adénoïdes (végétations);

> elle a le nez congestionné (oui, oui… une autre bonne raison d'utiliser de l'eau saline!);

> elle fréquente la garderie;

> elle n'est pas ou n'a pas été allaitée;

> elle renifle ou ne se mouche pas adéquatement;

> elle est exposée à la fumée de cigarette;

> elle boit son biberon en position couchée;

> elle n'a pas reçu ses vaccins.

À QUOI S'ATTENDRE ?

Habituellement, de 48 à 72 heures après le début du traitement, votre puce devrait avoir retrouvé son entrain habituel. Si ce n'est pas le cas, consultez à nouveau.

Un suivi médical environ trois semaines plus tard est nécessaire pour confirmer que l'otite est bien guérie.

Océanne vous fait encore répéter et augmente le volume de la télévision dans les jours qui suivent le traitement? Normal… et ce n'est pas pour vous faire sortir de vos gonds. Il se peut que du liquide non infecté reste derrière son tympan pendant un bon gros mois suivant l'otite, ce qui explique sa sourde oreille. On nomme cette condition **otite séreuse**, ou **otite mucoïde**.

Dans les situations où les otites traînent, ne guérissent pas, nuisent visiblement à l'audition ou reviennent trop fréquemment (quatre otites en six mois, ou six en un an), vous serez dirigé vers un spécialiste en ORL, qui vous conseillera possiblement la pose de tubes. Le tube installé dans le tympan rétablit l'aération de l'oreille moyenne. Cette intervention très brève peut même se faire en consultation externe, sans anesthésie générale.

Prévenons !

> L'otite n'est pas contagieuse en soi, mais le rhume qui la prédispose, oui. Lavez-vous les mains et lavez celles d'Océanne.

> Utilisez abondamment l'eau saline. Elle aide à évacuer les sécrétions de la trompe d'Eustache et diminue le risque d'infection.

> Océanne peut retourner à la garderie ou à l'école dès qu'elle ne fait plus de fièvre.

> Elle peut reprendre ses cours de natation dès qu'elle se sent bien et que la fièvre est tombée.

> Peut-elle prendre l'avion? Discutez-en avec votre médecin... Mais en principe, avec une otite moyenne aiguë, Océanne ne devrait pas monter à bord, car elle risque de trouver le voyage plutôt pénible.

· ·

OTITE DU BAIGNEUR (otite externe)

Voir aussi Otite

Océanne porte son prénom à merveille... Elle est aussi à l'aise qu'un poisson dans l'eau. Vous avez toute la misère du monde à la sortir de la piscine à la fin de son cours de natation, qui, si ce n'était que d'elle, pourrait facilement durer toute la journée. Mais ce matin, à votre grand étonnement, elle n'a pas du tout envie d'y aller et se plaint lamentablement de son oreille droite. Pour que ça arrive à la dissuader de participer à son activité favorite, ça doit être catastrophique comme douleur...

Qu'est-ce qui se passe ?

L'otite du baigneur, ou otite externe, est une infection du conduit auditif externe de l'oreille, c'est-à-dire la portion de votre oreille dans laquelle vous pouvez introduire votre petit doigt, baptisé très justement auriculaire... On l'appelle otite du baigneur, car elle touche fréquemment nos petits poissons, chez qui l'eau de la piscine reste prisonnière du conduit auditif externe, ce qui a pour effet de créer un bouillon de culture parfait pour la prolifération de bactéries. L'otite externe peut aussi se développer secondairement à une blessure du conduit auditif, causée par les fameux cotons-tiges par exemple, ou si Océanne décide d'entreposer dans ce dernier bille, bout de gomme à effacer, bonbon et tout ce que vous pouvez imaginer.

Quels sont les signes ?

Contrairement à l'otite moyenne aiguë, votre puce ne présente ni fièvre ni gros rhume avant la survenue des signes de l'otite externe.

Consultez

Si Océanne se plaint :

> de douleur et de démangeaisons au niveau de l'oreille affectée ;

> d'avoir mal lorsque l'on tire sur le pavillon (la grande portion arrondie) de son oreille ou lorsqu'elle mastique ;

> d'avoir l'impression que son oreille est bouchée ;

> de sentir quelque chose qui s'écoule de son oreille (vous avez peut-être même remarqué une odeur plus ou moins agréable s'en dégageant).

Si Océanne présente un ou plusieurs de ces signes, elle aura besoin d'antibiotiques en gouttes à mettre dans son oreille pendant quelques jours. Vous

pouvez aussi calmer la douleur avec de l'acétaminophène ou de l'ibuprofène.

Prévenons !

> Les cotons-tiges (p. ex. : Q-tips) sont à proscrire (sauf pour le maquillage de maman), car ils irritent le conduit auditif.

> Asséchez les oreilles avec une serviette après la baignade.

> Certaines solutions asséchantes (astringents) sont vendues en pharmacie pour les abonnés à l'otite externe. Parlez-en à votre pharmacien.

> Assurez-vous qu'Océanne ne collectionne pas de bouchons de cérumen dans ses jolies oreilles.

> Certains bouchons étanches et « sur mesure » pour la natation existent. Vous ne perdez pas grand-chose à les essayer.

> De grâce, évitez que votre puce ne joue au sous-marin dans les spas et les baignoires à remous publics. Je ne vous raconte même pas le zoo de bactéries qui y vit…

COMME

PHILIPPE

PEAU DU NOUVEAU-NÉ

Voir aussi Rougeurs et boutons

Philippe a à peine quelques jours et déjà votre beau bébé tout neuf affiche de petits boutons sur son adorable visage... Ça vous dérange de toute évidence beaucoup plus que lui, qui boit comme un petit glouton, dort bien et ne semble aucunement déstabilisé par la situation. Vous voudriez tout de même savoir ce que vous pouvez faire pour que ça disparaisse, parce que vous souhaitez ne pas être obligé de faire du «photoshop» sur les photos de votre nouveau trésor...

QU'EST-CE QUI SE PASSE ?

Passons en revue les boutons, les taches et les conditions de peau les plus fréquentes au cours des premières semaines de vie de bébé Philippe, et surtout quoi faire si on veut les faire disparaître au plus vite (dans la mesure du possible).

Acné du nouveau-né

C'est vraiment nécessaire de passer par là tout de suite? Vous n'y pouvez rien, ce sont déjà les hormones qui fluctuent et qui, transitoirement, augmentent la production de sébum, entraînant l'apparition de boutons d'allure acnéique. Le pic de l'éruption survient souvent autour de l'âge de deux mois, en plein au moment où vous aviez prévu le baptême... Prévoir la cérémonie à quatre mois est une excellente idée!

À FAIRE

Contrairement à l'acné d'Alexandre, votre grand ado de 15 ans, celui de Philippe n'a besoin d'aucune crème médicamentée et disparaîtra seul. On peut simplement nettoyer sa frimousse avec de l'eau tiède et un savon doux non parfumé (p. ex.: Cetaphil).

Cutis marmorata vascularis

Dit comme ça, cette condition semble beaucoup plus inquiétante qu'elle ne l'est réellement. En fait, on parle simplement de la peau de Philippe qui devient toute marbrée quand il sort du bain et qu'il a froid! La dentelle qui se dessine alors partout sur son tronc et ses membres disparaît dès qu'on le réchauffe. Très fréquent et tout à fait normal.

À FAIRE

Il y a peu de choses à faire, sauf augmenter la quantité de câlins et la température dans la salle de bain...

Desquamation de la peau

Ça fait neuf mois que Philippe trempe dans sa petite piscine intérieure et, du jour au lendemain, il se retrouve au grand air. Faites le même exercice et je vous promets que votre peau va peler aussi. C'est tout à fait normal.

À FAIRE

Appliquez de la crème hydratante non parfumée sur sa peau. Aucun danger : beurrez-le comme une tartine!

Égratignures

Ce sont les grandes gagnantes en terme de fréquence, ça, c'est certain! Disons que bébé Philippe n'a pas atteint la dextérité de Léonard de Vinci et que ses petits ongles fins mais tranchants peuvent allégrement lui écorcher le visage!

À FAIRE

Gardez ses petites griffes courtes et propres... Je détestais utiliser un coupe-ongles ou même des ciseaux à bouts ronds quand mes filles étaient toutes petites. Je limais plutôt leurs ongles pendant qu'elles dormaient!

Éruption miliaire ou boutons de chaleur

Le nom est clair. Bébé Philippe a probablement eu un peu chaud à la suite de vos efforts louables pour le protéger de tous les petits courants d'air. Il s'agit parfois de petits boutons rouges, parfois de minuscules bulles contenant du liquide qui apparaissent sur son ventre, sur son dos ainsi que dans son cou et ses petits plis. Ses glandes sudoripares, responsables de la production de la sueur, sont obstruées dans ces endroits «surchauffés».

À FAIRE

Le dévêtir! Petit truc: habillez Philippe d'une seule couche de plus que vous-même, c'est amplement suffisant. Les petits boutons de chaleur disparaissent naturellement en quelques jours. Vous pouvez aussi baigner bébé, ça le rafraîchira.

Érythème toxique

Ouf, le terme peut faire peur... Pourtant, ce n'est rien de grave. À peine trois jours après sa naissance, Philippe est couvert de petits boutons rouges, dont certains ont un centre blanc. Votre chaton est par ailleurs en pleine forme!

À FAIRE

Rien. Absolument rien. Dans une semaine, tout aura disparu.

Hémangiome

Rarement présent à la naissance, l'hémangiome apparaît souvent au cours des premières semaines, d'abord comme une tache rougeâtre assez pâle et plane qui s'intensifie par la suite et qui devient souvent surélevée comme une petite fraise (ou framboise, selon les goûts)... C'est une collection de petits vaisseaux sanguins qui lui donne cet aspect. L'hémangiome prend typiquement de l'expansion durant la première année de vie, stagne quelque temps, puis très doucement régresse sur plusieurs années. Parfois, s'il est situé dans un endroit où la friction peut l'irriter (région de la couche) ou près d'un organe vital (œil), il faut intervenir plus rapidement.

À FAIRE

Le suivi se fera avec votre médecin. On surveille l'évolution de l'hémangiome et, au besoin, l'intervention d'un spécialiste en dermatologie sera requise.

Intertrigo

Bébé Philippe prend bien du poids et ça devient soudainement un peu plus corsé d'aller nettoyer en profondeur dans les petits replis... surtout dans son petit cou, qui semble anatomiquement inexistant! L'humidité des plis, à laquelle s'ajoutent sueur et lait qui débordent, entraînent rougeurs et irritations... Si bien que ça peut devenir écarlate!

À FAIRE

Nettoyez délicatement les plis avec un savon doux et surtout asséchez bien par la suite. Mon truc? Je mettais dans le cou de mes filles la même crème à base de zinc que j'appliquais sur leurs fesses. Elle agissait comme une «barrière» au dégoulinement du lait et empêchait la macération. Si la rougeur devient si intense qu'elle est fluorescente dans le noir, consultez; les champignons ont peut-être décidé de s'y installer et votre médecin vous prescrira une crème médicamentée.

....

Mélanose pustuleuse néonatale transitoire

Ça non plus, ça n'a rien de rigolo comme nom. Cette éruption arrive très tôt dans la vie de bébé Philippe, parfois même avant sa naissance. Elle se caractérise par l'apparition de petites taches plus foncées après que les fragiles pustules sont résolues. Impressionnant, mais tout à fait inoffensif. Les taches hyperpigmentées disparaissent graduellement dans les mois qui suivent leur apparition.

À FAIRE

Une fois de plus, il n'y a pas grand-chose à faire. Continuez à sourire!

....

Milia

Il s'agit de petits boutons blancs, de la grosseur d'une tête d'épingle, concentrés surtout sur le visage de votre amour. C'est l'accumulation de sébum et de kératine qui en est responsable.

À FAIRE

Avouez que vous avez terriblement envie de les gratter? Abstenez-vous-en: ils disparaîtront par eux-mêmes d'ici quelques semaines. Patience.

Tache de vin

Contrairement aux taches saumonées, les taches de vin sont plus intensément colorées, d'un rouge un peu violacé. Elles peuvent être de bonne taille et se retrouver un peu partout sur le corps de bébé. Parfois problématiques, elles peuvent signaler une atteinte plus profonde sous la surface de la peau et doivent donc être examinées. Elles ne disparaissent pas avec le temps.

À FAIRE

Si Philippe présente une tache de vin, parlez-en à votre médecin lors de votre premier rendez-vous. Des examens complémentaires seront peut-être nécessaires. L'utilisation de traitements au laser pour atténuer la tache est envisageable lorsque Philippe sera plus grand.

....

Tache mongoloïde

Philippe a une tache un peu bleutée au bas du dos, qui ressemble étrangement à un bleu, une ecchymose. «Impossible qu'il ait reçu un coup», pensez-vous avec un petit serrement au cœur... Pas d'inquiétude, il s'agit fort probablement d'une tache mongoloïde, plus fréquemment rencontrée chez les enfants d'origine asiatique, méditerranéenne, africaine ou amérindienne.

À FAIRE

Ces taches ont tendance à s'atténuer avec le temps et vont souvent disparaître complètement avant l'âge scolaire. Conseil : prenez une photo de cette tache, faites-la identifier par votre médecin et mettez-la dans le carnet de santé de Philippe. Ça évitera parfois certains soupçons...

....

Taches saumonées ou baiser de l'ange (naevus simplex)

Ces petites taches rosées sur le front, les paupières et la nuque résultent en fait de la dilatation de tout petits vaisseaux sanguins (capillaires) et deviennent de moins en moins visibles avec le temps. Dans la nuque, elles portent aussi le très joli nom de «prise de la cigogne».

À FAIRE

Laissez passer le temps... Simple non?

PERTE DE CHEVEUX ET PELADE

(alopécie)

Philippe, quatre mois, est né avec une belle « mop » blonde sur la tête. Mais depuis quelque temps, une zone dégarnie et disgracieuse occupe l'arrière de son joli coco. Ça ressemble à la coupe de grand-papa, mais distribuée différemment. On s'inquiète ?

QU'EST-CE QUI SE PASSE ?

Pour Philippe, aucune inquiétude. Étant donné que votre amour passe actuellement la majorité de sa journée couché sur son dos, sa perte de cheveux est simplement due à une friction continuelle à cet endroit de sa tête. C'est aussi un âge où ses cheveux manquent un peu de synchro et poussent à des rythmes et des moments différents. Sa variante de la coupe grand-papa ne sera qu'un souvenir rigolo à partir du moment où il se tiendra un peu plus assis.

Par contre, certaines formes d'alopécie résultent de ce qu'on croit être un phénomène auto-immun, c'est-à-dire que, pour une raison inconnue, notre système immunitaire attaque la « racine » des cheveux et parfois même des poils de notre corps. Cette racine se nomme follicule pileux et a pour fonctions la pousse et le maintien du cheveu en place.

QUELS SONT LES SIGNES ?

L'alopécie peut se présenter de trois façons :

> par plaques arrondies, bien définies, sans rougeur ni changement du cuir chevelu (il peut y avoir une ou plusieurs plaques d'un à plusieurs centimètres de diamètre) ;

> par une perte de la totalité des cheveux ;

> par l'atteinte de tous les poils du corps.

CONSULTEZ

Toute perte de cheveux chez Philippe mérite une consultation chez votre médecin. Selon le diagnostic, un traitement peut être proposé.

La **trichotillomanie**, plus souvent observée chez la jeune fille, est une autre possibilité… Un long mot compliqué qui désigne la manie de s'arracher les cheveux et parfois les sourcils et les cils.

Les tresses serrées et les queues de cheval bien tendues peuvent, par traction, causer une perte de cheveux. L'examen des zones affectées permet souvent à lui seul d'établir la cause.

À QUOI S'ATTENDRE ?

Heureusement, dans la très grande majorité des cas (et surtout dans la forme moins étendue), les cheveux repoussent spontanément sans traitement. Parfois, une crème à base de corticostéroïdes peut être appliquée pour accélérer le processus.

C'est loin d'être facile pour un petit bout de vivre avec l'alopécie et le regard des autres. N'hésitez pas à en parler avec lui, du soutien et de l'aide peuvent être proposés.

· ·

PERTE DE CONNAISSANCE

Voir aussi Commotion cérébrale et coup à la tête

Vous êtes en route vers l'école, car l'infirmière vient de vous appeler au bureau. Philippe est tombé dans les pommes au milieu de son cours de bio. Vous le retrouvez, un peu pâlot, mais tout à fait fidèle à lui-même. Il vous raconte qu'il était au laboratoire, que le sujet portait sur les groupes sanguins et que chacun devait déterminer le sien. Après avoir piqué le bout de son doigt pour recueillir une goutte de sang, il s'est senti étourdi, a vacillé sur ses deux grandes jambes, s'est mis à voir des points noirs et à entendre des bourdonnements, puis silence radio. L'image suivante est celle du prof au-dessus de lui qui l'appelle par son prénom.

Qu'est-ce qui se passe ?

Philippe vient de faire une **syncope vagale**. Une explication simple du phénomène : l'apport sanguin au cerveau a soudainement chuté, causant un manque de pression subit et transitoire dans le réseau artériel cérébral dû à une émotion, à un stress, à une peur, à une douleur intense ou à la position debout prolongée. C'est fréquent chez nos adolescents, mais absolument pas dangereux. C'est juste un peu gênant pour Philippe, qui risque quelques commentaires un peu moqueurs au prochain labo...

Quels sont les signes ?

Dans le cas de la syncope vagale, on la voit venir.

La séquence des événements peut plus ou moins ressembler à ceci :

1. Un facteur précipitant souvent identifiable, comme la piqûre et le sang dans le cas de Philippe.

2. Une sensation de chaleur avec de la sudation.

3. Une vision embrouillée ou l'apparition d'étoiles et de points noirs.

4. Une sensation de perte d'équilibre.

5. Une impression d'entendre comme si on était sous l'eau.

6. Une perte de tonus (les jambes deviennent molles).

7. Une chute, mais au ralenti (Philippe a le temps d'amortir le coup).

8. Une perte de connaissance, rarement longue.

9. Une reprise de ses esprits et un retour rapide à son état d'éveil normal.

10. Parfois, quelques mouvements d'allure convulsive peuvent s'ajouter durant le moment d'inconscience.

À faire

Si vous êtes présent au moment où Philippe s'effondre, gardez-le allongé quelques minutes en soulevant ses jambes pour ramener du sang vers son cœur.

Si Philippe sent venir la syncope (comme c'est le cas de plusieurs parents au moment des vaccins de leurs enfants), il peut s'asseoir et pencher sa tête vers le bas, entre ses jambes. Dans cette position, il retrouvera son aplomb en quelques minutes sans avoir les quatre fers en l'air.

Assurez-vous que Philippe boit suffisamment, car la déshydratation augmente les risques d'avoir la tête qui tourne.

Consultez

Quand le contexte et les symptômes sont aussi clairs que dans le cas de notre grand Philippe, il y a peu d'inquiétude à avoir. Parlez-en simplement à votre médecin lors de votre prochain rendez-vous.

Consultez LE PLUS TÔT POSSIBLE

Si l'une ou l'autre des conditions suivantes est présente :

> Philippe présente des pertes de connaissance répétées ;

> elles arrivent lors d'efforts physiques ;

> les syncopes arrivent sans cause apparente, ou subitement sans symptôme «annonciateur» ;

> la perte de conscience s'accompagne de convulsions, de morsure de la langue ou de perte d'urine ou de selles ;

> le retour à son état normal prend plus de temps que quelques minutes.

• •

PICA

Ça doit faire plus de 10 minutes que vous n'avez pas entendu Philippe... Pas de son, pas de lumière. C'est beaucoup trop long... Ce n'est pas rassurant du tout lorsqu'il s'agit de votre adorable monstre de 18 mois. Vous le retrouvez accroupi devant une des plantes du salon. Et pourquoi pas ! Il a décidé de jardiner, et tant qu'à faire de prendre quelques bonnes bouchées de terre... L'autre jour, c'était le sable du bac du voisin (qui a trois chats) qu'il avait dégusté...

QU'EST-CE QUI SE PASSE ?

On respire. Plus d'un enfant sur cinq complète occasionnellement ses repas par une cuillérée de terre de l'âge de un an à trois ans... Et croyez-le ou non, c'est assez bénéfique pour son système immunitaire !

C'est cependant vrai que, dans une certaine mesure, ces habitudes alimentaires un peu excentriques peuvent aussi amener des problèmes de santé à ne pas négliger. En effet, s'il continue à ingurgiter la terre du fond de la cour de façon significative, Philippe peut s'exposer à :

> une intoxication par des produits chimiques ou par certains métaux comme le plomb ;

> l'ingestion de bactéries ou de parasites provenant des selles des animaux du voisinage.

Mais pas de panique… Une petite bouchée de terre de temps à autre risque peu de lui poser problème. Il faut comprendre que Philippe ne fait pas ça pour vous rendre fou, mais bien pour satisfaire sa curiosité. Le jeune enfant explore le monde en y goûtant, à votre grand désarroi… Au menu d'un enfant de trois ans et moins, une ingestion « normale » de terre équivaut à environ une demi-cuillère à thé par jour.

Le pica, contrairement à une exploration saine et normale des éléments de l'environnement, se traduit par une consommation persistante et non négligeable de substances qui ne tombent pas dans la catégorie « aliments », comme de la glace, de la terre, du sable, des cheveux, de l'amidon, des éclats de peinture… La différence majeure ici, c'est que Philippe, au lieu de goûter la terre dans un but de découverte, cherche la terre pour en consommer volontairement.

Consultez

Si vous remarquez un tel comportement chez votre petit bonhomme, consultez. Votre médecin voudra probablement identifier une possible carence alimentaire ou d'autres problèmes de santé pouvant expliquer un tel comportement.

· ·

PIEDS

Pas une journée de clinique ne se passe sans que la question me soit posée : « On dirait que Philippe a les pieds croches, non ? » Je n'ai pas la prétention ici de me métamorphoser en orthopédiste, mais revoyons ensemble les grandes lignes de ce que « pieds croches » peut sous-entendre…

QU'EST-CE QUI SE PASSE ?

Pieds vers l'intérieur

> Une condition normale du développement physique de Philippe se nomme **antéversion fémorale**.

À sa naissance, les hanches de l'enfant sont, de façon naturelle, tournées vers l'intérieur. Cette rotation se corrige graduellement jusqu'à l'âge de 10 ans, mais c'est de 2 à 4 ans que vous aurez la nette impression que les deux genoux de

Philippe se regardent dans le blanc des yeux! Aucune inquiétude, sa croissance s'occupera bien souvent de redresser les choses. Il faut cependant s'assurer que sa position assise est adéquate : ramenez-le constamment à l'ordre si vous le voyez s'asseoir les pieds sous les fesses ou, pire, en position «W» (les fesses par terre, entre ses pieds écartés).

> En raison de sa position dans l'utérus durant la grossesse, on pourrait aussi observer chez Philippe une **torsion tibiale interne**, c'est-à-dire une rotation de l'os du devant de sa jambe vers l'intérieur, entre son genou et sa cheville. Cette condition s'estompe naturellement jusqu'à l'âge de 18 mois. Les mêmes recommandations s'appliquent ici concernant sa position assise. Surveillez aussi sa position couchée : il ne devrait pas dormir recroquevillé sur le ventre avec ses genoux sous lui.

> Une autre «déformation» secondaire à son séjour dans l'utérus de maman est ce que nous appelons le **metatarsus adductus**. La plupart du temps, les deux pieds sont touchés. L'avant-pied dévie vers l'intérieur et forme un C, mais reste souple. À nouveau, tout rendre dans l'ordre au cours des trois premiers mois de vie.

> Le **pied bot** se différencie du **metatarsus adductus** en ce qu'il est une déformation rigide du pied présente dès la naissance. On ne connaît pas la cause de cette malformation, qui nécessite l'intervention d'un orthopédiste. Heureusement, le pied bot peut être corrigé afin de lui rendre sa mobilité et la possibilité de porter des chaussures normales.

Pieds vers l'extérieur

> Vous avez l'impression que votre Philippe, qui fait ses premiers pas, passe une audition pour incarner le prochain Charlot? Et si je vous disais que tous les bambins du même âge passent aussi l'audition? Effectivement, lorsqu'il apprend à se tenir debout et à marcher, notre aventurier n'a pas beaucoup d'équilibre. Il écarte donc les jambes et les tourne vers l'extérieur afin d'être plus stable. Cette position disparaîtra avec l'expérience.

> On parlera de pieds en **valgus** ou en **calcaneovalgus** chez le nouveau-né dont les pieds pointent vers l'extérieur. C'est une déformation se corrigeant seule en quelques mois dans la majorité des cas, mais pouvant nécessiter des plâtres correcteurs dans certaines situations.

Pieds plats

Si je m'amusais à faire retirer les chaussures de tous les parents qui viennent dans mon bureau, je trouverais des pieds plats chez une personne sur cinq... Et je suis persuadée que vous n'en aviez aucune idée, tout simplement parce que cela ne vous gêne pas du tout.

Selon vous, Philippe a les pieds plats? Faites l'exercice suivant: demandez-lui de se mettre sur la pointe des pieds. Si l'arche plantaire réapparaît, il s'agit d'un **pied plat physiologique** présent chez la majorité des enfants. Aucune orthèse n'y changera quoi que ce soit, si ce n'est que ses souliers s'useront un peu moins vite. **Si Philippe se plaint de douleur ou se fatigue rapidement à la marche, alors il vaut mieux consulter.**

....

Pieds creux

Le pied creux, beaucoup plus rare, reste plus problématique et s'associe parfois à une maladie neurologique. **Dans tous les cas, l'enfant doit être évalué en neurologie et en orthopédie.**

....

Sur la pointe des pieds

Philippe est passé de Charlot au *Lac des Cygnes*... Décidément...

Ce type de démarche n'a rien d'anormal chez le jeune enfant en apprentissage de la marche et peut parfois persister au-delà de cet âge. Si Philippe arrive à poser ses talons au sol lorsque vous le lui demandez et ne semble aucunement limité dans ses acrobaties au parc, ne vous inquiétez pas. Si cette tendance «ballerine» se maintient quelques mois, demandez à votre docteur de vérifier si tout semble évoluer normalement et si les muscles

de ses mollets ou ses tendons sont assez souples.

Consultez

Je viens de passer en revue les conditions que je rencontre le plus fréquemment dans ma pratique. Cependant, quelques signaux d'alarme nécessitent une consultation.

Consultez si:
> Philippe se plaint de douleurs fréquemment;
> Philippe semble vite se fatiguer à la marche;
> une nouvelle déformation apparaît graduellement;
> vous n'arrivez plus à le chausser adéquatement;
> tombe et trébuche fréquemment et sans raison;
> Philippe ne semble pas progresser normalement dans ses habiletés à se déplacer.

PIPI AU LIT (énurésie)

Philippe a six ans et il mouille « encore » son lit. Il n'a jamais passé une semaine complète sans qu'un changement nocturne intégral pyjama/draps ne soit nécessaire. Vous vous exclamez : « Encore ! » Mais Philippe, lui, ne semble pas voir où est le problème. Et, honnêtement, c'est lui qui a raison.

Le terme médical pour «pipi au lit» est **énurésie nocturne**, qu'on définit par la persistance d'un lit mouillé plus d'une fois par semaine après l'âge de cinq ans. Et malgré le fait que certaines grandes personnes en fassent une maladie, ce n'en est pas une, c'est une variation normale de la maturation du contrôle vésical.

Je sais... Maladie ou pas, vous êtes quand même en train de faire une lessive à 3 h du matin, deux à trois fois par semaine. Vous attendez tout de même une explication du «pourquoi nous», histoire de mieux digérer l'idée.

QU'EST-CE QUI SE PASSE ?

> Votre propre histoire est un élément déterminant dans l'équation... À quel âge avez-vous cessé de mouiller votre lit? Si papa ou maman ont tardé à avoir des nuits sèches, Philippe a 45 % de chances de suivre la même tendance. Si vous êtes tous les deux des «retardataires», on augmente à 75 %.

> C'est ici que l'expression «dormir comme une bûche» prend tout son sens. Votre Philippe a besoin d'une magnitude de 7 sur l'échelle de Richter pour se réveiller? (Il y a là des avantages, remarquez...) En fait, Philippe ne ressent tout simplement pas l'envie d'uriner: il dort trop «dur». Mais ça viendra, pas de soucis.

> Le plus probable, c'est que le développement neurologique de Philippe ne présente rien de plus qu'une maturation un peu plus lente. Et alors? Rien de grave! Et cela n'a rien à voir avec des troubles d'ordre psychologique. Il finira par atteindre cette maturité qui vous donnera moins de lavage, promis.

À FAIRE

On règle ça comment? Cette question n'est pas la bonne, essayez plutôt: «On règle ça quand?»

Le temps sera venu d'agir lorsque ça commencera à déranger Philippe, et non les adultes qui l'entourent. Pas avant. Le succès des interventions dépend en grande partie de sa motivation à régler le «problème». Le pipi au lit devient effectivement un problème quand il pèse dans la balance de l'estime de soi et de l'humeur de votre grand garçon : s'il est gêné, honteux et refuse d'aller dormir chez un ami ou de partir au camp, il est temps d'intervenir.

Avant toute chose, on lâche prise. Le temps va naturellement et graduellement faire progresser les choses dans la bonne direction. Pour vous donner un ordre de grandeur, à l'âge de cinq ans, 15 enfants sur 100 présentent de l'énurésie nocturne. La proportion diminue à 1 sur 100 à 15 ans. On rassure donc notre amour : il n'est pas tout seul à vivre cette réalité.

Pour mettre toutes les chances de son côté :
> On passe à la toilette avant le dodo.
> On évite les grandes quantités de liquides en soirée et on essaie de ne rien boire une heure avant de se coucher (nul besoin de vous expliquer les vases communicants…).
> Tout ce qui contient de la caféine est à proscrire, par exemple le cola.
> La nuit, l'accès à la salle de bain ne doit pas représenter une course à obstacles : on laisse la voie libre, on installe une veilleuse, on met à Philippe un pyjama facile à enlever et une culotte de propreté ou une couche d'entraînement de type Pull-Ups.
> On évite à tout prix la constipation, car un intestin qui fait pression sur la vessie de Philippe ne sera d'aucune aide.

Même durant la journée, Philippe a toujours mieux à faire que d'aller aux toilettes… On chasse ces mauvaises habitudes et on instaure des pauses pipi régulières. Un petit truc pour la maison : faites-lui porter une montre programmée qui sonne aux heures (mais évitez qu'elle sonne à l'école, car le professeur de Philippe n'appréciera pas).

Faites participer Philippe au projet nettoyage du petit matin, **sans le culpabiliser**. Ce n'est pas sa faute, et il ne le fait pas exprès. La nuit, ne vous battez pas avec un Philippe tout mouillé s'il dort profondément. Laissez-lui une grande serviette et un pyjama sec pour qu'il puisse se changer au besoin.

Instaurez un système de renforcement positif, c'est-à-dire un calendrier des progrès où Philippe indique les nuits sans incontinence. Évidemment, mettez une carotte au bout du bâton: une récompense suivra au bout d'un nombre prédéterminé de nuits sèches.

Consultez
Si Philippe:

> en a marre et n'a plus la patience d'attendre que le temps fasse son œuvre. Parlez-en alors à votre médecin;

> a été propre pendant un bon moment et que, soudainement, il ne l'est plus;

> ne s'échappe pas que la nuit, mais aussi le jour;

> se plaint de douleurs ou de brûlures quand il urine;

> urine très fréquemment, au point de nuire à sa vie quotidienne et à la vôtre;

> présente aussi des pertes de selles dans ses sous-vêtements.

Quel est le traitement?

> La seule véritable méthode pour accélérer un peu la maturation neurologique de son système «alarme pipi» est l'instauration d'un système de conditionnement: Philippe portera la nuit un sous-vêtement spécial «sans fil», qui a tout à fait l'allure d'un caleçon des plus ordinaires. Un signal sonore sera émis dès que votre grand garçon laissera échapper la moindre goutte d'urine dans cette culotte. Si tout va bien, Philippe se réveillera alors, arrêtera d'uriner et poursuivra sa besogne à la salle de bain. Ne vous découragez pas si, au départ, tout le monde se réveille sauf Philippe. Ce traitement demandera effectivement une participation active des parents, mais il fait généralement ses preuves en à peu près quatre mois. Et surtout, ne craignez rien: votre amour ne recevra pas de décharge électrique avec ce système!

> Il existe aussi un médicament, le DDAVP, ou desmopressine, utilisé dans le traitement de l'énurésie nocturne. Il diminue la production d'urine au cours de la nuit. Il est pris le soir, au moment du coucher, sous forme de comprimés qui fondent dans la bouche. Évidemment, il est très fréquent que les nuits mouillées reviennent aussitôt qu'on arrête ce médicament. Dans ma pratique, je l'utilise donc surtout comme «mesure d'urgence» lorsque Philippe doit aller quelques jours au camp ou en visite chez un ami.

Piqûre d'insecte

C'est toujours les mêmes dans la famille qui se font bouffer tout rond par les moustiques : papa et Philippe. Mais chaque fois, les piqûres de Philippe prennent une dimension démesurée. L'autre jour, sa main est devenue toute gonflée. Il est vrai qu'il entretient le tout en y allant allégrement côté grattage, mais tout de même. Cette fois-ci par contre, ça dépasse votre seuil de tolérance : son visage fait compétition à celui de Rocky après son combat... enfin presque. Peut-il être allergique ?

Qu'est-ce qui se passe ?

Tout le monde se fait piquer l'été par l'une ou l'autre de ces charmantes bibittes : moustiques, mouches noires, abeilles, guêpes, fourmis... Vous connaissez donc tous les plaisirs que peuvent procurer ces petites bosses rouges qui vous rendent fous au milieu de la nuit, après un week-end au camping.

Mais que faire quand petite bosse rouge devient grosse bosse rouge ? Philippe peut développer une réaction inflammatoire assez impressionnante autour de la morsure sans que ce soit une réaction allergique ou dangereuse pour lui. Et plus les tissus touchés sont mous et souples, plus ils gonflent (une paupière, par exemple)! J'en conviens, ça donne un air spectaculaire à l'œil de Philippe, mais il reprendra rapidement son aspect normal. Faites le test… Malgré l'ampleur saisissante du gonflement, Philippe ne ressent que très peu de douleur au site de la piqûre lorsque vous y touchez.

À FAIRE

Vendez votre stock de camping et ne sortez plus de l'été! Non! C'est une blague…

Philippe a été piqué…

> Appliquez sur la piqûre des compresses froides ou de la glace dans un linge humide; vous diminuerez ainsi le gonflement.

> Si Rocky a déjà fait son apparition, donnez un antihistaminique (p. ex.: du Benadryl), mais attendez-vous à ce que votre boxeur somnole un peu…

> Tentez de limiter les dégâts du grattage en gardant les ongles de Philippe courts et propres.

PRÉVENONS !

Protégez Philippe des piqûres :

> avec une moustiquaire sur la poussette de bébé;

> avec des vêtements longs (s'il ne fait pas 40 °C et que votre coco ne sue pas à grosses gouttes).

> En gardant en tête que les moustiques sont particulièrement actifs tôt le matin et à l'heure de l'apéro.

> En évitant les vêtements de style hawaïen colorés et fleuris, pour ne pas attirer nos amies butineuses.

Les insectifuges à base de DEET sont efficaces, mais prenez certaines précautions :

> Pas d'insectifuge contenant du DEET avant l'âge de six mois.

> Évitez d'en mettre sur les petites mains, car elles vont immanquablement vers la bouche et les yeux.

> De 6 mois à 2 ans, utilisez un insectifuge avec une concentration maximale de 10 % de DEET, une seule fois par jour.

> De 2 à 12 ans, même concentration maximale de 10 % de DEET, mais jusqu'à trois fois par jour.

> Après l'âge de 12 ans, tolérez une concentration maximale de 30 % de DEET.

Philippe présente des symptômes d'allergie sévère de type anaphylactique :

> s'il devient rouge et que son visage, son cou, ses yeux et ses lèvres gonflent ;

> s'il a des démangeaisons intenses ou des plaques d'urticaire ;

> s'il respire rapidement et difficilement, s'il tousse sans arrêt ou si sa respiration est sifflante ;

> s'il n'arrive plus à avaler, s'il a la langue gonflée, s'il ne peut plus parler ou s'il semble s'étouffer ;

> si son cœur bat très rapidement ;

> s'il a le teint pâle et les extrémités froides, s'il n'est plus réactif comme d'habitude ou s'il perd connaissance.

En attendant l'ambulance, administrez-lui immédiatement une seringue d'**épinéphrine** de type **Epipen** s'il en possède une.

CONSEIL DE MAMAN

Dehors, aspergez d'insectifuge les vêtements des enfants avant de les habiller, et aspergez même la moustiquaire qui recouvre la poussette ou le parc.

PLOMB

Philippe a 11 mois. Il a constamment les doigts dans la bouche. Vous êtes découragé – et parfois un peu paniqué, avouons-le –, de voir Philippe ingurgiter tout ce qui lui tombe sous la main, du minou de poussière du coin au contenu du bol de Minou, le vrai...

Vous vous êtes assuré qu'il n'a accès à rien de nocif, mais, malheureusement, ce n'est parfois pas dans ce qui vous semble le plus toxique que résident les poisons. C'est le cas du plomb.

En général, le plomb s'accumule sournoisement dans plusieurs organes du corps de notre petit explorateur, y compris son cerveau. Il en découle des troubles d'apprentissage et de comportement. À des concentrations supérieures, une intoxication chronique au plomb peut engendrer de l'anémie, des maux de tête, des maux de ventre et une perte d'appétit et de poids.

Philippe n'a pourtant pas mangé tous les crayons à mine qui traînent dans le fond du sac d'école de sa grande sœur! Ça ne serait d'ailleurs même pas grave, puisque le «crayon de plomb» ne contient, soit dit en passant, que du graphite tout à fait inoffensif.

Prévenons!

Où le plomb se cache-t-il?

> **Dans l'eau du robinet**, si la tuyauterie de votre maison comprend des soudures au plomb. Laissez toujours couler l'eau du robinet une bonne minute avant de l'utiliser pour la consommation et faites vos préparations à partir d'eau froide du robinet, car l'eau chaude dissout mieux le plomb des tuyaux.

> **Dans le sol**, principalement à proximité des fonderies, des ponts et des autoroutes.

> **Dans l'air**, entre autres dans la fumée de cigarette.

> **Dans la vieille peinture**, car le plomb a été utilisé comme pigment dans la peinture jusque dans les années 1960. La vieille peinture qui s'écaille et qui se retrouve au sol en petits flocons peut devenir attirante pour les papilles gustatives de Philippe. Lors de rénovations, cette peinture peut aussi se retrouver sous forme de poussières en suspension dans l'air de votre demeure.

> **Dans l'artisanat**, par exemple dans la vaisselle importée, car les vernis contiennent parfois du plomb qui se dissout dans les aliments, particulièrement si ces derniers sont chauds ou acides.

> **Dans d'autres sources**, comme les plombs de pêche, les vitraux et certains bijoux de mauvaise qualité.

En cas de doute, parlez-en avec votre médecin. Un dosage de plomb dans le sang pourrait vous rassurer.

PNEUMONIE

Après la salle d'attente de l'urgence, une première évaluation et un petit tour en radiologie, le diagnostic tombe comme une tonne de briques : Philippe fait une pneumonie. Pour avoir vu la réaction de plusieurs parents à cette annonce, je constate que le mot en soi fait grimper votre tension artérielle. Pourtant, dans un pays comme le nôtre, au cours d'une année, 1 enfant de cinq ans et moins sur 20 en développera une. Ce n'est donc pas si exceptionnel, et pour votre Philippe qui est en bonne santé par ailleurs, ça ne sera qu'une petite parenthèse de quelques jours, où il sera, disons, moins tourbillonnant.

Qu'est-ce qui se passe ?

Le terme pneumonie réfère à une **infection du poumon**. Elle peut être causée par un virus, comme celui de la grippe, ou par une bactérie, comme le pneumocoque.

La pneumonie peut bien sûr affecter Philippe, un petit bonhomme en pleine santé. Cependant, certains enfants présentent plus de risques de contracter une telle infection, principalement ceux ayant déjà un système respiratoire plus «fragile» : l'asthme, la prématurité, la fibrose kystique ou un déficit immunitaire peuvent en effet prédisposer à une telle infection.

Quels sont les signes ?

Bien souvent, tout débute par un rhume aux allures banales. Après quelques jours, au lieu de s'améliorer, la condition de Philippe semble prendre une mauvaise allure et allume votre petite voix qui dit : «Consulte donc, ça ne semble pas normal.»

Les principaux signes de la pneumonie :

> de la fièvre et de gros frissons ;

> de la toux depuis quelques jours ;

> une respiration plus rapide et plus bruyante que d'habitude ;

> une douleur au ventre ou au thorax ;

> un état d'abattement, de fatigue ;

> une perte d'appétit.

CONSULTEZ

Si vous soupçonnez une pneumonie. Une radiographie pulmonaire reste souvent essentielle pour confirmer le diagnostic. Je sais que vous n'êtes pas toujours très chaud à l'idée de l'exposition aux rayons X, mais je peux vous assurer que la dose de radiation utilisée est minime et tout à fait sécuritaire. L'image radiologique demeure importante ici non seulement pour appuyer le diagnostic, mais aussi pour évaluer la réponse au traitement si Philippe ne devait pas réagir adéquatement.

À BAS LES MYTHES !

Ce n'est pas vrai que Philippe a attrapé une pneumonie parce qu'il n'a pas mis sa tuque… Il n'y a aucune raison de cultiver cette culpabilité.

À QUOI S'ATTENDRE ?

Il n'est malheureusement pas écrit sur le front de votre chéri, ni souvent sur sa radiographie des poumons, s'il s'agit d'une pneumonie d'origine virale ou bactérienne. Vous ressortirez donc fort probablement du bureau du docteur avec une prescription d'antibiotiques à donner à Philippe pour une dizaine de jours.

Philippe retrouvera un peu d'entrain et d'appétit après deux jours d'antibiotiques, surtout si on est face à une pneumonie bactérienne. L'amélioration dans le cas d'un virus se fera un peu plus attendre, mais ne devrait pas dépasser cinq à sept jours.

Même si Philippe va mieux avant la fin de la durée prévue de son traitement et même si l'administration dudit traitement demande presque une camisole de force, pas le choix, on le termine.

On garde notre chaton tranquille à la maison, on l'hydrate bien et on lui donne de l'acétaminophène pour son confort. Les médicaments contre la toux? Inutiles et, à la limite, nuisibles.

Bien sûr, on évite de partager les microbes en se lavant bien les mains et en limitant les élans soudainement passionnés avec ses frères et sœurs.

ÇA VA MOINS BIEN

On consulte à nouveau :

> si la fièvre persiste au-delà de deux à trois jours de traitement ;

> si Philippe respire plus difficilement, présente un sifflement respiratoire ou du tirage entre ses côtes ;

> s'il est incapable de s'hydrater adéquatement ;

> s'il ne tolère pas les antibiotiques prescrits ;

> si l'état de votre chaton se dégrade au lieu de s'améliorer.

POUX

Cauchemar... L'escouade antipoux de l'école de Philippe vient de vous laisser un message dans votre boîte vocale. Vous devez de ce pas aller chercher votre prince, qui, de toute évidence, s'est fait de nouveaux amis. Vous angoissez déjà à l'idée de passer les prochains jours à aseptiser votre maison au grand complet...

Les poux de tête sont des parasites gênants, certes, mais rien ne sert d'en faire une maladie!

QU'EST-CE QUI SE PASSE ?

Tout d'abord, apprenons à connaître nos locataires.

› Les poux sont de minuscules êtres à six pattes, pas plus gros qu'une graine de sésame, qui vivent très près du cuir chevelu et qui se déplacent rapidement.

› Ils se transmettent par contact de tête à tête et, moins fréquemment, par l'intermédiaire d'objets personnels tels que casquette, brosse à cheveux, literie, dossier de sofa, etc.

› Ils pondent de six à huit œufs par jour, qu'on nomme **lentes** et qu'on retrouve collés à la base des cheveux (contrairement aux pellicules, qui se délogent aisément), à environ 1 cm du cuir chevelu.

› Les lentes vivantes, luisantes et grisâtres, de la taille d'un grain de sucre, se distinguent des lentes mortes, plus blanchâtres et sèches.

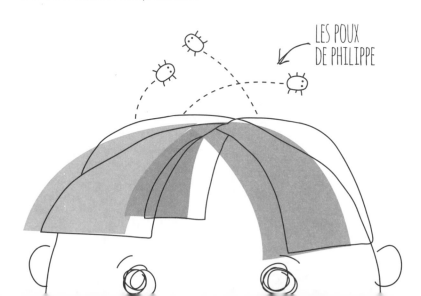

LES POUX DE PHILIPPE

QUELS SONT LES SIGNES ?

> Ce n'est pas parce qu'on retrouve des lentes sur la tête de Philippe qu'il est infesté de poux, mais c'est un bon indice! Il faut cependant trouver un pou vivant pour conclure à une infestation active et procéder au traitement avec les shampoings ou après-shampoings appropriés.

> Les poux peuvent envahir toutes les têtes qui possèdent des cheveux. Aucune discrimination! Et de grâce, ne culpabilisez pas: ce n'est pas une question d'hygiène...

> Il n'y a pas toujours de démangeaisons associées à une infestation.

À FAIRE

> Le shampoing ordinaire de Philippe n'aura aucun effet sur les poux. Si vous avez mis en évidence un de nos charmants amis vivants sur la tête de votre chou, il vous faudra d'abord et avant tout utiliser un traitement approprié pour l'âge de Philippe, traitement que vous trouverez facilement en pharmacie, sans ordonnance. Plusieurs options sont offertes et votre pharmacien saura vous guider adéquatement. Je vous suggère fortement de répéter le traitement une semaine plus tard, histoire d'éradiquer les intrus qui vous auront échappé lors de votre recherche d'œufs vivants...

> Il est possible que les poux auxquels vous avez affaire soient «d'irréductibles Gaulois»... Si vous observez des poux vivants dans les 48 heures suivant le traitement, vous devrez recommencer le processus en utilisant un autre produit.

> Bon, c'est là que le plaisir commence... La seule façon de vraiment vous débarrasser de vos envahisseurs est de retirer méticuleusement chaque lente des cheveux de Philippe à l'aide d'un peigne conçu à cet effet. Inspectez sa chevelure mèche par mèche et décollez chaque lente avec le peigne, une pince à épiler ou vos ongles... Je sais, ce dernier conseil ne vous enchante pas du tout, et Philippe non plus.

À BAS LES MYTHES !

> Toutou a transmis des poux à Philippe. **Non!** Les poux ne vivent pas sur nos animaux domestiques.

> Les poux sautent et volent. **Non plus...** Dieu merci!

> Vous devrez nettoyer de fond en comble TOUTE la maison. **On se calme...** Les poux ne vivent pas plus de 48 heures loin d'un cuir chevelu: ne nettoyez que les vêtements, serviettes et literie utilisés lors des derniers jours.

> J'aimerais bien vous dire qu'il existe certains remèdes maison efficaces... Désolée! Mayonnaise, huile d'arbre à thé, huile essentielle de lavande ou de romarin et vaseline ne feront pas très peur aux parasites de la tête de Philippe.

> Les shampoings et après-shampoings médicamenteux contre les poux tuent aussi toutes les lentes... **Malheureusement non** ; il faudra donc vous armer de patience et bien suivre les directives énoncées ci-dessous (Prévenons!) si vous voulez gagner la bataille.

PRÉVENONS !

Ça y est! La visite est partie et vous ne souhaitez surtout pas qu'elle refasse irruption chez vous.

> Inspectez régulièrement, environ une fois par semaine, la tête de Philippe.

> Si votre enfant a les cheveux longs, attachez-lui les cheveux.

> Apprenez-lui à ne pas coller sa tête sur celle de ses amis et à ne pas partager ses chapeaux... Même s'il oubliera souvent vos conseils !

> Avertissez immédiatement le milieu de garde ou l'école si par malheur il est de nouveau victime d'une invasion. Il est fort probable qu'un de ses petits camarades aussi ait eu de nouveau droit à la visite.

PRÉPUCE ET SOIN DU PÉNIS

Ce repli de la peau, aussi petit soit-il, est capable de générer de l'anxiété chez bien des parents et vient souvent en tête de liste des questions. Pourtant, le prépuce de Philippe est tout à fait inoffensif et ne devrait pas vous empêcher de dormir sur vos deux oreilles.

La peau mince du prépuce a pour simple mission de protéger la tête du pénis, le gland, en l'enveloppant comme un manchon. Graduellement, cette peau se décollera du gland pour devenir « rétractable », et ce, sans **aucune** intervention de votre part. C'est génial, hein? Et je vais même vous rassurer d'autant plus en vous disant que ce processus peut prendre de 5 à 17 ans! En forçant la dilatation du prépuce, vous risquez de causer des déchirures et des saignements qui, en cicatrisant, pourraient rendre la rétraction impossible... Et rendre tout aussi impossible la tentative d'approcher à nouveau le pénis de Philippe!

À FAIRE

Comment le nettoyer?

> Chez le jeune bébé, comme un petit doigt, tout simplement... Eau tiède, savon doux non parfumé et le tour est joué!

> Une fois que le prépuce devient rétractable, Philippe apprendra à le nettoyer seul: après avoir doucement rétracté son prépuce, il lavera son gland avec de l'eau tiède et un savon doux, il rincera bien et asséchera le tout, sans oublier de toujours remettre la «petite peau» en place.

> Au cours du processus naturel de décollement du prépuce, des cellules mortes peuvent rester prisonnières, s'agglomérer et ainsi former de petites bosses blanchâtres visibles sous la mince peau. Aucun souci: cette substance, appelée **smegma**, finira par être éliminée au fur et à mesure que la rétraction se fera.

Consultez

Si ça brûle
Philippe se plaint que son «pipi brûle». Il semble inconfortable et vous remarquez que le prépuce et le gland sous le prépuce sont rouges et gonflés. Cette condition se nomme **balanite** et se voit très fréquemment chez le garçon qui n'a pas atteint la puberté. Vous réglerez très simplement le problème en donnant des bains tièdes, en nettoyant avec un savon doux et en appliquant deux fois par jour un onguent antibiotique (p. ex.: Polysporin) pendant quelques jours. Si vous ne voyez pas d'amélioration, consultez.

Si c'est trop serré
Si, aux alentours de l'âge de sept ans, le prépuce reste serré et impossible à rétracter, on parle alors de **phimosis**. Votre médecin prescrira probablement une crème à base de corticostéroïdes servant à amollir et à affiner la peau du prépuce pour en faciliter la rétraction. La circoncision reste cependant parfois la seule option.

Si c'est coincé
Philippe a rétracté son prépuce, mais ce dernier ne veut plus revenir en place et reste coincé sous le gland. Votre amour a très mal et le bout de son pénis semble vouloir gonfler. On parle alors de **paraphimosis**. Vous devez **consulter rapidement** afin que la situation soit corrigée.

Circoncision
L'intervention chirurgicale menant à l'ablation du prépuce se nomme **circoncision**. Vous aurez compris que la circoncision est rarement indiquée par une condition médicale. La plupart du temps, elle est pratiquée pour des raisons sociales ou religieuses. Dans ce cas, il est préférable de procéder très tôt, soit quelques jours après la naissance.

La circoncision est une intervention chirurgicale qui comporte de faibles risques, mais des risques tout de même existants: l'anesthésie, la mauvaise cicatrisation, les saignements et la surinfection, sans oublier le plus important: la douleur de votre bébé... Si vous y songez, discutez-en avec votre médecin.

Propreté

Voir aussi Encoprésie

Je n'affectionne pas particulièrement l'expression « entraînement à la propreté » pour petit Philippe : je préfère nettement « entraînement à la patience » pour papa et maman... et grand-maman, et tante Lucie, et la gardienne, et la voisine, alouette... Parce que, bien entendu, tous ont leur opinion sur ladite date fatidique à laquelle Philippe devrait être propre.

On est d'accord : on a tous hâte que ça soit de l'acquis. Malheureusement, vous n'avez aucun contrôle là-dessus. Désolée. Et plus vous insistez, plus ça ira dans le sens contraire.

Si la tendance se maintient, Philippe gravira l'échelon du « propre » entre deux et quatre ans. Il y arrivera principalement non parce que vous l'aurez intensément conditionné à l'être (je n'essaie en rien de vous enlever votre mérite), mais surtout parce qu'il en aura complètement marre de se balader misérablement avec sa couche souillée. Et là-dessus, l'industrie ne vous simplifie pas la tâche en imaginant des systèmes « antifuites » infaillibles et absorbants à la puissance mille.

QU'EST-CE QUI SE PASSE ?

Quelques signes, tout de même, que votre heure de gloire est proche (ou que votre supplice achève).

> Philippe peut garder sa couche sèche quelques heures d'affilée.

> Il est intrigué par ce que vous faites aux toilettes et veut vous imiter.

> Évidemment, Philippe doit avoir le moyen de se rendre au petit pot et de communiquer ses envies : ça facilite la tâche à tout le monde. Ses acquis sur le plan du langage et de la motricité doivent donc rendre l'objectif réalisable.

> Philippe vous indique que sa couche est sale et semble avoir envie d'être changé plutôt rapidement. **Conseil** : soyez moins pressé que lui...

À FAIRE

> On achète un petit pot qu'on place bien en vue dans la salle de bain, à côté de la grande toilette. Pourquoi le « petit pot » ? Parce que Philippe sera beaucoup plus à l'aise de s'y installer seul, qu'il aura ses pieds

bien appuyés au sol et qu'il n'aura ni le vertige ni l'impression de tomber dans le grand trou.

> Le petit pot est très bien dans la salle de bain et devrait de préférence y rester.

> Nul besoin d'expliquer en long et en large à Philippe à quoi doit servir la nouvelle acquisition ; il aura bien vite deviné que c'est une version « junior » de ce que vous utilisez.

> Laissez Philippe le plus souvent possible sans couche autour du petit pot, afin qu'il puisse décider **seul** d'expérimenter la chose. Ne l'invitez pas à s'asseoir dessus et, s'il le fait spontanément, félicitez-le, mais sans sortir les feux d'artifice et la fanfare.

> Les premières fois, il se surprendra lui-même… Mais après quelques expériences plus ou moins réussies, il fera l'association entre l'envie et le résultat. En voyant votre approbation lorsqu'il utilisera son pot, il sera tenté de répéter l'exploit.

> Soyez rusé, profitez des périodes après les repas pour aller faire un petit tour à la salle de bain et lui retirer sa couche. L'intestin de Philippe est alors sous l'effet du **réflexe gastrocolique**, un réflexe encourageant des contractions du gros intestin lorsque l'estomac est plein, favorisant ainsi l'élimination.

> Il y aura des accidents, et vous devrez parfois laver le plancher et les fesses de Philippe. Moins agréable, mais normal. Dans la même foulée, il arrivera que Philippe se mettra les pieds dans les plats, pour ne pas dire ailleurs. Il n'aimait

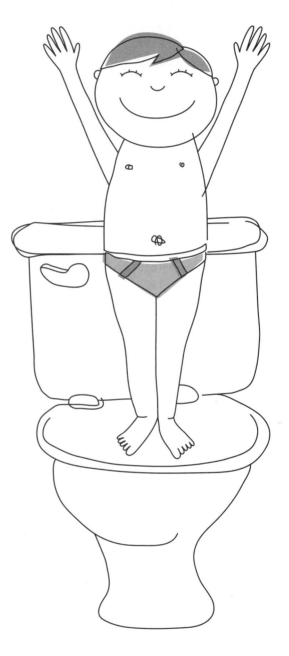

plus la sensation d'avoir le popotin tout sale, et je peux vous assurer qu'il n'aimera pas non plus en avoir plein les souliers! Ça ne fera qu'accélérer son cheminement dans la bonne direction : Philippe préférera dorénavant s'exécuter dans le pot, là où le produit reste bien contenu.

> Avec le temps, Philippe apprivoisera l'art du petit pot, et c'est ici que votre patience sera mise à l'épreuve et que la seule formule gagnante sera celle du laisser-faire. Je n'ai malheureusement pas de boule de cristal, et la vitesse à laquelle cette étape sera atteinte est très variable d'un enfant à l'autre.

> Le petit pot est devenu son ami depuis plus d'une semaine? On file au magasin avec Monsieur acheter des petites culottes de grand qu'il choisira lui même. Graduellement, on remplace le «temps de couche» par du «temps de culotte»...

> Il se peut qu'au cours du processus Philippe vous redemande une couche au moment de s'exécuter. Ne vous y opposez pas. La dernière chose que vous voulez générer, c'est un comportement de je-me-retiens-parce-que-je-ne-veux-pas-aller-sur-le-pot : vous risquez alors d'engendrer un cercle vicieux menant tout droit à la constipation. Si Philippe est assez autonome, mettez à sa disposition une pile de couches d'«entraînement», qui sont, en passant, moins absorbantes que les couches ordinaires (donc plus désagréables une fois pleines). Au moment opportun, il ira de lui-même enfiler

sa couche et trouvera possiblement un petit coin tranquille – loin de votre regard – pour accomplir sa besogne. Il reviendra aussi vite qu'il est parti et vous demandera de le changer. Laissez-le attendre un peu : vous êtes occupé, justement...

> Ça devient trop ardu... Laissez tomber trois ou quatre mois, ça ne vaut pas la peine d'insister.

> En général, Philippe gagnera ses galons dans l'ordre suivant :
1) maîtrise des urines ;
2) maîtrise des selles ;
3) maîtrise la nuit ;
4) et, enfin, maîtrise du «je m'essuie tout seul»...

À NE PAS FAIRE

> La dernière chose dont Philippe a besoin, c'est de pression. Et bien souvent, elle est bien involontaire : promesse de cadeau, histoire du petit garçon qui va sur le pot, LUI, etc.

> Ne forcez pas Philippe à s'asseoir sur le pot s'il n'en a pas envie, dans les deux sens du terme. Il ne comprendra pas ce que vous lui voulez.

> Ne vous fâchez pas si Philippe a un accident, il ne le fait pas exprès.

> Si Philippe n'est pas près du pot et qu'il passe à l'action, inutile de l'attraper au vol et de courir désespérément jusqu'à la salle de bain. Ça ne fera qu'augmenter le stress.

Surtout, ne vous découragez pas... Philippe finira par être propre, pas pour vous faire plaisir, mais bien pour son confort personnel...

PUBERTÉ ET ADOLESCENCE

Philippe a 16 ans. Il vient de rentrer de l'école et, en engloutissant son troisième bol de céréales, il ouvre la porte du frigo et vous lance : « Y'a rien à manger ! » Vous avez fait le marché hier…

Vous êtes en plein dedans… Cette délicieuse et imprévisible période nommée *adolescence*. Un petit conseil dès le départ : tentez de vous replonger quelques minutes par jour dans la vôtre, vous comprendrez alors probablement mieux votre « grand flan mou ».

Pour la cause, j'ai invité Philomène dans le présent article, votre nièce, afin d'aborder le côté féminin des choses.

Philippe

QU'EST-CE QUI SE PASSE ?

Chez le garçon, les changements liés à la puberté commencent entre **10 et 15 ans**, en général un peu plus tard que chez la fille.

Dans l'ordre, on observe habituellement :

> l'augmentation de la taille des testicules, signe d'une production accrue de testostérone, l'hormone masculine avec un grand H (en moyenne vers **12 ans**) ;

> l'augmentation de la taille du pénis (vers **13 ans**) ;

> l'apparition des poils pubiens (de **12 à 13 ans**) ;

> une poussée de croissance (et le budget frigo en conséquence!), accompagnée d'un élargissement des épaules et du développement des muscles (vers **14 ans**) ;

> l'apparition des poils des aisselles et du visage.

D'autres changements, comme l'augmentation de la transpiration, l'apparition d'odeurs corporelles (ça vous étonne?) ainsi que l'acné et la mue de la voix s'ajoutent au tableau.

DESCRIPTION DE L'ADOLESCENT TYPE

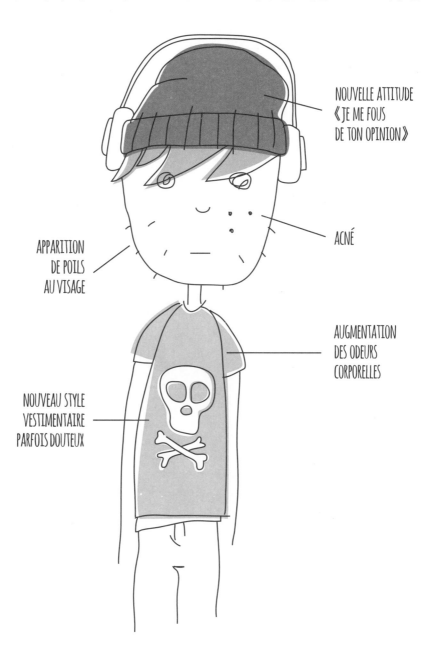

NOUVELLE ATTITUDE
« JE ME FOUS
DE TON OPINION »

ACNÉ

APPARITION
DE POILS
AU VISAGE

AUGMENTATION
DES ODEURS
CORPORELLES

NOUVEAU STYLE
VESTIMENTAIRE
PARFOIS DOUTEUX

Consultez

> Si la puberté s'amorce avant l'âge de 9 ans (**puberté précoce**) ou si rien n'a changé après l'âge de 14 ans (**retard pubertaire**). La plupart du temps, votre médecin vous rassurera, mais un examen physique s'impose, et peut-être quelques tests sanguins et une radiographie bien simple qui permettront de donner un âge aux os de Philippe et de le comparer à son âge réel.

....

Philomène

Qu'est-ce qui se passe ?

Chez la fille, les changements liés à la puberté s'amorcent habituellement (mais pas obligatoirement) entre **8 et 13 ans**.

> L'apparition des seins, qui peut être accompagnée d'une légère sensibilité au toucher et qui est bien fréquemment asymétrique (en moyenne vers **11 ans**);

> L'apparition des poils pubiens (vers **11 ans et demi**);

> Une poussée de croissance, au grand malheur de Philippe qui voit sa cousine du même âge le dépasser (vers **12 ans**);

> L'apparition des poils axillaires, au grand malheur de Philomène, qui ne voit rien là de très réjouissant;

> Les premières règles, qui surviennent environ deux ans après le début de la poussée des seins (en moyenne vers **13 ans**).

Rassurons tout de suite Philomène: bien rares sont celles qui, dès l'apparition de leurs règles, ont un cycle menstruel prévisible et à intervalles constants. Parfois, cela peut prendre deux, trois, voire cinq ans avant d'avoir un cycle régulier. Deux ans après l'apparition des règles, la croissance ralentit très significativement. Philomène n'est pas non plus à l'abri des problèmes de peau, mais pas de mue de la voix prévue pour elle... Dieu merci.

Consultez

Si la puberté s'amorce avant l'âge de **8 ans** (**puberté précoce**) ou si rien n'a changé après l'âge de **13 ans** (**retard pubertaire**). La conduite sera alors sensiblement la même que pour Philippe, c'est-à-dire un examen physique complet et la possibilité d'analyses sanguines et d'une radiographie pour déterminer l'âge osseux.

À faire

Vous avez la nette impression qu'ils vous fuient comme la peste? Voici quelques conseils pour vous aider à mettre fin au «silence radio».

> Sans leur tordre le bras, prévoyez du temps pendant lequel la famille sera réunie: repas du soir, activités sportives, vacances… Il sera ainsi plus facile de discuter et de maintenir les liens. Vos ados doivent garder leur place au sein de la cellule familiale.

> Répondez à leurs questions, n'évitez pas les sujets délicats qui les inquiètent – et il y en aura – et restez honnêtes dans vos réponses.

> Parlez avec eux, essayez de comprendre leurs points de vue, intéressez-vous à leurs arguments, ne les jugez pas, ne discréditez pas leurs opinions… Et ne les sermonnez pas. Vous avez cependant tout à fait le droit d'exprimer vos inquiétudes et d'établir vos limites, vos règles, et d'énoncer les conséquences possibles s'il y a des dérogations aux balises établies.

> Respectez vos promesses et restez discret lorsqu'ils vous confient quelque chose. Préservez la confiance qu'ils vous ont témoignée.

> Ne vous éternisez pas lors d'une discussion, car vous risquez de perdre leur intérêt.

> Pas toujours évident, mais restez calme… Et quand vous voyez que ça dégénère et que l'émotivité prend le dessus, prenez une pause et attendez que tout le monde soit plus zen…

> Vous pouvez aussi leur ouvrir une autre porte, celle de parler avec quelqu'un de confiance: un membre de la famille, un ami proche ou… leur docteur. Au Québec, à partir de l'âge de 14 ans, un jeune peut consulter un médecin, en toute confidentialité et sans nécessairement que ses parents soient au courant du motif de la consultation.

BON À SAVOIR

Le terme «crise d'adolescence» est un peu péjoratif comme dénomination, non? Un peu normal que nos deux grands, devant autant de transformations physiques et hormonales, ressentent des modifications de leurs sentiments, intérêts, émotions, priorités et humeurs! Le cerveau et la pensée se modifient aussi à cet âge, tout autant que le corps.

C'est l'époque de la quête de l'identité et de l'autonomie. C'est l'époque où s'intégrer à la «gang» est une priorité et où ce groupe d'amis possède LA vérité, LA façon de faire, LA façon de paraître, bref LA référence en tout point. C'est l'époque du «je teste mes limites», mais aussi du «je teste TES limites»! C'est l'époque des grandes questions... Et même si vous avez parfois (souvent) l'impression que votre opinion n'a pas plus de valeur que celle de votre poisson rouge pour Philippe et Philomène, vous vous trompez royalement.

La voie de communication doit rester accessible: Philippe et Philomène doivent savoir que vous êtes là pour les écouter s'ils ont besoin de vous. Le défi, c'est de leur montrer votre disponibilité tout en respectant leur bulle.

COMME
Raphaëlle

RÉGURGITATIONS

Voir aussi Vomissements

Si vous pensez trouver ici le remède miracle pour diminuer de façon substantielle le nombre de brassées de lavage que Raphaëlle vous donne à faire, vous allez malheureusement être un peu déçu.

QU'EST-CE QUI SE PASSE ?

Les régurgitations font partie de la vie de tout bébé normal, et par le fait même de tous les parents. Au bout de l'**œsophage**, le tuyau qui relie la bouche de Raphaëlle à son estomac, existe une structure nommée **sphincter**. Cette dernière agit comme un «bouchon» afin que le contenu de l'estomac ne ressorte pas, entre autres, lorsque papa décide de mettre Raphaëlle la tête en bas pour la faire rire. Cependant, chez une grande proportion des bébés (pour ne pas dire la quasi-totalité), ce petit clapet n'est pas encore tout à fait efficace et laisse remonter ce que votre collègue de travail a remarqué sur votre épaule ce matin. Certains enfants prendront plus de temps à roder ce sphincter que d'autres, mais en règle générale, les fuites diminuent significativement après six mois et disparaissent quand Raphaëlle se tient debout, soit vers l'âge de un an.

BON À SAVOIR

La différence entre régurgitation et vomissement

> Raphaëlle rejette quelques gorgées de son biberon sans effort, quelques minutes à quelques heures après le boire, et sourit immédiatement après? **Régurgitations.**

> Elle a perdu son entrain et le contenu de son estomac vous semble sortir horizontalement et avec effort? **Vomissements.**

Tout va bien

Si Raphaëlle régurgite, mais :

> qu'elle boit bien et prend bien du poids ;

> qu'elle ne pleure pas de façon excessive ;

> qu'elle n'a pas de difficulté à respirer ;

> qu'elle se développe normalement et garde son sourire.

À faire

Vous pouvez toujours tenter de diminuer votre consommation de détersif :

> en évitant d'attendre que bébé soit affamé avant de le nourrir. Il boit alors trop vite, avale sa tasse d'air et risque de ressortir le tout en un temps record.

> en ne négligeant pas le rot, dans la mesure du possible. Si après dix minutes vous n'avez rien obtenu, ne vous entêtez pas.

> en ne forçant jamais votre puce à terminer son biberon. Les trop-pleins restent la cause numéro un des flaques sur votre divan.

> en appliquant un truc de grand-mère qui vous semblera bien logique : épaissir le lait de votre princesse. On ajoute une cuillerée à thé de céréales de riz sèches pour 30 ml (1 oz) de lait. N'oubliez pas d'agrandir un peu le trou de la tétine, sinon vous risquez de vous attirer la colère de mademoiselle. Lorsqu'on retourne le biberon, il devrait s'écouler environ une goutte par seconde. Attendez que votre puce ait au moins quatre mois avant de lui servir cette mixture...

> en couchant Raphaëlle avec la tête un peu surélevée, par exemple en plaçant un oreiller **sous le matelas** de son lit. La position du dodo sur le ventre semble aider certains bébés. Cependant, je décourage d'adopter cette position, considérant le risque du syndrome de mort subite du nourrisson qui y est lié.

CONSULTEZ

Si Raphaëlle :

> refuse de boire ou semble avoir de la douleur en s'alimentant ;
> pleure et est irritable ;
> ne prend pas le poids qu'elle devrait ;
> a des régurgitations qui contiennent parfois du sang ;
> a une respiration qui est parfois laborieuse et sifflante.

Si Raphaëlle présente ces symptômes, votre médecin vous proposera probablement de pousser un peu l'investigation chez elle afin de confirmer un diagnostic de **reflux gastro-œsophagien**. La pH-métrie est un examen qui permet de valider cette condition lorsqu'il existe un doute. Une médication visant principalement à diminuer l'acidité dans le petit estomac de votre puce pourrait être utilisée pendant quelque temps.

CONSULTEZ IMMÉDIATEMENT

Il existe une autre condition qui nécessite une attention immédiate : la **sténose du pylore**. Il s'agit d'une obstruction à la sortie de l'estomac empêchant graduellement le lait de passer dans l'intestin. Cela survient chez le très jeune bébé, habituellement de l'âge de 2 à 4 semaines. Raphaëlle passera rapidement des régurgitations aux vomissements en jets après chacun de ses boires. Une intervention chirurgicale est alors nécessaire.

CONSEIL DE MAMAN

Écoutez votre petite voix…

• •

RESPIRATION DIFFICILE

(détresse respiratoire)
Voir aussi Allergies respiratoires, Asthme, Bronchiolite, Empoisonnement, Laryngomalacie, Mal de gorge, Pneumonie *et* Respiration sifflante

Si vous lisez cet article, je suppose que Raphaëlle vous inquiète.

QU'EST-CE QUI SE PASSE ?

Selon son âge, Raphaëlle peut avoir des difficultés à respirer pour diverses raisons. Évidemment, vous aurez compris que certaines causes, comme l'**empoisonnement** ou l'**allergie sévère**, ne dépendent pas de l'âge. Vous trouverez plus d'informations dans les articles de ce livre traitant de ces conditions. Pour le reste, voici quelques renseignements qui vous aideront à évaluer la situation.

De 0 à 2 ans :

> **Pneumonie** : présence, depuis quelques jours, de toux, de fièvre, d'une respiration rapide et d'une petite Raphaëlle, auparavant en pleine forme, affaissée et irritable.

> **Aspiration d'un petit objet ou d'un aliment** : étouffement très soudain accompagné de toux, de bruits respiratoires, d'une salivation importante et d'une coloration bleutée des lèvres.

> **Laryngite** : stridor (inspiration bruyante), toux qui ressemble à un aboiement, voix éteinte ou rauque et fièvre.

> **Bronchiolite** : nez qui coule, toux, congestion, respiration sifflante, un peu de fièvre et difficulté à boire chez les tout-petits.

> **Laryngomalacie** : stridor (inspiration bruyante) constant et apparaissant peu après la naissance, qui s'aggrave lors d'un rhume, par exemple.

2 ans et plus :

> **Asthme** : respiration sifflante surtout à l'expiration, toux récurrente la nuit ou lors des efforts physiques, sensation d'être oppressé, histoire d'asthme ou d'allergies dans la famille.

> **Empoisonnement** : réaction abrupte, souvent accompagnée de vomissements (et, règle générale, vous suspectez l'ingestion d'un poison potentiel).

> **Réaction allergique sévère** : gonflement du visage, urticaire, démangeaisons ou maux de ventre immédiatement après une exposition à un aliment allergène ou à une piqûre d'insecte.

> **Fibrose kystique** : retard de croissance, problèmes respiratoires persistants, infections respiratoires à répétition.

> **Pharyngite sévère** : mal de gorge, difficulté à avaler, diminution de l'appétit, fièvre et parfois mal de tête, mal de ventre et vomissements (lorsque la gorge est très enflée, Raphaëlle peut avoir peine à respirer).

CONSULTEZ EN URGENCE

Si Raphaëlle présente un ou plusieurs des symptômes suivants :

> Elle semble avoir de la difficulté à faire entrer l'air dans ses poumons.

> Elle utilise les muscles entre ses côtes pour respirer, si elle fait du tirage (*voir p. 277*).

> Elle a une respiration sifflante, bruyante à chaque inspiration.

> Elle présente un stridor (inspiration bruyante) continu, surtout s'il est présent au repos.

> Elle respire plus rapidement que d'habitude, est essoufflée et semble même fatiguée de respirer.

> Elle a les lèvres bleutées.

> Elle a subitement de la difficulté à avaler et bave de façon profuse.

> Elle est amorphe en plus des symptômes respiratoires.

....

Respiration et bruits respiratoires

Vous consultez parce que Raphaëlle fait plus de bruit en respirant que votre vieille voiture. Après la visite, vous avez bien saisi une chose : ce n'est pas inquiétant. Par contre, pour ce qui est du jargon médical utilisé, on repassera. On va tenter de mettre un peu d'ordre dans tout ça et on va même en profiter pour vous rassurer sur certains aspects, histoire de vous laisser ventiler !

TOUT VA BIEN

> À la naissance, Raphaëlle respire uniquement et obligatoirement par son nez, ce qui explique pourquoi une congestion nasale peut tant la gêner. Elle « apprendra » à respirer par la bouche vers l'âge de six semaines.

> Elle éternue plus d'une dizaine de fois par jour? C'est normal et elle n'est pas enrhumée pour autant : c'est un moyen de nettoyer ses petites narines des poussières et des sécrétions.

> Pendant quelques secondes, bébé Raphaëlle respire fort et bruyamment, puis très superficiellement, si bien qu'on a de la difficulté à l'entendre. Raphaëlle passe tout aussi brusquement du mode rapide au mode plus lent et fait même, à l'occasion, une toute petite pause… Aucune inquiétude si elle ne respire pas de façon laborieuse, qu'elle reste bien colorée et qu'elle semble tout à fait détendue. Cette respiration périodique s'estompe vers l'âge d'un mois.

> Raphaëlle se mouche bien à trois ans, elle est douée... et vous aussi! La plupart des enfants ne sont pas très efficaces avant cinq ans.

> Jusqu'à six ans, votre puce utilise beaucoup plus une respiration «abdominale», celle qui fait gonfler son ventre, plutôt que «thoracique», celle qui fait appel aux muscles entre ses côtes...

ÇA VA MOINS BIEN

Respiration sifflante: respiration sifflante en expiration, typiquement entendue dans les cas d'asthme ou de bronchiolite. Ce bruit indique que Raphaëlle éprouve des difficultés à sortir l'air de ses poumons, soit parce que ses voies aériennes sont rétrécies par un spasme, soit parce qu'elles sont partiellement obstruées par des sécrétions.

Sibilances: expiration sifflante, comme dans le cas de la respiration sifflante, mais audible à l'auscultation.

Râle: respiration bruyante et chargée de sécrétions, surtout quand Raphaëlle expire. La toux mobilise les sécrétions et modifie l'intensité des râles entendus.

Stridor: son produit à l'inspiration, comme si Raphaëlle devait respirer soudainement à travers un tuyau serré... et c'est effectivement le cas. On entend un stridor lorsque le larynx, situé dans le cou, est rétréci, par exemple par une inflammation secondaire à la laryngite. Il est important de **consulter** dans ce cas.

Apnée: pause respiratoire. Les causes de l'apnée sont multiples, mais dans tous les cas, **l'enfant doit être évalué**.

Tirage: signe de détresse respiratoire. Le terme décrit bien ce qu'on peut observer: la respiration demande des efforts, et ça «tire» vers l'intérieur du thorax, entre les côtes, au-dessus des clavicules et sous les côtes. Consultez immédiatement.

CONSEIL DE MAMAN

Je me rappelle très clairement avoir guetté de près – du genre, le nez collé dessus – les moindres mouvements et bruits respiratoires de ma première fille, traînant partout avec moi le «moniteur», qui, en bruit de fond, donnait l'impression que bébé était dans une centrale hydroélectrique. Ne vous inquiétez pas, vous n'êtes pas devenu complètement cinglé: on passe tous par là. Mais essayez de dormir un peu! Ça ira mieux avec le deuxième, vous verrez.

RESPIRATION SIFFLANTE

(bruits respiratoires ou wheezing)
Voir aussi Asthme *et* Bronchiolite

Depuis qu'elle fréquente la garderie, Raphaëlle, huit mois, attrape littéralement tout ce qui passe. Cette fois-ci, depuis deux jours, c'est exactement comme si elle avait avalé un petit sifflet... Elle est de bonne humeur, joue, mange et dort bien, mais sa respiration est une vraie symphonie et son nez est comparable aux chutes du Niagara.

QU'EST-CE QUI SE PASSE ?

La respiration sifflante de Raphaëlle, nous l'appelons «wheezing» dans notre jargon. À l'expiration apparaît un sifflement plus ou moins sonore selon le degré d'agitation de Raphaëlle. Règle générale, plus elle s'excite, plus elle siffle. Tout simplement, l'air expiré de ses poumons passe par des chemins un peu plus étroits que d'habitude, d'où le bruit de sifflet. Un peu comme quand vous appuyez sur le tuyau d'arrosage... Il faut comprendre cependant que la respiration sifflante est un symptôme et non une maladie en soi. Symptôme de quoi alors?

Bronchiolite

En plus de la respiration sifflante, Raphaëlle a le nez qui coule, est congestionnée et tousse sans être très fiévreuse. Vous trouvez tout de même qu'elle semble essoufflée et que ça creuse un peu entre ses côtes lorsqu'elle respire. La **bronchiolite** est très fréquente chez les petits de moins de deux ans. Les **bronchioles**, les petites bronches, sont enflammées et obstruées par les secrétions, ce qui explique l'essoufflement et la respiration sifflante. Les grands coupables? Les virus – quoi d'autre? –, particulièrement le **virus respiratoire syncytial** (VRS). Le plus probable est que Raphaëlle se débarrassera doucement mais sûrement de tout ça, mais ne soyez pas étonné si elle tousse pendant deux à trois semaines. On nettoie son nez avec de l'eau saline, parce qu'elle adore ça et vous aussi, et on lui offre souvent à boire.

Asthme

Ça fait déjà deux ou trois fois que Raphaëlle vous sert ce genre d'épisode? Elle a des rhumes qui s'éternisent et vous ne vous rappelez plus qu'elle ait à un moment donné arrêté de tousser? C'est bien possible que l'asthme soit à considérer, surtout s'il y en a dans votre famille ou si d'autres conditions de nature allergique, comme l'eczéma, sont aussi présentes. Si, en plus, Raphaëlle répond bien à l'administration de «pompes», on est sur la bonne piste.

Aspiration probable d'un corps étranger

Ici, on change de discours. Si la respiration de Raphaëlle devient soudainement sifflante alors qu'elle n'a aucun rhume, pas un soupçon de nez qui coule ni la moindre trace de fièvre, elle a peut-être «inhalé» un corps étranger. **Consultez** au moindre doute.

Reflux gastrique

Il peut arriver que le reflux du contenu de l'estomac vers l'œsophage s'associe à une respiration sifflante, même si votre Raphaëlle n'est pas une «régurgiteuse». Dans ce cas, la respiration sifflante aura tendance à être récidivante et peut être même plus prononcée après les tétées. Parlez-en avec son médecin: vous trouverez alors d'autres indices vous permettant de mettre le doigt sur cette condition.

Bien entendu, ce ne sont là que les conditions les plus fréquentes. Il existe d'autres situations où une respiration sifflante peut se manifester.

CONSULTEZ

> Si la respiration sifflante de Raphaëlle se répète ou dure plus d'une semaine, même si votre puce est par ailleurs en pleine forme.

> Si Raphaëlle a des vomissements ou de la difficulté à boire.

> Si vous trouvez que Raphaëlle ne grossit pas bien et qu'elle semble manquer d'énergie.

CONSULTEZ EN URGENCE

> Si Raphaëlle a des difficultés à respirer.

> Si la respiration sifflante survient de façon subite, que vous ayez vu ou non Raphaëlle s'étouffer avec un aliment ou un petit objet.

> Si la respiration sifflante apparaît à la suite de la prise d'un médicament, de la piqûre d'un insecte ou de l'ingestion d'un aliment auquel Raphaëlle pourrait être allergique.

> Si Raphaëlle est pâle ou a les lèvres bleutées.

> Si elle a une forte fièvre, si elle est amorphe ou plus somnolente que d'habitude.

RONFLEMENT,
AMYGDALES ET VÉGÉTATIONS ADÉNOÏDES

Qui aurait pu croire que Raphaëlle, deux ans, ferait compétition à son grand-père lors du rassemblement familial au chalet ? Et pourtant... À deux, ils vous ont donné l'impression d'avoir passé la nuit à la gare de triage. Ça ronfle comme des locomotives ! Je m'abstiendrai ici de donner des conseils pour grand-papa, mais discutons de Raphaëlle.

Le ronflement intermittent et de courte durée, lors d'un rhume par exemple, et qui se volatilise une fois la congestion résolue reste dans le domaine du normal. C'est même mignon à la limite. Mais quand ça devient la règle, ça peut poser problème.

Une des causes assez communes des ronflements chez les petits est l'hypertrophie des **végétations adénoïdes** et des **amygdales**.

QU'EST-CE QUI SE PASSE ?

Les amygdales sont deux protubérances rosées, à l'allure de gomme à mâcher Bazooka, que vous pouvez identifier au fond de la gorge de Raphaëlle, de chaque côté de la luette (petite excroissance pendante, au bout du palais).

Il est impossible de voir les végétations adénoïdes à l'œil nu. Ne les cherchez pas : elles sont cachées à l'arrière du nez, au-dessus du palais. Lorsqu'on veut les évaluer, on procède par radiographie (ce qui, soit dit en passant, ne comporte aucun danger).

Les végétations adénoïdes et les amygdales sont composées de tissus lymphoïdes qui ressemblent beaucoup à ceux des ganglions lymphatiques du reste du corps. Elles sont situées stratégiquement pour réagir aux microbes qui veulent s'infiltrer par le nez et la bouche de Raphaëlle et elles contribuent donc aux défenses immunitaires de votre princesse en stimulant la production d'anticorps (soldats) contre ces microbes (ennemis).

On pense que cette fonction immunitaire s'exerce surtout dans les premières années de vie et que le rôle des végétations adénoïdes et des amygdales s'estompe après l'âge de trois ans.

RRROONNNNN!

RRROOONNNNNN!

RROONNN!

Il serait étonnant que la petite Raphaëlle soit indisposée par le volume de ses amygdales et de ses végétations adénoïdes : c'est plutôt de deux à six ans que les ronflements de Yogi l'Ours se feront entendre. De façon naturelle, les tissus des végétations et des amygdales ont tendance à régresser par la suite, jusqu'à l'adolescence.

Quels sont les signes ?

> Des ronflements, quasi constants, rhume ou pas.

> Une nette tendance à respirer par la bouche.

> Une voix de « patate chaude dans la bouche » ou de « nez bouché ».

> Un nez congestionné en permanence.

> Otite, après otite, après otite.

> « Docteur, elle ne m'entend pas bien » ou « docteur, je répète constamment ».

> Des difficultés de langage.

> Des infections répétées : sinusites, amygdalites, « alouette ».

> Une mauvaise haleine.

> Des simagrées lorsqu'elle doit avaler des aliments solides en morceaux.

> Des problèmes d'appétit, possible-ment avec un poids qui stagne.

> Un sommeil perturbé.

> Des troubles de la concentration.

> Des difficultés d'apprentissage.

> De la fatigue au cours de la journée.

À FAIRE

On débute souvent par une hygiène rigoureuse et obligatoire du nez avec de l'eau saline, au minimum deux fois par jour. Je sais, je suis intransigeante là-dessus, mais ça ne coûte pas cher, c'est sans effet secondaire et c'est effi-cace... Pourquoi s'en priver ?

CONSULTEZ

Vous avez l'impression que Raphaëlle arrête de respirer la nuit ? À un certain point, il est possible que le volume de ses amygdales et de ses végétations adénoïdes interfère de façon si impor-tante avec sa respiration que vous avez l'impression que Raphaëlle fait car-rément des pauses respiratoires en dormant ; on appelle ce phénomène **apnée obstructive du sommeil**.

Les apnées obstructives ont un impact important sur la qualité du sommeil de Raphaëlle – et du vôtre – et peuvent se répercuter sur ses capacités d'ap-prentissage et de concentration, sur son humeur, son énergie et même, à long terme, sur la santé de son cœur.

QUEL EST LE TRAITEMENT ?

On peut tenter de diminuer l'inflam-mation des végétations avec un vapo-risateur nasal contenant des cortico-stéroïdes (p. ex. : Nasonex, Nasacort, Flonase, etc.) pendant quelque temps.

Il faut envisager une chirurgie si Raphaëlle :

> présente de l'apnée du sommeil ;

> a beaucoup de difficulté à s'alimen-ter et ne prend pas de poids ;

> fait des infections répétées ou chroniques (**sinusites**, **otites**, **amygdalites**, etc.).

Dans ma pratique, j'ai pu observer que peu de parents regrettent cette opéra-tion. C'est une chirurgie d'un jour, donc sans dodo à l'hôpital, bien tolérée par votre enfant, et avec des répercussions notables sur son bien-être.

ROUGEURS ET BOUTONS

Voir aussi Fièvre, Mal de gorge, Kawasaki, maladie de *et* Vaccination

Lundi matin. Petit papier rose sur mon bureau : « Rappeler la maman de Raphaëlle. Boutons sur le visage et le ventre depuis deux jours : aimerait des conseils. » Des boutons et des rougeurs en pédiatrie, c'est monnaie courante. Et Dieu sait qu'il n'y a rien qui ressemble plus à un bouton qu'un autre bouton... Pourtant, il peut exister un monde de différences entre la conduite à adopter pour l'un et pour l'autre... Vous me voyez venir, hein ? Même avec beaucoup de bonne volonté et une description exceptionnelle du bouton, vous donner l'heure juste sur la cause de l'éruption de Raphaëlle sans lui voir la binette reste passablement difficile et risqué. Je vous donne ici les grandes lignes des boutons et des rougeurs célèbres, histoire de vous aiguiller un peu. Je vous suggère cependant de faire examiner Raphaëlle à la moindre hésitation.

Cinquième maladie

QUELS SONT LES SIGNES ?

On a manqué un peu d'inspiration pour la nommer, celle-là ! En fait, elle est nommée ainsi parce qu'elle a été découverte après les quatre autres : rougeole, varicelle, roséole et rubéole.

> La cinquième maladie n'attire pas nécessairement beaucoup l'attention, excepté pour ce signe assez distinctif : des petites joues bien rouges qui donnent l'impression que Raphaëlle a été giflée, ce qui n'est bien sûr pas le cas ! En général, elle atteint les enfants d'âge scolaire.

Les symptômes le plus souvent observés sont:

> mal partout (Raphaëlle ne se sent pas en forme);

> des joues d'un rouge intense pendant quelques heures, comme si elle avait cuit au soleil tout un après-midi;

> la rougeur des joues est suivie d'une éruption ressemblant à de la dentelle, surtout sur les bras et les jambes, et pouvant aller et venir pendant plus de trois semaines;

> parfois des douleurs aux articulations.

CONTAGION

Le virus qui cause la cinquième maladie est plus doué que les autres: il est contagieux uniquement avant l'apparition des rougeurs! Vous saurez donc à retardement que votre puce était contagieuse. La bonne nouvelle, par contre, c'est que Raphaëlle peut retourner à l'école avec ses rougeurs.

À FAIRE

Tendresse, amour et petits soins. Rien de plus. L'acétaminophène et l'ibuprofène peuvent être utilisés au besoin.

COMPLICATIONS

Une future maman qui attrape la cinquième maladie peut transmettre le virus au bébé à naître, ce qui peut avoir des conséquences graves sur sa santé, soit une anémie très sévère. Parlez-en à votre médecin si vous pensez avoir été exposée et si vous êtes enceinte. Il y a de bonnes chances cependant que vous ayez déjà fait cette infection en bas âge et que vous possédiez les anticorps pour vous en défendre.

....

Impétigo

QUELS SONT LES SIGNES?

C'est une infection bactérienne de la peau très fréquente et surtout, pour votre grand bonheur, très contagieuse. Elle se présente du jour au lendemain sur le joli minois de Raphaëlle.

Les symptômes le plus souvent observés sont :

> des boutons rouges ou de petites cloques contenant du pus jaunâtre sur une peau rougie ;

> les boutons sont souvent sur le visage (autour du nez et de la bouche) et dans la région de la couche, deux sites de prédilection de la maladie ;

> les croûtes qui recouvrent les boutons (déjà peu appétissants) peuvent avoir l'allure de miel.

CONTAGION

C'est très contagieux. l'impétigo peut avoir été transmis directement d'une petite amie de Raphaëlle aux mains contaminées ou indirectement par le contact avec un oreiller par exemple, que Raphaëlle aura emprunté à la petite amie infectée.

À FAIRE

Consultez. Raphaëlle a besoin, selon l'étendue des lésions, d'un onguent antibiotique ou d'antibiotiques oraux.

N'espérez même pas : Raphaëlle ne pourra pas passer les portes de la garderie tant et aussi longtemps qu'elle ne sera pas complètement guérie… et avec raison !

COMPLICATIONS

Non traité, l'impétigo peut se compliquer d'infections plus sévères : **cellulite** (infection de la peau plus étendue), **ostéomyélite** (infection de l'os), **arthrite** (infection de l'articulation), **scarlatine**, etc.

. . . .

Pieds-mains-bouche (*voir aussi* Ulcère et aphte)

QUELS SONT LES SIGNES ?

Vous trouvez le nom plutôt long ? Il est cependant un peu plus facile à mémoriser que l'orthographe du virus qui en est la cause : le **coxsackie virus**. Malgré toute cette terminologie, ce n'est pas une infection bien grave, et Raphaëlle n'en aura qu'un mauvais souvenir dans une grosse semaine.

Notre ami coxsackie préférant la chaleur, cette infection est donc plus fréquente l'été et l'automne et peut prendre différents visages.

> Lorsqu'il n'y qu'une atteinte de la bouche et de la gorge, on parle d'**herpangine**.

> Le **pieds-mains-bouche** décrit plutôt une atteinte, comme son nom l'indique, des pieds, des mains et de la bouche de Raphaëlle.

Les symptômes le plus souvent observés sont :

> de petits ulcères douloureux dans la bouche et la gorge ;

> de minuscules bulles ou petites papules rouges sur les mains, les pieds et parfois même ailleurs sur le corps, principalement dans la zone couverte par la couche ;

> une fièvre bien présente, pas juste un semblant de fébricule ;

> une diminution importante de l'appétit (Raphaëlle ne veut rien avaler et a sérieusement mal à la gorge) ;

> un mal de tête ;

> parfois un petit dérangement intestinal ;

> une diminution de l'entrain et de l'énergie.

CONTAGION

Vous n'y échapperez probablement pas, ne vous étonnez donc pas d'avoir un bon mal de gorge. Monsieur coxsackie est rusé et a plusieurs moyens de vous attraper : selles, sécrétions, salive… Il finira par trouver le moyen de vous atteindre, soit par un changement de couche, soit par un fond de verre de jus que vous allez boire…

À FAIRE

La crème glacée, les sorbets, les sucettes glacées et compagnie sont les bienvenus! Tout ce qui descend sans effort et sans combat est permis. Cependant, le moment est un peu mal choisi pour aller manger chez le Mexicain du coin. Offrez fréquemment à boire à Raphaëlle et surveillez chez elle les signes de déshydratation.

L'acétaminophène et l'ibuprofène diminuent la douleur et contrôlent la fièvre ; demandez conseil au pharmacien afin de les donner de façon optimale.

COMPLICATIONS

Secondairement au mal de gorge et au fait que Raphaëlle refuse catégoriquement d'avaler quoi que ce soit, la déshydratation constitue la principale complication de l'herpangine ou de la maladie du pieds-mains-bouche.

Roséole

Quels sont les signes ?

Raphaëlle a 10 mois et est dangereusement en forme jusqu'au moment où elle devient bouillante de fièvre. La marque de commerce de cette maladie virale contagieuse, c'est que la fièvre chute en flèche lorsque les rougeurs apparaissent sur la peau. La roséole est un choix très populaire dans la catégorie six mois à trois ans. Aucun risque pour les mamans enceintes qui gravitent autour. La roséole est une infection courante et bénigne.

Les symptômes le plus souvent observés sont :

> présents chez les petits de 6 mois à 3 ans ;

> une fièvre élevée, sans autres symptômes, qui dure environ quatre jours ;

> une Raphaëlle un peu grognonne, mais pas trop ;

> de petites taches rosées sur le ventre, le thorax, le dos et le visage apparaissant avec la chute de la fièvre et qui durent environ trois jours ;

> pas de démangeaisons ;

> possiblement un nez qui coule, des selles plus liquides et une diminution de l'appétit.

Contagion

Le virus se transmet par la salive, mais honnêtement, la maladie est si inoffensive que rien ne justifie de mettre Raphaëlle en quarantaine, sauf s'il y a risque de contact avec des personnes dont le système immunitaire est affaibli.

À faire

Sauf attendre patiemment qu'elle retrouve sa bonne humeur et donner à la petite Raphaëlle un peu plus de confort avec de l'acétaminophène au besoin, on ne fait rien de spécial.

Complications

La principale complication ici demeure la convulsion fébrile (*voir p. 81*).

Rougeole

QUELS SONT LES SIGNES ?

Il fut un temps où l'on considérait qu'il était tout à fait normal d'avoir la rougeole en bas âge, comme d'ailleurs plusieurs autres maladies infantiles. Posez la question à vos parents… Heureusement, la vaccination peut maintenant épargner à Raphaëlle cette infection qui, en général, ne passe pas inaperçue. La rougeole, maintenant beaucoup plus rare, n'a pourtant pas disparu du globe, et votre cocotte peut encore y être exposée lors de voyages, et même pas si loin de chez vous.

Les symptômes le plus souvent observés sont :

> une fièvre élevée ;

> de la toux ;

> un nez qui coule profusément ;

> des yeux rouges ;

> de petites rougeurs sur tout le corps d'abord, qui finissent par s'étendre en taches plus étendues et par confluer.

CONTAGION

Ce n'est pas compliqué : la rougeole est TRÈS contagieuse. De nouveau, mêmes moyens de transport : gouttelettes de salive, sécrétions, toux, éternuements, petites mains contaminées, etc. Si vous avez une petite voix qui vous dit que Raphaëlle est peut-être atteinte de rougeole (surtout dans l'optique où elle n'a pas été vaccinée), il devient important de ne pas vous pointer avec elle dans une salle d'attente bondée de monde sans avertissement. Vous serez alors probablement isolés le temps que le médecin examine votre cocotte.

À FAIRE

Comme il s'agit d'un virus, aucun traitement spécifique n'est disponible. Le diagnostic doit être confirmé par un examen médical afin qu'on puisse surveiller adéquatement votre puce et protéger les gens autour d'elle susceptibles d'attraper l'infection. Je le répète, le vaccin reste notre meilleure arme contre la rougeole.

COMPLICATIONS

Elles sont nombreuses et à ne pas banaliser : otite, pneumonie, convulsions fébriles… La complication la plus à craindre reste cependant l'**encéphalite** (atteinte inflammatoire du cerveau) qui peut malheureusement laisser des séquelles graves et permanentes.

....

Rubéole

QUELS SONT LES SIGNES ?

Pour Raphaëlle, la rubéole demeure une maladie plutôt bénigne, mais, attention : c'est une tout autre histoire pour une maman enceinte. Au départ, la rubéole peut ressembler à un rhume banal.

Les symptômes le plus souvent observés sont :

> une légère fièvre ;

> des yeux légèrement rouges ;

> un petit nez qui coule ;

> un gonflement des ganglions situés à l'arrière du cou et des oreilles ;

> de petites taches roses sur le visage puis sur le reste du corps qui blanchissent quand on appuie dessus ;

> l'absence de démangeaisons ;

> parfois des douleurs articulaires, surtout chez les enfants plus âgés ;

> occasionnellement, rien du tout !

CONTAGION

Comme c'est le cas pour plusieurs virus, la rubéole se propage par les gouttelettes de salive et de sécrétions qui se répandent un peu partout par les éternuements, la toux et les gros bisous.

À FAIRE

Un infection virale est bien souvent synonyme de patience, mais il importe de faire le diagnostic pour protéger les mamans enceintes non immunisées.

Évidemment, le vaccin combiné contre la rubéole, la rougeole et les oreillons reste la protection la plus efficace, tout en étant parfaitement sécuritaire.

Complications

Même si ces complications sont plus rares, une **encéphalite** (inflammation du cerveau), une forme d'**anémie** ainsi qu'un trouble de la coagulation peuvent survenir à la suite d'une rubéole chez votre petite Raphaëlle.

La rubéole, aussi peu méchante soit-elle pour Raphaëlle, peut être synonyme de catastrophe pour le bébé en développement si une maman la contracte au cours de ses quatre premiers mois de grossesse : elle peut provoquer une fausse couche ou entraîner de graves atteintes au cerveau et aux yeux, de la surdité et des malformations cardiaques chez le fœtus.

....

Scarlatine

Quels sont les signes ?

Ici, c'est une bactérie qui est en cause : le streptocoque, le même coupable que celui qui donne la pharyngite. Le «strep» (c'est son nom d'artiste) a l'ennuyeuse possibilité de produire une toxine responsable de ce qui donne à votre Raphaëlle une mine de coup de soleil. La scarlatine est souvent précédée des symptômes de la pharyngite.

Les symptômes le plus souvent observés sont :

> présents le plus souvent chez les enfants de plus de deux ans ;

> souvent un important mal de gorge au départ, une langue ayant l'allure d'une fraise (rouge, avec dépôt blanchâtre et points rouges) et de la difficulté à avaler ;

> une forte fièvre ;

> sur tout le corps, une éruption cutanée rouge, rugueuse au toucher, comme du papier «sablé» ;

> un mal de tête et parfois même des nausées, un mal de ventre et des vomissements.

Contagion

L'infection à streptocoque est contagieuse jusqu'à ce que Raphaëlle ait avalé (et, dans la mesure du possible, non recraché) ses antibiotiques pendant une durée de 24 heures.

À FAIRE

Consultez. Si on a effectivement affaire à la scarlatine, Raphaëlle a besoin d'une prescription d'antibiotiques, qu'il faudra d'ailleurs qu'elle prenne jusqu'au bout. Il est possible que votre médecin procède à une culture de gorge pour confirmer la présence du streptocoque.

Généralement, Raphaëlle se sentira déjà beaucoup mieux après deux jours de traitement. L'acétaminophène ou l'ibuprofène peuvent être utilisés sans problème, mais l'aspirine reste à éviter. Proposez à votre puce des liquides froids et des aliments faciles à avaler.

Appliquez une crème hydratante non parfumée sur sa peau, car elle aura tendance à peler après la disparition de l'éruption.

COMPLICATIONS

Une infection à streptocoque non traitée peut évoluer vers une fièvre rhumatismale, dont l'atteinte la plus crainte est cardiaque. Bien heureusement, cette condition est rare. Certaines complications rénales peuvent aussi survenir.

....

Varicelle (picote)

QUELS SONT LES SIGNES ?

La varicelle n'entraînera habituellement pas de conséquences graves pour Raphaëlle si elle est en bonne santé, mais elle rendra très malade un enfant qui a un système immunitaire fragile. Et vous, comme adulte, pouvez être nettement plus mal en point qu'elle si vous attrapez la varicelle.

Les symptômes le plus souvent observés sont :

> une légère fièvre ;

> une éruption cutanée en «gouttes de rosée sur pétales de roses.» Joli, n'est-ce pas? En fait, sur une base un peu rougie se forme une petite cloque remplie d'un liquide translucide, d'où mon image poétique ;

> d'un côté infiniment moins lyrique : des démangeaisons intenses ;

> des lésions croûtées au bout de quelques jours ;

> aussi peu que cinq boutons... ou autant que 500 !

CONTAGION

La varicelle passe sous les portes, littéralement. Elle se transmet même deux jours avant que les boutons n'apparaissent, juste pour vous rendre la tâche plus facile! La contagion s'arrête quand toutes les lésions sont sèches, croûtées… et en général grattées! Ça peut prendre jusqu'à trois semaines avant que Rémi, le petit frère de Raphaëlle, joue à Picotine à son tour.

À FAIRE

La «gratouille» est souvent très accaparante. Ce n'est pas pour rien qu'on surnomme cette maladie la «picote»! Le danger, c'est l'infection des lésions. Minimisez les dégâts en gardant les ongles de Raphaëlle propres et courts. Les bains tièdes peuvent soulager un peu les démangeaisons et, dans les cas extrêmes, un antihistaminique peut se révéler d'un grand secours.

L'acétaminophène reste un bon choix pour contrôler la fièvre. Surtout, ne donnez pas d'aspirine à Raphaëlle : son usage pourrait engendrer des complications graves, telles des atteintes du foie et du cerveau de votre puce (**syndrome de Reye**).

Évidemment, le meilleur moyen de soigner la varicelle et d'éviter ses complications reste de ne pas l'attraper. Faites vacciner Raphaëlle.

COMPLICATIONS

Malheureusement, la varicelle se complique parfois d'une surinfection de la peau : avec ses petits ongles propres à souhait (hum!), Raphaëlle gratte les lésions de varicelle et les bactéries en profitent pour pénétrer sa peau et faire leur grabuge. Si vous remarquez que votre puce redevient fiévreuse, que les boutons deviennent gonflés, rouges, chauds, purulents ou douloureux, **consultez votre médecin**. Il peut s'agir d'une surinfection bactérienne.

D'autres complications, comme une pneumonie ou une atteinte du cervelet, surviennent heureusement moins fréquemment.

Attraper la varicelle n'est pas un événement banal pour une maman enceinte non immunisée. Assurez-vous que vous avez déjà eu la varicelle et, dans le doute, faites-vous vacciner avant votre grossesse.

Bon à savoir Chez un enfant en bonne santé, toutes ces maladies infectieuses sont souvent sans gravité, mais elles sont potentiellement graves chez un enfant (ou un adulte) dont le système immunitaire est affaibli par une maladie comme un cancer ou par des traitements comme une **chimiothérapie** ou un **immunosuppresseur**. Soyez vigilants pour la santé de votre puce, mais aussi pour les personnes qui l'entourent.

COMME
SOPHIE

SAIGNEMENTS DE NEZ

C'est une source d'inquiétude tellement fréquente qu'il vaut vraiment la peine d'en faire le tour pour que vous puissiez mieux respirer.

Sophie saigne du nez. Ce n'est pas la première et ce ne sera pas la dernière...

Qu'est-ce qui se passe ?

Tout irritant de la muqueuse nasale prépare le terrain pour un saignement de nez.

> Le rhume.

> Les allergies respiratoires.

> L'air surchauffé et sec.

> La fumée de cigarette.

> Le grand gagnant : l'index de sa main droite (et aussi parfois tous les objets insolites que ce doigt introduit dans le nez : gomme à effacer, bille ou bonbon, pour n'en nommer que quelques-uns).

> Parfois, un coup au nez, même léger, ou un mouchage trop énergique.

> Plus rarement, des troubles de la coagulation – la capacité de notre sang à former des caillots pour contrôler les saignements – et des anomalies de la muqueuse du nez (p. ex. : polype).

À faire

> Ne vous énervez pas, ça risque d'énerver Sophie alors que ce n'est que très rarement sérieux.

> Gardez Sophie assise, la tête légèrement penchée vers l'avant, et pincez **la partie molle** de son nez entre votre pouce et votre index **pendant 10 minutes**, pas moins.

> Ne soyez pas tenté, «juste pour voir», de relâcher la pression quelques secondes au cours de ces 10 minutes.

> Après 10 bonnes minutes, vérifiez si le saignement s'est arrêté. S'il continue, pressez de nouveau le nez pendant 10 autres minutes.

À ne pas faire

> On ne couche pas Sophie et on ne lui penche pas la tête vers l'arrière. Le sang coulerait vers sa gorge, elle l'avalerait et elle aurait des nausées, avec tout ce qui peut s'ensuivre.

> Ne bourrez pas son nez de ouate, de compresses ou de papier mouchoir... À la seconde même où vous retirerez le tout, le saignement reprendra.

> Tout de suite après un saignement, ce n'est pas le moment de demander à Sophie de se moucher «fort, fort, fort»... On se donne une chance.

Consultez

Si Sophie a des saignements plus souvent qu'à son tour, parlez-en à votre médecin.

Consultez en urgence

Si, après 20 minutes (tête légèrement penchée vers l'avant et nez pincé), le saignement est toujours aussi actif et ne semble pas vouloir s'estomper, présentez-vous à l'urgence avec Sophie.

Prévenons !

> On coupe les ongles de Sophie. Vous l'aviez sûrement prévue, celle-là...

> On garde sa chambre bien aérée, on tente de maintenir une humidité de 30 à 45 %.

> On garde un nez propre et humidifié avec des solutions salines.

SANG DANS LES SELLES

Voir aussi Allergie au lait

Je sais pertinemment que, même si je tente de vous rassurer, si vous retrouvez dans les selles de Sophie quelque chose qui ressemble de près ou de loin à du sang, vous voudrez savoir au plus vite si c'est grave ou non, que votre cocotte ait l'air en pleine forme ou pas. Et vous aurez tout à fait raison.

QU'EST-CE QUI SE PASSE ?

Il existe de multiples causes au sang dans les selles… en commençant par la possibilité que ce ne soit pas du sang. Certains aliments, comme les betteraves, les tomates, les colorants retrouvés dans les boissons, bonbons ou autres et certains médicaments peuvent teinter de rouge les selles de Sophie.

Parfois, de petites taches orangées peuvent tacher la couche du nouveau-né : ce sont des cristaux d'urate provenant de l'urine et constituant un indice plus ou moins fiable de déshydratation.

S'il s'agit effectivement de sang, les causes varient un peu selon l'âge :

> Chez bébé Sophie, une **allergie au lait ou au soya** peut entraîner des selles molles, contenant du mucus et du sang.

> Une **fissure anale**, bien souvent secondaire à la constipation, est la cause la plus fréquente de sang dans les selles du jeune enfant. Le sang ne se retrouve pas mêlé à la selle, mais forme de petits filaments ou des stries de sang rouge clair sur la selle. Typiquement, le sang tache aussi le papier hygiénique. Et notre Sophie, entre les épisodes de contrariété dus aux passages de cacas durs, reste enjouée et pleine de vie.

Pas de secret, on règle définitivement le problème en allant à la source : la constipation. En attendant d'y arriver (je sais, ce n'est pas si simple), de la gelée de pétrole (p. ex. : Vaseline) ou de l'oxyde de zinc peuvent être appliqués sur la région anale, histoire de donner à Sophie un peu plus de confort quand vient le temps d'aller aux toilettes.

> Si le saignement est associé à des diarrhées, accompagnées ou non de fièvre, on est vraisemblablement en face d'une **infection intestinale bactérienne ou parasitaire. Consultez!** Sophie aura fort probablement besoin d'un traitement prescrit par le médecin. On procédera aussi à des cultures de ses selles et à des recherches de parasites. Mentionnez tout voyage récent, toute consommation de viande crue ou tout contact avec un animal malade.

La «**maladie du hamburger**» est une des complications graves d'une telle infection. La bactérie *E. coli* O157:H7 en est la grande responsable. Elle se retrouve dans la viande hachée contaminée et mal cuite. Le syndrome **hémolytique** et **urémique** (nom officiel) qui en découle se caractérise par de la pâleur, du sang dans les selles, des urines moins fréquentes et foncées, des bleus sans coups et une Sophie irritable ou somnolente.

> Une autre condition peu fréquente mais sérieuse est l'**invagination intestinale**, aussi appelée **intussusception**. On parle alors d'une partie de l'intestin qui entre dans une autre comme un manchon, ce qui crée une obstruction. Notre princesse a alors de vives douleurs au ventre, venant par crises intenses, elle vomit et a des selles qui ressemblent étrangement à de la gelée de groseilles. C'est une urgence, **il faut consulter immédiatement**.

> Le **purpura de Schönlein-Henoch**, ou **purpura rhumatoïde**, résulte de l'inflammation des petits vaisseaux sanguins (**vasculite**), qui deviennent alors plus fragiles, se brisent et saignent. Il survient souvent après un rhume. Sophie est peu à peu couverte de taches légèrement gonflées et palpables, de couleur sang mais non douloureuses, qu'on appelle **purpura**. Elle a aussi de fortes douleurs au ventre et aux articulations. Parfois, cette condition s'accompagne de sang dans les selles et dans l'urine. Je n'ai même pas besoin de vous convaincre : **consultez immédiatement**!

> Chez une Sophie un peu plus proche de l'adolescence, les **maladies inflammatoires de l'intestin**, comme la **colite ulcéreuse** et la **maladie de Crohn**, peuvent causer une perte de sang dans les selles. Ces maladies s'installent plus sournoisement et se caractérisent par leurs caractères plus chroniques de douleurs abdominales, de diarrhées récidivantes et de répercussions sur la croissance.

CONSULTEZ EN URGENCE

Si Sophie présente un ou plusieurs des symptômes suivants :

> Elle est très affaissée, a l'air très malade.

> Elle a des saignements sans selles, et l'eau de la toilette devient rouge.

> Ses selles sont noires comme du charbon.

> Elle a de fortes diarrhées avec du sang.

> Elle est fiévreuse.

> Elle a des vomissements contenant du sang.

> Elle a d'importantes douleurs au ventre.

> Il semble y avoir du sang dans ses urines, ou ses urines ont la couleur du Coca-Cola.

> Elle pleure et est inconsolable.

> Elle a moins de trois mois.

> Elle a des bleus un peu partout sans s'être cognée.

. . . .

Scoliose

Sophie, 13 ans, est patiemment assise dans la salle d'attente de son pédiatre qui la suit depuis... depuis quand au fait ? Elle n'en a même plus le souvenir... Ce qu'elle sait par contre, c'est qu'elle se sent comme une extraterrestre au milieu d'une armée de petits en couche qui grouillent autour d'elle et qui ont de toute évidence son sac d'école comme principal objectif de fouille. « J'ai tellement pas rapport ici ! » se dit-elle... Or, Sophie ne réalise pas que les examens physiques annuels demeurent importants, même à son âge, notamment pour le dépistage de la scoliose.

Qu'est-ce qui se passe ?

La scoliose est une déviation de la colonne vertébrale : vue de dos, la colonne de Sophie forme un S plus ou moins prononcé.

Dans la grande majorité des cas, ce sont des filles qui sont affectées et 8 fois sur 10, il n'y a aucune cause identifiable. On parle alors de **scoliose idiopathique**. À la décharge de Sophie, le problème n'a rien à voir avec le fait qu'elle se tient comme si le poids de la planète tout entière reposait sur son dos : une mauvaise posture ou un sac d'école trop lourd ne causent pas la scoliose. Cependant, ne soyez pas surpris si votre médecin vous demande s'il y a des antécédents de scoliose dans votre famille.

QUELS SONT LES SIGNES ?

Il y en a peu. La scoliose reste souvent bien silencieuse, surtout à ses débuts.

Peut-être remarquerez-vous, en observant Sophie en maillot cet été :

> que ses épaules sont de hauteurs inégales ;

> que le haut de son corps a l'air courbé, penché vers un côté ;

> qu'une de ses omoplates semble bomber plus que l'autre.

Très rarement, Sophie se plaindra de douleurs.

Voilà pourquoi Sophie devrait prendre son mal en patience et attendre son examen, car c'est souvent à ce moment qu'une scoliose est détectée. Pour ce faire, son médecin lui demandera de se tenir « normalement » en position debout. Il observera d'abord sa posture, la hauteur de ses épaules et de ses omoplates. Puis, il lui demandera de se pencher vers l'avant en gardant ses jambes bien droites. Normalement, si on se place derrière Sophie en position penchée, on devrait voir son dos bien droit et symétrique. On suspecte une scoliose si, lors de cette manœuvre bien simple, on remarque une voussure c'est-à-dire une partie de son dos qui fait saillie et le rend asymétrique.

Le diagnostic sera ensuite confirmé par des radiographies et notre belle grande fille sera dirigée vers un orthopédiste.

À QUOI S'ATTENDRE ?

Le dépistage précoce de la scoliose est capital : plus il se fait tôt, plus les options de traitement seront nombreuses.

Les conséquences possibles d'une scoliose non traitée ne sont certainement pas à négliger : outre l'aspect évident de l'apparence physique et tout ce qui en découle, une scoliose sévère peut entraîner des répercussions au niveau respiratoire et cardiaque.

On discutera avec vous du traitement approprié selon le type et le degré de sévérité de la scoliose ainsi que selon l'âge et la croissance de Sophie. Parfois, on ne fait que suivre de près l'évolution de la courbure pendant un certain temps. Il est aussi possible qu'un corset soit envisagé. Le corset est « moulé » spécialement pour Sophie et agit comme un tuteur afin d'empêcher la scoliose de s'aggraver. La chirurgie reste la dernière mesure envisagée.

SINUSITE

Voir aussi Congestion nasale

Sophie, 12 ans, traîne un rhume depuis deux bonnes semaines et sa congestion lui donne des cernes sous les yeux dignes d'un maquillage d'Halloween...

QU'EST-CE QUI SE PASSE ?

Le crâne de Sophie (et le vôtre) comporte certaines cavités normalement remplies d'air nommées **sinus** : les sinus maxillaires situés juste sous les yeux, les sinus frontaux au niveau du front et les sinus ethmoïdaux et sphénoïdaux à l'arrière du nez. Les sinus sont en communication avec le nez de Sophie par l'intermédiaire de minuscules orifices. Souvent, une sinusite débutera par un bon rhume qui congestionne d'abord le nez de votre puce. Cette congestion obstrue les orifices de drainage et les sinus peuvent alors se remplir de mucus. Dans cette « piscine » de sécrétions, les bactéries se multiplient à cœur joie et entraînent l'inflammation responsable des symptômes de sinusite.

QUELS SONT LES SIGNES ?

Tout nez qui coule vert n'est pas synonyme de sinusite. Surtout chez les petites Sophie de moins de six ans. Et il y a une excellente raison pour cela : les sinus de Sophie ne sont pas encore tous très bien développés avant cet âge. La sinusite est donc un diagnostic plus fréquent chez les enfants plus grands.

Typiquement, les symptômes ressemblent à ceci :

> Sophie a mal à la tête et elle ressent une pression au niveau du visage ou des dents.
> Elle a de la fièvre.
> Un mucus épais, jaunâtre ou verdâtre, coule de son nez.
> Sa toux est grasse et persiste depuis plus de 10 jours.
> Sophie a l'air cernée.
> Elle peut avoir mauvaise haleine.

CONSULTEZ

Si ces symptômes sont présents, Sophie devra probablement prendre un traitement d'antibiotiques.

À FAIRE

Vous pouvez lui donner de l'acétaminophène ou de l'ibuprofène pour la soulager de ses maux de tête. Et tous les conseils donnés à l'article «Congestion nasale», surtout bien sûr ceux en lien avec l'utilisation de l'eau saline, sont applicables ici.

· ·

SOLEIL

Vous avez fait le saut ce matin en croisant votre reflet dans le miroir : vous ne saviez pas qu'il était possible d'atteindre un tel stade de cernes et de pâleur...

«J'ai besoin de vacances au soleil», avez-vous pensé. Mais est-ce bien prudent pour bébé Sophie ? Si vous suivez ces petits conseils bien simples, il n'y a aucune raison de vous empêcher d'aller faire le plein d'énergie, les orteils dans le sable...

PRÉVENONS !

On connaît bien maintenant les effets néfastes des rayons UV (A et B) sur la peau, le cancer étant celui que l'on craint évidemment le plus. Ce n'est pas tant les coups de soleil, que l'accumulation d'heures passées sous les chauds rayons sans protection qui, à long terme, peut mener au développement de cellules cancéreuses. Nos enfants, par leur emploi du temps, sont beaucoup plus exposés que nous: parc, cour d'école, piscine, plage, camp de jour, vélo... C'est donc en bas âge qu'on emmagasine le plus de ces mauvais rayons.

Avant 1 an

> Avant que Sophie ait l'âge de un an, l'exposition directe aux rayons du soleil est fortement déconseillée. Laissez-la à l'ombre en tout temps...

> Faites-lui porter des pantalons, des chandails à manches longues

Certaines surfaces peuvent devenir bouillantes au soleil : toboggan, balançoires, asphalte, voitures…

Hydratez Sophie. Elle ne vous le demandera pas spontanément, offrez-lui donc à boire plus souvent que pas assez. L'eau reste de loin le meilleur choix.

et un chapeau à large bord dans la mesure du possible… Oui, je sais, il fait 40 °C dehors.

> Les écrans solaires ne sont pas recommandés si bébé a moins de six mois. Les produits chimiques qu'ils contiennent pourraient être absorbés par la peau et on ne sait pas encore de façon certaine si cela est sans risque. Vous avez fait l'impossible pour que ses chaussettes restent en place, mais rien à faire, elle a les pieds au soleil ? Appliquez-lui de l'oxyde de zinc (que vous utilisez pour ses fesses) : blanc et collant, mais efficace !

> Certains experts recommandent le port de lunettes solaires de bonne qualité – à large spectre – chez les tout-petits. Je vous souhaite bonne chance pour arriver à ce que Sophie les garde sur son nez plus de deux minutes… Et si vous y arrivez, s'il vous plaît, partagez votre secret…

Après **1 an**

> D'abord, ne vous faites pas avoir : les crèmes solaires destinées aux enfants ne sont pas meilleures et plus appropriées pour Sophie que les autres, et elles sont en général plus chères. Elles doivent la protéger contre les UVA et les UVB et posséder un facteur de protection solaire (FPS) de 30 au moins.

> Autant que possible, appliquez l'écran solaire une vingtaine de minutes avant d'aller dehors. Profitez-en, c'est probablement le seul moment où vous pourrez enduire votre petite canaille au grand complet sans devoir l'attacher au poteau du parasol…

> Personnellement, j'aime bien les écrans en aérosol, plus rapides, et ceux qui laissent une pellicule blanche sur la peau des enfants… C'est moins chic, mais on voit tout de suite les coins oubliés !

> De 10 h à 16 h, les rayons solaires sont plus intenses et sont donc plus susceptibles de provoquer des coups de soleil. Un bon truc : on évite de s'exposer lorsque notre ombre est plus courte que nous. Ne sous-estimez pas non plus la réflexion du soleil sur la neige, sur l'eau, sur le sable, sur le béton…

> Même si vous utilisez une crème résistante à l'eau, croyez-moi, il n'en reste plus grand-chose après les 75 – minimum ! – sauts de Sophie dans la piscine chlorée. Réappliquez-en.

Coup de soleil

À FAIRE

Sophie a le dos de la même couleur que ses souliers de Noël en cuir verni rouge?

> D'abord, on ne reste pas au soleil, on est d'accord.

> On peut lui donner un bain tiède, mais, de grâce, pas froid.

> On n'applique rien sur la brûlure, ça pourrait aggraver les choses en retenant la chaleur de la peau.

> Continuez de lui offrir souvent à boire, elle doit rester bien hydratée.

> Vous pouvez lui donner de l'acétaminophène si elle se plaint d'inconfort.

CONSULTEZ

Si Sophie :

> fait de la fièvre ;

> semble déshydratée et nauséeuse ou si elle vomit ;

> est fatiguée, plus somnolente que d'habitude ou même confuse ;

> est gonflée ;

> respire rapidement ;

> a un coup de soleil avec des cloques ou si sa peau est décolorée et froide ;

SOMMEIL

Voir aussi Cauchemars et terreurs nocturnes *et* Somnambulisme

Sophie a 11 mois et elle ne fait pas encore ses nuits. Vous avez TOUT essayé, TOUT lu sur Internet et surtout vous avez reçu conseils et commentaires de TOUT votre entourage... Cernes à l'appui, vous arrivez à votre rendez-vous des 12 mois de mademoiselle et la question est notée, presque en tête de liste : dodo la nuit ? Entre les lignes, ça signifie : « Pitié ! Je veux dormir la nuit, je n'en peux plus ! », mais vous étiez gêné d'en parler... Surtout, n'hésitez pas à poser la question. Il s'agit souvent de briser une mauvaise « association » pour que Sophie finisse par dormir des nuits complètes et que vous puissiez enfin dormir comme un bébé.

QU'EST-CE QUI SE PASSE ?

Réfléchissez une seconde à votre dernière nuit, disons, normale : vous avez le net souvenir de vous être réveillé au moins une ou deux fois, vous avez replacé votre oreiller, retrouvé une position confortable et vous vous êtes rendormi sans trop de difficulté. Et bien, le même phénomène survient au cours des nuits de Sophie.

Le seul hic, c'est que pour retrouver son confort, Sophie a besoin de votre intervention : vos bras, la chaise berçante, une tétée ou même parfois votre lit. Dans sa tête, elle doit retrouver les conditions dans lesquelles elle s'est endormie le soir pour retrouver le sommeil au cours de la nuit... Elle fait l'association VOUS = DODO et vous devenez donc indispensable à son retour au sommeil. La solution? Vous convaincre que Sophie est tout à fait capable de s'endormir et de se rendormir seule.

À FAIRE

Je sais, la laisser pleurer vous est insupportable. Juste d'y penser, ça vous donne une boule dans la gorge. Voici quelques trucs et règles inspirés, testés et approuvés par mon vécu de maman.

D'abord, à moins que vous ne soyez béni du ciel, l'idée saugrenue de faire des nuits complètes lors des **premières semaines de vie** de Sophie doit quitter votre esprit. C'est tout à fait normal de la consoler, de la nourrir à la demande, de la bercer, de répondre à ses moindres inconforts, et ce, jour et nuit. Et vous n'êtes pas en train de la gâter, vous bâtissez une relation de confiance : l'attachement.

Vous avez l'impression que Sophie est un petit oiseau de nuit et semble prendre la nuit pour le jour? N'essayez pas de la garder éveillée durant la journée, ça ne la rendra que plus irritable. Dormez lorsqu'elle dort et tentez de réduire au minimum les manipulations et les stimulations nocturnes : on tamise les lumières, on ne la nourrit que lorsqu'elle le demande et on ne change la couche qui si c'est absolument nécessaire…

Un petit lit pour elle dans votre chambre peut faciliter l'allaitement et vous permet de la déposer dès que vous la voyez cogner des clous, histoire de l'habituer tout doucement à s'assoupir seule.

Une fois ses **3 mois** bien sonnés, Sophie aura bien intégré le fait que vous réagissez presque plus vite que l'éclair à ses besoins. Ne répondez pas instantanément aux petits gémissements de mademoiselle, donnez-lui la chance de se réconforter seule en suçant son poing quelques minutes pour se rendormir. Si elle devient plus insistante, répondez alors à sa demande. Croyez moi, votre petite voix intérieure vous apprendra rapidement à distinguer les « je ronchonne sans aucun prétexte » des « viens me chercher, j'ai besoin de toi »… Surtout rendu à votre troisième bébé !

Votre petite Sophie est tenace et vous réclame à grands cris plusieurs fois par nuit à l'âge de six mois? On prend les grands moyens!

> Établissez une routine : bain, allaitement, berceuse…
> Organisez cette routine autour de l'heure à laquelle vous savez que votre chérie commence à avoir les paupières qui tombent.
> Quand vous la voyez commencer à céder au sommeil, mais qu'elle **n'est pas complètement endormie**, déposez-la dans son lit.
> Croisez les doigts et achetez-vous de bons bouchons pour la suite : il se peut fort bien que Sophie trouve très insultant de se

retrouver seule dans sa chambre et qu'elle veuille vous signifier son mécontentement. Et là, toutes les formules sont bonnes et celle que vous choisirez dépend entièrement de votre niveau de tolérance. Certains recommandent de fermer la porte et de n'y retourner que le lendemain matin, d'autres préconisent la fameuse méthode du 5-10-15 (on laisse Sophie pleurer graduellement de plus en plus longtemps, en allant la rassurer après chaque intervalle fixé), d'autres proposent des méthodes dérivées de ces deux approches.

Conseils de maman

Vous voulez savoir ce que j'ai fait? J'ai succombé, j'ai été faible! Du moins avec ma première fille. Je culpabilisais de la laisser pleurer ainsi, j'avais l'impression qu'elle criait: «Maman, tu m'abandonnes...» Elle avait neuf mois et déjà beaucoup de caractère! Si bien que j'ai utilisé cette stratégie: je l'ai déposée dans son lit, après la routine et tout le tralala, et je me suis installée avec un livre sur une chaise, à côté de son lit, avec une minuscule lampe de lecture. Elle n'était pas contente, vous croyez? C'est le moins qu'on puisse dire! Mais de cette façon, j'avais au moins l'impression de ne pas l'abandonner, car elle me voyait. À intervalles fixes, je levais la tête de mon bouquin et je lui disais: «C'est l'heure du dodo, ma puce, maman est là», mais je ne me levais pas de ma chaise. Et chaque soir, je reculais tout doucement la chaise de quelques pieds pour finalement me retrouver dans le corridor. Même tactique si elle se réveillait la nuit. Ma cocotte a fini par pleurer de moins en moins longtemps, et moi par lui crier ma phrase réconfort... de mon lit! En une semaine, c'était réglé. Si vous capitulez une seule fois, tout est à reprendre à zéro... Restez confiant et constant. Je vous assure que mes deux autres filles n'ont pas eu droit à la chaise... Elles ont appris à s'endormir seules bien avant!

Sophie est plus grande et sort maintenant de sa chambre?

Vous avez atteint un point où vous êtes convaincu de ne pas avoir besoin de visiter le zoo de Granby parce que

Bon à savoir

Quand est-ce qu'on parle de problème de sommeil chez Sophie? À partir du moment où ça devient, justement, un problème pour elle, pour vous ou pour la dynamique familiale. Si le fait d'avoir à bercer votre puce à 3 h du matin vous enchante, rien ne presse! Mais si vous décidez volontairement de laisser ça traîner, attendez-vous à travailler un peu plus fort lorsque vous déciderez que vous en avez assez.

vous avez déjà un singe à la maison? Sophie vous surprend de jour en jour par ses acquisitions motrices et a brillamment réussi à escalader les barreaux de son lit... Je sais, ça donne un petit coup. Une de mes filles s'y est amusée. Le problème, c'est que, bien qu'elle réussissait à dormir toute sa nuit, elle avait désormais la capacité de sortir de sa chambre, pour passer, pourquoi pas, un peu plus de temps au salon.

Trois choses à faire (et son père et moi avons été solides):

1. Démontez et rangez le lit à barreaux; vous n'avez pas envie de gérer un traumatisme crânien.

2. Assurez-vous que la chambre de votre puce ne comporte aucun danger.

3. Fermez la porte.

Promis, testé et efficace! Elle dormira peut-être quelques nuits sur son tapis, mais ce n'est pas bien grave.

● ●

SOMNAMBULISME

Il est un peu plus de minuit. Sophie s'assoit dans son lit, puis se lève. Vous l'entendez se promener et déplacer des trucs dans sa chambre. Lorsque vous y entrez pour voir ce qu'elle trafique, elle vous parle et vous dit qu'il y a des trous dans ses bottes de pluie, le plus sérieusement du monde, mais avec un regard un peu vide.

C'est la deuxième fois que Sophie est somnambule depuis le début de la semaine. Ça n'arrivait que de temps en temps, environ une à deux fois par mois, avant que vous ne déménagiez.

Le **somnambulisme** (se balader en dormant) et la **somniloquie** (parler en dormant) commencent vers l'âge de cinq ans pour, en général, s'atténuer et disparaître à l'adolescence.

Parfois, Sophie peut avoir des épisodes de terreurs nocturnes, et parfois des parents eux-mêmes somnambules durant leur enfance.

Qu'est-ce qui se passe ?

Ce qu'il faut comprendre, c'est que Sophie dort réellement, et aussi incroyable que cela puisse paraître, elle est même dans un sommeil profond. C'est d'ailleurs pour ça que Sophie n'en a aucun souvenir le lendemain, et que le phénomène a plutôt tendance à se pointer quelques heures après le coucher, car c'est en début de nuit qu'on dort le plus profondément. En fait, on pense que le somnambulisme découle d'un «passage raté» entre un sommeil profond et une phase de sommeil plus léger.

On remarque que l'enfant est plus susceptible de présenter des épisodes de somnambulisme lorsqu'il y a des changements dans sa routine, qu'il est plus fatigué ou qu'il vit des moments plus stressants (examens, compétitions sportives, etc.).

À faire

> Ce n'est pas le moment d'entamer une longue discussion avec Sophie. Ça peut devenir très rigolo, mais ce n'est pas souhaitable. On ne lui pose pas de question, point.

> On ne la réveille pas, elle dort! On la conduit tout doucement vers son lit, sans plus.

> Ce n'est pas non plus nécessaire de lui en parler le lendemain matin. On risque de créer une anxiété qui n'a pas sa place.

Prévenons !

> Débarrassez-vous de ce qui pourrait la blesser dans ses déplacements. On évite de laisser traîner boîtes et coffres sur lesquels elle pourrait trébucher et on élimine les obstacles potentiellement accrochants.

BON À SAVOIR

Voici quelques mesures qui pourraient aider à diminuer le nombre d'épisodes de somnambulisme de Sophie :

> Elle doit garder une routine la plus stable possible.

> Les permissions spéciales de «dodo plus tard» doivent rester spéciales... elles ne doivent pas devenir quotidiennes.

> On évite les jeux trop stimulants avant le dodo ainsi que la grande famille des écrans (télévision, ordinateur, jeu vidéo, etc.).

> Plus vous lui barrerez la route, moins elle se promènera longtemps et meilleures sont les chances qu'elle retourne d'elle-même dans son lit. Bloquez l'accès à la porte en réorganisant sa chambre, mettez une barrière pour empêcher l'accès aux escaliers, ajoutez des petites cloches aux poignées de porte pour vous avertir des vagabondages de votre princesse… Surtout, verrouillez les portes qui mènent vers l'extérieur, ça aide.

> Lit superposé? Ce n'est pas une bonne idée pour le moment.

. . . .

SOUFFLE AU CŒUR

« Sophie était fiévreuse la semaine dernière. Le médecin de l'urgence nous a dit qu'il entendait un souffle au cœur… C'est grave ? »

QU'EST-CE QUI SE PASSE ?

À voir à quelle allure Sophie, en pleine forme, est en train de dérouler le papier de ma table d'examen, je suis déjà en partie rassurée… Et même si ce terme ne vous réchauffe pas le cœur, le souffle cardiaque est extrêmement fréquent chez les enfants en bonne santé.

Un «souffle» est en fait un bruit prolongé qui s'ajoute entre le «boum» et le «poum», bruits cardiaques normaux. Au moment de l'auscultation, votre médecin peut identifier un souffle qu'il décrira selon son intensité et sa tonalité. Souvent, déjà juste au son entendu et à l'examen physique de Sophie, on arrive à cibler la nature du souffle.

Souffle «fonctionnel» ou bénin: souffle très courant, tout simplement produit par le mouvement normal du sang entre les cavités d'un cœur en bonne santé

Souffle «pathologique»: beaucoup plus rare, souffle résultant d'une maladie du cœur, par exemple une communication anormale entre les chambres cardiaques ou une valve qui fuit.

Dans le doute, Sophie passera peut-être quelques examens: une radiographie des poumons, un ECG (enregistrement de l'activité électrique du cœur) et possiblement une échographie cardiaque (comme l'échographie que maman a eue durant la grossesse).

L'avis d'un cardiologue sera demandé au besoin.

Quels sont les signes ?

Si Sophie a un souffle bénin, elle :

> a par moments un souffle à peine audible, durant son sommeil ou lorsqu'elle est bien calme. D'autres conditions, par contre, peuvent le rendre plus perceptible : la fièvre, l'exercice intense ou l'anémie (en fait, quand son cœur augmente la cadence) ;

> grandit et se développe tout à fait normalement ;

> n'a aucune difficulté à respirer, ne s'essouffle pas anormalement et ne vous a jamais semblé avoir les lèvres ou le teint bleutés ;

> n'a nullement besoin d'être limitée dans ses activités sportives et elle peut bouger autant qu'elle le veut… et probablement plus que vous ne le voulez ;

> n'a pas besoin de suivi médical particulier pour ce souffle ;

> n'aura fort probablement plus de souffle en grandissant, à l'adolescence.

Souliers

D'abord, mettons tout de suite quelque chose au clair : même si Sophie, qui vient de faire ses premiers pas, serait t-e-l-l-e-m-e-n-t plus mignonne avec des bottines bien rigides en cuir verni rouge pour son premier Noël, elle n'en a aucunement besoin ! Et je peux vous assurer que si Sophie pouvait parler, elle serait d'accord avec moi !

Tant et aussi longtemps que Sophie ne marche pas, il est complètement inutile (mais très tentant, j'en conviens) de consacrer une partie de votre budget à l'achat de chaussures.

Par la suite, la meilleure façon pour elle de faire ses premiers pas, c'est **pieds nus** ! Ainsi, les pieds et les chevilles de Sophie pourront naturellement apprendre à la garder en équilibre tout en développant une musculature appropriée. Si malgré tout, vous y tenez, il existe maintenant plusieurs petites chaussures souples et antidérapantes qui tiennent bien aux pieds de bébé.

Lorsqu'elle commence à gambader, l'unique avantage de la chaussure est de protéger ses pieds du froid, du chaud et des blessures éventuelles. Et l'avantage des bottines dans ce contexte sera de la décourager de les enlever, car elles sont beaucoup moins faciles à retirer que des souliers!

Et à la fameuse question : «Est-ce que Sophie peut porter les chaussures de sa grande sœur?» La réponse est oui! Bien sûr, je parle ici d'un soulier en bon état, peu abîmé et de la bonne taille. En règle générale, les chaussures de nos tout-petits conservent leur forme et leur fraîcheur, ils ne servent que si peu de temps!

Spasme du sanglot

Sophie, 22 mois, veut du jus... Vous lui dites non. Vous êtes en pleine préparation du souper, pas question de couper son appétit, il est déjà assez compliqué comme ça de la garder plus de 10 minutes assise à table. Elle réitère la demande : « Veux du zu, veux du zu, veux du zu!» Comme un disque qui saute... «Non, ma puce.» Ouf, c'est parti. Vous sentez la frustration l'envahir, elle se met à pleurer, à hurler. Vous n'arrivez pas à la calmer. Puis, arrive le point où elle retient sa respiration, devient bleu raisin, molle comme un chiffon et perd connaissance. En moins d'une minute, tout est terminé : elle reprend une bouffée d'air et ses couleurs. Ce n'est pas la première fois qu'elle vous coupe ainsi le souffle... et que vous avez vous aussi envie de pleurer. Et votre belle Sophie a bien réalisé que ça vous met dans tous vos états.

Qu'est-ce qui se passe ?

Le phénomène du spasme du sanglot est effectivement très impressionnant. En fait, lorsqu'elle retient sa respiration, Sophie crée involontairement un très léger manque d'oxygène au cerveau, juste assez présent pour l'amener à tomber dans les pommes (et même parfois, ne paniquez pas, à faire une courte convulsion)... Bien heureusement, ce n'est jamais assez important pour créer un quelconque dommage, à court ou à long terme. Même de façon répétée. En fait, le seul danger, c'est qu'elle se blesse en perdant connaissance. La meilleure des nouvelles? C'est que ça va passer tout seul... en général d'ici l'âge de cinq ans! Courage.

À faire

Je vous comprends tout à fait. C'est loin d'être agréable et rassurant de voir Sophie changer de couleur. Et bien souvent, ça vous inquiète au point de passer tous les petits caprices de votre princesse afin d'éviter de tels épisodes. Mais, croyez-moi, ce n'est vraiment pas une bonne idée. Car même si elle ne les crée pas consciemment, vous entretenez le problème en adoptant cette attitude d'évitement des contrariétés et vous risquez de voir augmenter le nombre de crises.

Gardez le cap d'être parent, ne traitez pas Sophie différemment et sortez vos talents d'acteurs en faisant semblant que ça ne vous atteint pas.

Lors d'un épisode :

> restez calme ;

> couchez Sophie sur le côté et observez-la ;

> ne la secouez pas, ne lui passez pas d'eau dans le visage, ne mettez ni cuillère ni autre objet dans sa bouche ;

> ayez l'air le plus zen possible lorsqu'elle reviendra à elle.

Consultez

Vous êtes convaincu que Sophie présente les signes correspondant au spasme du sanglot? Parlez-en tout de même à votre médecin lors de votre prochaine visite de contrôle.

Consultez immédiatement

Si Sophie :

> a moins de six mois ;

> se raidit et a des tremblements prolongés durant les crises ;

> récupère très lentement ou semble confuse pendant plusieurs minutes après les épisodes ;

> fait plusieurs épisodes par jour ;

> perd connaissance, si elle devient très pâle ou si elle a les lèvres bleues sans événement provocateur identifiable.

Sports

Si vous écoutiez Sophie, vous devriez reconsidérer votre emploi actuel pour celui de chauffeur à temps plein. Entre le soccer, le patin, le tennis et le ski en hiver, votre championne voudrait maintenant essayer l'équitation, comme son amie Simone. Pourquoi pas ? L'équitation, c'est tellement facile d'accès quand on habite au beau milieu de la ville, non ? Évidemment, Sébastien, son petit frère, s'écrit « mouassi ! ». Évidemment.

Quand est-ce que c'est trop ? Et quel sport à quel âge ?

À FAIRE

D'abord, choisir un sport approprié pour l'âge de Sophie.

Sophie est d'âge préscolaire

À cet âge, tout passe principalement par le jeu. Les activités qui demandent une attention soutenue, un respect de règles ou un volet compétition sont trop exigeantes pour le moment. Sophie saute, court, nage, pédale, mais sans aucune balise ni aucun but précis.

Sophie est au primaire

Les habiletés motrices de Sophie lui permettent de commencer des activités plus complexes (gymnastique, arts martiaux, ski) et qui demandent une coopération au sein d'une équipe (soccer, base-ball, hockey). Ne soyez cependant pas trop à cheval sur les principes des règlements et restez souples sur ses capacités en termes de stratégies. On n'est pas dans la LNH, du moins pas encore. On met l'accent sur la participation plus que sur la victoire.

Sophie termine son primaire ou est au secondaire

Les aptitudes sont encore mieux définies et atteignent celles de l'adulte vers 16 ans. Toutes ces compétences permettent à Sophie d'atteindre SES objectifs... et non ceux de l'entraîneur ou les vôtres. Dans ce groupe, par contre, on doit parfois faire face à une dure réalité, surtout chez les garçons : à cet âge, le développement physique varie beaucoup d'un enfant à l'autre, si bien qu'on a parfois l'impression d'être en train d'assister à un match de David contre Goliath, et j'exagère à peine. Pas d'inquiétude, ce n'est pas parce qu'il est Goliath qu'il est automatiquement plus doué, et ce n'est pas parce qu'il est David qu'il ne sera pas un jour Goliath. Patience. On peut encourager chez David la pratique de sports où la constitution physique a moins de poids, histoire de ne pas le décourager...

> Choisissez un sport que Sophie a envie de faire, pas un sport que vous aimeriez que Sophie fasse.

> Choisissez un sport où Sophie s'amuse. Si elle reste en retrait, ne participe pas, ne veut pas y retourner, prétexte un mal soudain et terrassant pour éviter le cours (je l'ai déjà fait petite pour mes cours de natation), il y a un malaise.

> Choisissez un sport qu'elle a les capacités physiques de faire : chaque enfant développe ses propres aptitudes et habiletés à sa propre vitesse. Respectez ce rythme et ces talents sans les comparer à ceux de la meilleure amie, de la cousine, de la voisine, etc. Sophie, huit ans, peut avoir un talent phénoménal en patin : équilibre, coordination, souplesse, grâce, tout y est. Ce ne sera pas nécessairement le cas de Sébastien, moins souple...

> Choisissez un sport selon les aptitudes de Sophie à gérer le stress : si c'est une petite cocotte qui tolère difficilement et performe plutôt mal sous pression, pas sûre que le plongeon est un bon choix.

> Choisissez un sport dans lequel Sophie a du talent : c'est une

recette gagnante pour que ça dure un peu plus que trois semaines.

> Choisissez un sport bien encadré côté sécurité, tant pour les lieux physiques que pour l'équipement. Si le matériel n'est pas adapté à l'âge et à la constitution physique de votre puce, ce n'est pas une bonne nouvelle. Pas de compromis de ce côté-là. Ce n'est pas le moment, par exemple, d'asseoir votre Sophie sur un étalon! On peut débuter par un poney, c'est moins risqué.

> Non seulement choisir un seul sport, se spécialiser très tôt dans une seule discipline, y consacrer plusieurs heures par semaine d'entraînement peut entraîner des blessures, mais cela empêche aussi Sophie de développer d'autres habiletés et intérêts. Laissez-la explorer un peu.

> Choisissez un sport qui restera gérable en termes d'horaire, sinon c'est vous qui allez finir par abandonner.

> Choisissez tous les sports que vous voulez... mais laissez Sophie avoir des temps libres dans sa semaine. Je vois trop souvent des enfants complètement désarmés devant un moment où rien n'est planifié. «Je ne sais pas quoi faire...» Ils sont tellement occupés et organisés du matin au soir qu'ils perdent leurs moyens et n'ont aucune initiative devant une pause dans leur horaire.

> Choisir un sport que vous pouvez pratiquer avec elle est un autre bon moyen de lui faire apprécier la chose, de vous obliger à bouger et de ne pas être que le chauffeur.

SUCE ET POUCE

Non, bien sûr, Sophie n'entrera pas au secondaire avec sa suce dans la bouche. Mais comment faire pour s'en débarrasser plus tôt sans ameuter tout le quartier ?

Bébé Sophie a besoin de téter, cela fait partie de son développement normal. Sophie se réconforte et se calme de cette façon. La suce peut donc devenir un accessoire contribuant à son bien-être... et au vôtre !

LES + DE LA SUCE

> Il est possible d'en contrôler l'usage et, pour des raisons évidentes, il est plus facile de s'en débarrasser que de se débarrasser du pouce.

> Le pouce pourrait avoir plus d'impacts négatifs à long terme que la suce sur le développement de la mâchoire, du palais et des dents de Sophie.

> On parle d'un possible effet protecteur de la suce quant au risque de syndrome de mort subite du nourrisson.

LES − DE LA SUCE

> On est tous d'accord que l'option «rien du tout» serait la meilleure.

> Introduite trop rapidement, la suce peut nuire à l'installation d'un allaitement adéquat, et donc d'un bon gain de poids. La suce n'est pas la réponse à tous les pleurs...

> Sophie devrait avoir fait le deuil de sa suce à trois ans, au maximum à quatre ans. Si on tarde trop à s'en débarrasser, ses dents et l'occlusion de sa bouche peuvent être affectées. Le langage et la socialisation peuvent aussi se trouver compromis.

> L'utilisation de la suce semble contribuer à augmenter le nombre d'otites chez nos petits.

Le sevrage de la suce

Voici arrivé le moment fatidique où on doit supprimer la suce, avec la très nette impression de retirer à Sophie ce qu'elle possède de plus précieux au monde… Aïe! D'abord et avant tout, soyez confiant …ou du moins, ayez l'AIR confiant.

> Retirez la suce progressivement, établissez un «programme de sevrage»: commencez par l'interdire lors des activités extérieures, puis durant les périodes d'éveil à la maison, puis lors de la sieste… Enfin, vous terminerez par le gros morceau: la nuit.

> Remplacez-la par un autre objet attachant: toutou, doudou, etc.

Préparez Sophie à la disparition éventuelle et proche de sa meilleure alliée. La surprise d'une suce qui disparaît du jour au lendemain sans préavis est une surprise de très mauvais goût.

> Le jour J du départ de la suce, donnez le choix à Sophie: boîte à souvenirs? Fée des suces? Père Noël? Facteur qui la donnera à un bébé qui n'en a pas? Vous connaissez votre enfant mieux que quiconque, vous saurez donc choisir le meilleur hameçon.

> Félicitez, encouragez, récompensez. Le tableau «Je ne suce pas mon pouce» avec autocollants et récompenses peut être un outil très incitatif. Répétez à votre puce qu'elle est grande et que vous êtes fier d'elle.

> Il est fort possible (ou plutôt, très certain!) que Sophie revienne à la charge. Ne cédez pas, changez-lui les idées.

FÉE DES SUCES

À FAIRE

> La suce doit être stérilisée à l'eau bouillante avant la première utilisation. Par la suite, l'eau chaude savonneuse suffit pour la nettoyer régulièrement.

> Assurez-vous souvent du bon état de la suce de Sophie : elle ne doit pas être endommagée ou mordillée, et si elle est déchirée, il y a danger d'étouffement. De la même façon, pas de «bricolage» accepté : les «suces de fortune» (tétines de biberon, etc.) n'ont pas leur place.

À NE PAS FAIRE

> Mettre la suce de Sophie dans votre bouche ne la nettoie pas... C'est un mythe!

> Même s'il vous est conseillé de sucrer la suce, ce n'est PAS une bonne idée. Caries et risques de botulisme (en lien avec le miel) seront au rendez-vous.

> Gare aux cordons autour du cou, synonymes de danger d'étouffement. L'attache-suce fait d'une pince et d'un ruban court est cependant tout à fait acceptable.

SYNDROME
DE MORT SUBITE DU NOURRISSON *(SMSN)*

Vous en avez entendu parler et, comme tous les parents de ce monde, vous ne pouvez imaginer la vie sans votre Sophie adorée. Alors, comment peut-on éviter un tel malheur?

Le syndrome de mort subite du nourrisson (SMSN) survient sans préavis, durant le sommeil de bébé, et sans raison apparente, malgré une investigation approfondie. Depuis l'établissement du «dodo sur le dos» comme position sécuritaire à adopter chez les tout-petits, les décès par SMSN ont diminué de moitié.

Les causes? Elles restent malheureusement méconnues. Cependant, certains facteurs de risque ont été identifiés, et vous pouvez exercer une influence non négligeable sur plusieurs d'entre eux.

BON À SAVOIR

Vous pourrez dormir sur vos deux oreilles dès que Sophie aura assez de tonus pour se redresser sur ses bras et se retourner toute seule. Après six mois, le risque de SMSN diminue de façon très importante.

Prévenons!

> Couchez Sophie sur le dos durant la nuit et les siestes. Cependant, lorsqu'elle arrivera à se retourner seule, laissez-la faire et, surtout, ne montez pas la garde à tour de rôle.

> Les études ont montré que l'endroit offrant le plus de sécurité pour les dodos de Sophie de 0 à 6 mois est son lit, dans votre chambre... et non son lit dans votre lit.

> C'est très gentil de la part de votre tante de vous avoir offert le lit de la grande cousine, mais il doit être conforme aux normes de Santé Canada.

> Le matelas de son lit de bébé doit être ferme, plat et ne pas laisser trop d'espace entre le bord et les barreaux du lit afin que rien n'y reste coincé.

> Oui, c'est magnifique dans les vitrines et les revues... mais les fla-flas sont OUT : oreillers, coussins, toutous, bordures de lit, édredons, couvertures et autres. De toute façon, la mode actuelle est à l'épuré, et c'est une bonne nouvelle.

> Les lits de bonne fortune – canapé, gros coussin, matelas gonflable – sont à proscrire.

> Sophie n'a pas besoin d'un sauna pour dormir. La température idéale d'une chambre de bébé est de 20 °C. Une couche de plus que vous, c'est la règle que j'applique : vous êtes bien en t-shirt ? Sophie sera tout à fait confortable avec un maillot et un pyjama. Les grenouillères ? Pas de problème.

> Créez un environnement sans fumée, s'il vous plaît. Même au cours de la grossesse, l'usage du tabac aurait un impact sur les risques de SMSN.

> La suce aurait un effet protecteur... Au moins un avantage !

N'investissez pas dans de coûteux appareils de « surveillance » de la respiration de bébé. Ils ne servent à rien et, pire encore, ils vous donneront un faux sentiment de sécurité...

COMME
TRISTAN

TESTICULES, COUP AUX

C'est le plus beau moment de votre été. Vous avez fièrement retiré les petites roues du vélo de Tristan et, après avoir passé quelques heures à courir derrière votre champion en tenant de peine et de misère la selle dudit vélo, le miracle se produit... Il part seul, zigzaguant un peu, en équilibre sur ses deux roues.

C'est alors que, catastrophe, vous redescendez bien vite de votre nuage lorsque vous voyez votre athlète tomber, absorbant le choc entre les deux jambes, sur la barre de son vélo... Ça y est, vous imaginez le pire, vous ne serez jamais grand-parent...

À FAIRE

> D'abord, respirez... Le fait que les testicules sont mobiles les protège relativement bien en cas de choc, car ils peuvent ainsi «esquiver» le coup. Ils sont de plus protégés par une enveloppe résistante qui rend une rupture du testicule assez rare.

> Déshabillez Tristan de tout ce qui peut le serrer au niveau des organes génitaux.

> Appliquez du froid pendant une quinzaine de minutes au moyen d'un sac étanche (de type Ziploc) contenant eau fraîche et quatre ou cinq glaçons et entouré d'une serviette sèche. N'appliquez jamais la glace directement.

 ## CONSULTEZ

Sauf si la douleur disparaît rapidement, si vous ne notez ni gonflement ni changement de couleur (bleu, rouge, mauve) et si votre petit bonhomme est prêt à repartir aussi sec sur son vélo.

TESTICULES, DOULEUR AUX

 CONSULTEZ EN URGENCE

Si Tristan éprouve une douleur subite et aiguë au scrotum (sans cause évidente).

Ceci est vrai, quel que soit l'âge, et même s'il n'y a ni gonflement, ni rougeur, ni brûlure, ni modification de l'urine.

Bien que les causes les plus fréquentes d'une douleur testiculaire soient des **infections** (virus ou bactérie), les deux situations sérieuses possibles justifiant cette consultation urgente sont :

> **Une torsion du testicule** : le testicule mal fixé fait un tour sur lui-même et empêche le sang de continuer à circuler pour le perfuser, le nourrir. Rapidement, cette interruption du flot sanguin peut mener à la «mort» du testicule atteint.

> **Une hernie inguinale étranglée** : une anse de l'intestin a profité d'un passage mal fermé entre l'abdomen et le scrotum pour glisser à l'intérieur de celui-ci, à proximité des testicules. On parle alors de hernie. Ce bout d'intestin peut se retrouver tout à coup coincé, provoquant cette douleur intense.

Ces conditions nécessitent une chirurgie dans les meilleurs délais, d'où l'importance de consulter sans attendre.

TESTICULES, NON PALPABLES

Dès le premier examen après sa naissance, le médecin de garde à la pouponnière vous explique qu'un des testicules de Tristan n'est pas palpable dans le scrotum. Tout ce qui touche de près ou de loin à ces structures précieuses de l'anatomie ne peut faire autrement que vous inquiéter.

QU'EST-CE QUI SE PASSE ?

Testicule non descendu ou cryptorchidie

La **cryptorchidie**, mot qui signifie «testicule caché», survient chez trois bébés garçons sur cent naissant à terme. Parfois, elle ne touche qu'un testicule, parfois les deux. On l'observe de façon nettement plus fréquente chez le bébé prématuré, car la descente des testicules – situés dans l'abdomen chez le fœtus – vers le scrotum n'est généralement pas complétée avant le huitième mois de grossesse. Cette progression peut continuer à se faire après la naissance, et il est donc fort probable qu'à l'âge de un an, le testicule de Tristan sera arrivé à destination. Si ce n'est pas le cas, on discutera avec vous d'une chirurgie visant à faire descendre et à fixer le testicule récalcitrant dans le scrotum quand Tristan aura de 18 à 24 mois.

Testicule rétractile

Les testicules de Tristan étaient bien là, vous n'avez pas rêvé! Pourtant, en changeant sa couche ce matin, ils ont disparu comme par magie... Ne vous inquiétez pas, ils ne sont pas partis bien loin. Un phénomène réflexe peut, dans certaines circonstances (en eau froide par exemple), «rétracter» les testicules plus près du corps afin de maintenir leur température constante. Ils seront de retour sous peu...

TÊTE PLATE *(plagiocéphalie)*

Tristan, cinq mois, est le portrait tout craché du bébé dessiné sur les boîtes de céréales. Joufflu, souriant, allumé : il est complètement adorable... Mais ses petits cheveux fins et blonds n'arrivent pas à dissimuler ce qui vous tourmente un peu. Sa petite tête, qui était si ronde et si parfaite à la naissance, est maintenant toute plate à l'arrière, comme si elle avait pris le pli du matelas.

QU'EST-CE QUI SE PASSE ?

Heureusement, les os du crâne de Tristan, au nombre de sept, n'auront complètement fusionné que vers l'âge de deux ans. Heureusement ? Oui, car le cerveau se développe à une vitesse telle qu'au cours de la première année de vie, le périmètre du crâne de Tristan aura augmenté de plus de 10 cm ! Jamais la croissance osseuse ne pourrait soutenir ce rythme si les os de son crâne étaient soudés. Voilà pourquoi, entre autres, on mesure le périmètre crânien lors des visites médicales.

Ne vous inquiétez pas, les os du crâne de Tristan sont tout de même retenus les uns aux autres par un tissu fibreux et solide leur permettant de rester malléables.

Pas de panique non plus si Tania, dans un élan incontrôlable d'amour, caresse plus ou moins délicatement la partie de la tête de son petit frère Tristan où se trouve la fontanelle. Zone un peu plus molle située sur le dessus de la tête de tout nouveau-né, la fontanelle – qui inquiète souvent les nouveaux parents ! – est elle aussi protégée par cette même membrane et elle se fermera vers 18 mois. Et à moins que votre Tania ait la force de Boumboum des Pierrafeu, n'ayez crainte, il n'y a aucun danger.

Puisque les os du mignon coco de votre amour sont encore mous, ils pourront effectivement prendre le « pli du matelas » si sa tête reste trop longtemps dans la même position, ce qui arrive principalement au moment du dodo. On appelle la tête plate qui en résulte la **plagiocéphalie**.

Parfois, la plagiocéphalie est associée à un **torticolis**, c'est-à-dire une raideur au niveau d'un muscle du cou de bébé Tristan qui fera en sorte qu'il gardera, bien malgré lui, sa tête tournée du même côté (*voir Torticolis congénital, p. 329*)

CONSULTEZ

Il est plus prudent de faire examiner Tristan par votre médecin si vous remarquez une asymétrie de sa tête.

> Ce dernier s'assurera, en mesurant le périmètre crânien de Tristan, que la croissance du crâne de votre chéri se déroule normalement.

> Il pourra vérifier s'il s'agit bien d'une plagiocéphalie secondaire à une position prolongée, auquel cas il pourra vous donner les conseils appropriés.

> Il déterminera si Tristan a un torticolis associé.

> Il éliminera une autre condition plus rare, la **craniosynostose**, qui demande une intervention assez hâtive. Il s'agit d'une fusion précoce d'un ou plusieurs os du crâne qui empêche une croissance harmonieuse. En palpant la tête de Tristan, votre médecin pourrait sentir que des os sont anormalement soudés, ce qui le conduirait à demander une radiographie de son crâne pour confirmer ses impressions.

À FAIRE

Bébé Tristan dort toujours avec la tête d'un côté?

Tournez sa tête doucement de l'autre côté de temps en temps. Je dis bien de temps en temps. N'en faites pas une maladie à faire le piquet à son chevet toute la nuit!

Même quand il est éveillé, il semble préférer la vue d'un côté par rapport à l'autre?

Rendez la vue opposée intéressante! Mobiles, jouets colorés, jouets animés, jouets musicaux, sa sœur (!), tout ce qui est susceptible d'attirer son attention fera l'affaire.

Vous remarquez que vous avez l'habitude de donner à boire à Tristan, de le porter ou de toujours changer sa couche de la même façon?

Ici, c'est à vous de changer vos habitudes!

> Alternez les positions au moment du boire et du changement de couche.

> Portez Tristan de diverses manières (le sac ventral peut vous aider ici).

> Couchez Tristan dans le sens inverse de son lit.

> Surtout, n'oubliez pas de le mettre sur le ventre de temps en temps! Tristan a besoin de développer ses muscles et d'apprendre à se redresser (faites-le systématiquement, à chaque changement de couche, ou placez bébé sur votre ventre et parlez-lui pour qu'il relève la tête).

À QUOI S'ATTENDRE ?

Dans la grande majorité des cas, sa petite tête retrouvera sa rondeur avec ces quelques mesures, surtout si on s'y prend tôt. Si l'asymétrie est importante, un casque de remodelage sera parfois nécessaire. Je vous vois changer d'air... Sachez cependant que le casque est léger et bien adapté au crâne de votre Tristan, de sorte qu'il ne lui causera aucune douleur. L'expertise d'un physiothérapeute peut être utile si un torticolis est présent.

Je tiens à vous rassurer : la tête plate de Tristan est une préoccupation d'ordre **uniquement** esthétique. Et, si la tendance se maintient, tout porte à croire que son coco se garnira de cheveux, ce qui vous fera oublier la petite asymétrie résiduelle qui vous tracasse tant.

La craniosynostose, quant à elle, requerra une chirurgie visant à «défusionner» les os soudés pour permettre une croissance normale du crâne et du cerveau de bébé.

· ·

TICS ET SYNDROME DE GILLES DE LA TOURETTE

C'est le début des classes. Vous avez remarqué depuis quelques semaines que votre beau Tristan clignait souvent des yeux. «Sûrement son allergie à l'herbe à poux», avez-vous conclu... Mais là, l'herbe à poux, c'est du passé. Et il continue de plus belle. Vous diriez même que c'est de plus en plus marqué. Ça vous rend fou, et une de vos tantes en visite la semaine dernière vous a harcelé de questions : «As-tu fait vérifier sa vision ? Il doit avoir un problème, ce n'est pas possible... Mon Tristan, pourquoi fais-tu ça avec tes yeux ? J'ai connu un enfant qui faisait ça, et on a dit qu'il souffrait de Tourette.» Malaise.

QU'EST-CE QUI SE PASSE ?

Un tic est un mouvement musculaire répétitif, involontaire et tout à fait inconscient. En fait, si Tristan répondait à votre tante, il lui dirait que c'est plus fort que lui. Il arrive peut-être à le contrôler pendant un court moment, mais ça ne dure pas et plus il est fatigué ou stressé, plus le tic est présent.

Ce type de tic, apparaissant dans un ciel clair, est un **tic transitoire de l'enfance**. Il disparaîtra comme il est venu en quelques semaines ou quelques mois. Il peut prendre toutes sortes de formes : clignements des yeux, raclement de la gorge, reniflement, retroussement du nez, mouvement de la mâchoire, mâchonnement et autres.

On peut envisager le syndrome de Gilles de la Tourette lorsque plusieurs tics moteurs (p. ex.: mouvement des épaules) et sonores (p. ex.: bruits de gorge) sont présents depuis plus d'un an.

Des critères diagnostiques précis ont été établis pour cette condition, mais aucune prise de sang ni aucun examen spécifique ne permet de la confirmer. Un enfant atteint du syndrome de Gilles de la Tourette a souvent des difficultés d'apprentissage, de l'impulsivité, des pertes de contrôle, des manies, des obsessions et des symptômes ressemblant à ceux du déficit de l'attention, mais l'atteinte est très variable d'un enfant à l'autre.

À FAIRE

Exactement ce que votre tante ne fait pas, soit ignorer complètement le comportement. Moins on en parlera, moins ça vous atteindra, plus il y aura de chances que le tic disparaisse rapidement. Prenez l'attitude du canard, ça vous coule sur le dos (ou au moins, ça doit avoir l'air de vous couler sur le dos). Gardez un horaire stable, évitez que Tristan manque de sommeil et diminuez les sources de stress.

· ·

TORTICOLIS *(chez l'enfant)*

Tristan, sept ans, a dormi avec sa petite sœur dans la salle de jeu. Ils se sont fait une cabane avec des couvertures et des draps et ont subtilisé tous les coussins de la maison pour s'organiser des lits de fortune. Ce matin, il marche avec la tête un peu penchée vers la gauche et se plaint d'avoir mal au cou.

QU'EST-CE QUI SE PASSE ?

Pas grand-chose de différent de ce qui vous arrive quand vous passez 10 heures dans un avion et que vous vous endormez tant bien que mal dans une position douteuse: c'est un torticolis. Ça fait mal, c'est désagréable, c'est incapacitant et dès que vous l'oubliez un peu, il revient à la charge au moindre mouvement trop brusque de votre tête. Pourquoi? Un muscle de votre cou et de celui de Tristan, le muscle **sternocléidomastoïdien**, est contracté en spasme involontaire et douloureux.

À FAIRE

Un peu de chaleur, de l'acétaminophène ou de l'ibuprofène et, en quelques heures, maximum quelques jours, on n'en parle plus.

Consultez

Si Tristan :

> fait de la fièvre, s'il a de la difficulté à avaler et s'il a un ganglion gonflé et douloureux dans le cou. Le torticolis est probablement secondaire à une autre condition.

> n'a pas l'air d'avoir un spasme ou une douleur dans son cou, mais s'il tient souvent sa tête penchée du même côté quand il regarde quelque chose, il a possiblement un problème de vision.

- -

TORTICOLIS CONGÉNITAL *(chez le bébé)*

Tristan, deux mois, regarde toujours du même côté… Et dès que vous tournez sa petite tête du côté opposé, c'est comme s'il y avait un petit ressort qui la ramenait dans la même position que cinq minutes auparavant. Ça vous inquiète, vous trouvez que son joli crâne tout rond est en train de se mouler au matelas…

Qu'est-ce qui se passe ?

L'espace était un peu restreint dans l'utérus de maman. Parfois, la position de la tête de bébé Tristan durant la grossesse favorise le développement d'un raccourcissement d'un muscle d'un côté du cou, le muscle **sternocléido-mastoïdien**. Occasionnellement, c'est au moment de l'accouchement que ce muscle a un peu la vie dure et, en guérissant, il se rétracte un peu.

À FAIRE

En fait, en quelques mois, il y a de très bonnes chances que le problème ait complètement disparu, mais vous pouvez l'aider un peu.

> Ce sera son premier programme d'exercices à vie! Jamais trop tôt pour prendre de bonnes habitudes. On place bébé sur son ventre pour qu'il apprenne à relever la tête et qu'il développe la maîtrise des muscles de son cou (*voir Conseils de maman, plus loin*).

> On essaie d'attirer le regard de Tristan dans le sens opposé: jouets colorés, côté attirant de sa chambre quand il est couché dans son lit, etc.

> Parfois, l'aide d'un physiothérapeute est demandée pour un programme d'étirement du muscle et d'exercices à faire.

CONSEILS DE MAMAN

Je vous avertis, au début votre petit Tristan détestera que vous le placiez sur son ventre. Son petit nez va piquer misérablement sur la couverture placée sous lui et, en moins de deux secondes, il risque d'être visiblement mécontent. Pour progressivement habituer mes enfants à la position ventrale, je me faisais un devoir de mettre chacune de mes puces quelques minutes sur leur bedon à chaque changement de couche. Je me mettais à la hauteur de leurs yeux pour attirer leur attention et on jouait à coucou, jusqu'à ce qu'elles me fassent clairement comprendre que je poussais un peu. Tranquillement, l'entraînement portait ses fruits et elles appréciaient le moment.

· ·

TOUX

Voir aussi Asthme, Bronchiolite, Coqueluche, Grippe ou rhume?, Mal de gorge, Otite *et* Respiration sifflante

Cela a beau ne pas être grave, Tristan continue à tousser, et ce n'est pas comme si vous pouviez en faire complètement abstraction: ça le réveille, ça vous réveille et ça vous donne droit aux gros yeux des autres parents de la garderie.

Je n'ai pas besoin de vous décrire ce qu'est la toux, mais je vais tout de même vous rappeler à quoi elle sert : c'est un mécanisme de défense normal du système respiratoire de Tristan. Et j'insiste sur le mot NORMAL. Par réflexe, vous fermez les yeux pour les protéger lorsque Tristan vous balance sa purée ? Et bien, par réflexe, les poumons toussent pour se protéger et pour éliminer ce qui les irrite. La toux n'est pas une maladie en soi, c'est un signal indiquant que les voies respiratoires de Tristan veulent se débarrasser d'un indésirable : sécrétion, microbe, polluant, etc. Il existe différents types de toux.

> **La toux sèche** : toux qui ne «draine» pas beaucoup de mucus et qui traduit une irritation.

> **La toux grasse** : toux productive, toux qui mobilise des sécrétions.

> **La toux chronique** : toux qui traîne depuis plus de trois semaines.

> **La toux aboyante** : toux qui ressemble à l'aboiement de Toutou ou au cri du phoque ! Si Tristan a déjà eu une laryngite, infection virale aussi couramment appelée «faux croup», vous savez exactement de quoi je parle…

> **La toux en quintes** : accès de toux, qui survient par bouffées, par crises. Lorsque la toux en quintes se termine par une inspiration bruyante, on parle de «chant du coq», observé avec la coqueluche.

Qu'est-ce qui se passe ?

La toux d'apparition récente

> Tristan tousse parce qu'il a **un rhume** : c'est – et de loin – la cause numéro un de la toux. Tristan ne se mouche pas bien (en fait, pas du tout) et l'accumulation de sécrétions dans son nez coule vers l'arrière de sa gorge. Évidemment, il tousse pour se dégager de ce mucus, et ce réflexe est d'autant plus présent la nuit. On appelle ça du *postnasal drip* dans notre jargon. Nettoyez son nez avec de l'eau saline le plus souvent possible (un petit truc, je gardais l'eau saline à côté de la table à langer et je procédais au grand ménage lors de chaque changement de couche).

> Il tousse parce qu'il a **une grippe (influenza)** ou toute autre infection causée par un virus.

> Il tousse parce qu'il a une –ite : **amygdalite**, **otite**, **bronchiolite**, etc.

> Il tousse parce qu'il a **une pneumonie :** je vous vois déjà froncer les sourcils… Ne vous inquiétez pas, vous risquez de la voir venir… Vous serez probablement alerté par la fièvre, la respiration rapide et surtout par le fait que votre coco aura vraiment perdu son sourire.

> Il tousse parce qu'il a aspiré un corps étranger : que ce soit un petit objet ou un morceau d'aliment, la toux est subite et peut être accompagnée d'étouffements.

La toux qui s'éternise ou toux récidivante

> Il tousse longtemps ou à répétition parce qu'il a récemment eu une infection respiratoire : peu importe le microbe en cause, l'irritation qu'il laisse derrière lui peut réussir à faire tousser Tristan pendant plusieurs semaines…

> Il tousse longtemps ou à répétition parce qu'il a des rhumes les uns à la suite des autres : un enfant en bonne santé qui fréquente la garderie peut attraper pas moins de 12 rhumes par année, autant dire que son nez coule en continu… C'est décourageant, je sais. Mais si vous regardez l'enchaînement de plus près, vous remarquerez que, parfois, les chutes du Niagara se transforment en chutes Montmorency pour repartir de plus belle après quelques jours.

> Il tousse longtemps ou à répétition parce qu'il a la **coqueluche** : un contact avec une personne infectée et la toux caractéristique accompagnée du « chant du coq » éveilleront les soupçons.

> Il tousse longtemps ou à répétition parce qu'il fait de l'**asthme** : ce qui nous mettra sur cette piste ? De l'eczéma, des allergies, une histoire d'asthme dans la famille, une toux interminable – surtout la nuit – lors de ses rhumes, une toux sèche à l'effort physique et parfois une respiration sifflante.

> Il tousse longtemps ou à répétition parce qu'il a une **rhinite allergique** : la toux revient inlassablement à la même saison chaque année, accompagnée des autres « drapeaux » allergies.

> Il tousse longtemps ou à répétition parce qu'il est exposé de façon chronique à des irritants, comme la cigarette…

> Il tousse longtemps ou à répétition parce qu'il a, beaucoup plus rarement, d'autres conditions : un reflux gastrique, une fibrose kystique ou même un tic.

Consultez

On ne s'énerve pas trop, mais on consulte pour une toux qui persiste si Tristan :

> tousse mais a encore l'énergie pour courir autour de la table du salon et décrocher vos rideaux ;

> n'a aucune difficulté à respirer et si vous arrivez à l'aider grandement en nettoyant son nez ;

> s'alimente quasi normalement, parfois en plus petites quantités, mais plus fréquemment.

Consultez rapidement, dans les meilleurs délais, si Tristan :

> a moins de trois mois ;

> tousse au point où cela l'empêche de s'alimenter adéquatement ou provoque des vomissements ;

> semble avoir une « -ite » : otite, amygdalite, sinusite, etc. ;

> manque d'énergie, vous ne le reconnaissez pas ;

> fait de la fièvre depuis deux ou trois jours ;

> perd du poids ou a beaucoup de difficulté à suivre « sa courbe » de croissance.

Consultez en urgence

> Si la toux de Tristan survient très abruptement et que Tristan semble s'étouffer.

> Si elle est accompagnée de difficultés à respirer, de tirage.

> Si elle est accompagnée d'une respiration laborieuse et si vous entendez une respiration sifflante persistante.

> Si Tristan est pâle ou a les lèvres bleutées.

> S'il est très affaissé, amorphe, et fait de la fièvre depuis plus de 48 heures.

Conseils de maman

Ma fille, à l'âge de 16 mois, avait rapidement saisi que deux têtes se tournaient automatiquement vers elle au moindre toussotement… C'est le genre de toux qui disparaît miraculeusement la nuit. Avis aux intéressés !

Trisomie 21

Vous attendez un bébé, c'est une merveilleuse nouvelle. Vous flottez littéralement sur votre nuage... Jusqu'au moment où le médecin que vous rencontrez pour la première fois pour le suivi de grossesse vous parle d'amniocentèse. Maman a 39 ans et les risques d'avoir un enfant atteint de trisomie augmentent avec l'âge. Ouf, c'est vraiment nécessaire ?

Qu'est-ce qui se passe ?

On parle ici d'anomalie chromosomique. Normalement, bébé Tristan est l'amalgame parfait d'un ovule et d'un spermatozoïde qui combinent 23 chromosomes de sa mère et 23 chromosomes de son père. Sur ces 23 paires de chromosomes, une seule détermine le sexe : XX pour la fille et XY pour le garçon.

Maintenant, si par malheur il y a un joueur de trop, une copie supplémentaire d'un chromosome, cela peut engendrer certains syndromes pouvant avoir plusieurs répercussions sur la santé de votre petit loup.

C'est le cas de la trisomie 21, connue aussi sous le nom de **syndrome de Down** ou, encore parfois, de mongolisme. Trois copies du chromosome 21 se retrouvent dans les cellules du corps de Tristan. Plusieurs autres anomalies chromosomiques existent : la trisomie 13, la trisomie 18, le syndrome de Klinefelter, le syndrome de Turner, etc.

À quoi s'attendre ?

Les enfants atteints du syndrome de Down peuvent l'être à divers degrés. Certains sont en bonne santé, d'autres sont malheureusement aux prises avec des problèmes plus sérieux. Tous accusent un retard mental plus ou moins important, un retard dans l'acquisition des étapes normales du développement, une croissance affectée et une diminution du tonus musculaire. À cela peuvent s'ajouter des malformations cardiaques, des troubles de la thyroïde, des problèmes auditifs et visuels ou des déficits immunitaires. Ces enfants plus malades nécessitent des soins médicaux. Vous comprenez ainsi la pertinence de ce que votre médecin vous propose lorsqu'il vous suggère un diagnostic prénatal.

Il existe maintenant des tests de dépistage sanguin que Maman peut passer au cours de son premier trimestre de grossesse. Si ces tests pointent vers une possibilité que le bébé soit atteint d'une anomalie chromosomique, une amniocentèse est alors proposée pour confirmer les soupçons : il s'agit de prélever, sous échographie, un échantillon de liquide amniotique dans lequel baigne le fœtus. C'est une procédure qui ne comporte que très peu de risques. Le résultat de l'analyse des cellules ainsi prélevées devra ensuite être discuté avec un spécialiste en génétique. Vos émotions sont à fleur de peau et vous avez besoin de soutien… C'est tout à fait normal. Plusieurs groupes d'entraide et l'équipe médicale qui vous entourent sont là pour vous écouter et vous réconforter.

TROUBLE DU DÉFICIT DE L'ATTENTION AVEC OU SANS HYPERACTIVITÉ (TDA, TDAH)

Tristan, huit ans, entreprend sa troisième année du primaire. Ce soir, dans son agenda, une petite note de son professeur vous invite à venir le rencontrer, et vous savez pertinemment de quoi il veut discuter avec vous. « Tristan est dans la lune. Il a constamment besoin d'être ramené à la tâche et il dérange ses camarades. Il est pourtant si brillant, il pourrait faire bien mieux ! L'avez-vous fait évaluer pour un trouble du déficit d'attention ? » Ce n'est pas nouveau, ses professeurs de première et de deuxième année vous en avaient déjà glissé un mot. Même à la garderie, votre petit bonhomme avait cette gentille réputation de déplacer pas mal d'air et de malheureusement louper les consignes. Rien de méchant, juste un peu intense. Mais là, ça dérape un peu. Vous aviez appris à contenir votre charmant petit diable, mais vous en êtes maintenant au point où le contrôle vous échappe : Tristan agit impulsivement, ne craint plus l'autorité et, pire, la défie et lui manque de respect. Mais ce qui vous fait le plus de peine, c'est de le voir perdre sa motivation, perdre ses amis et perdre sa confiance en lui, si bien que parfois il vous parle de disparaître…

Lorsqu'une telle situation se présente, vous vous sentez non seulement démuni devant la détresse de Tristan, mais jugé dans vos compétences de parent. Ce n'est donc pas rare que j'entende ce discours dans mon bureau.

QU'EST-CE QUI SE PASSE ?

On estime que 6 % des jeunes d'âge scolaire sont touchés par un trouble du déficit de l'attention avec ou sans hyperactivité (TDA ou TDAH). À mon avis cependant, on a vite tendance à abuser de l'équation «difficultés à l'école = TDAH». Dommage, car un diagnostic erroné ne fera qu'orienter les efforts dans la mauvaise direction et donc ajouter à la frustration et au découragement déjà présents.

Les causes exactes de TDAH sont encore mal comprises. On connaît cependant certains facteurs impliqués:

> «Tu étais pareil quand tu étais petit...» Sur ce coup-là, je dois donner raison à grand-maman: le TDAH a certainement une composante héréditaire.

> Plus rarement, on associe le TDAH à des répercussions d'atteintes neurologiques précoces: prématurité, infection comme l'encéphalite ou la méningite en bas âge, complications à la naissance, etc.

> Sortez-vous immédiatement de l'esprit que Tristan fait face à ces problèmes parce que vous avez été un «mauvais» parent. Déculpabilisez-vous, ce n'est ni de sa faute ni de la vôtre. On sait malgré tout qu'en offrant un encadrement et un support constants à un enfant qui souffre de ce trouble, on met des outils dans son panier pour surmonter les difficultés et diminuer les impacts du problème.

> Nos connaissances actuelles sur le fonctionnement du cerveau permettent d'avancer que les difficultés de Tristan sont explicables en partie par un déséquilibre d'ordre biologique: les **neurotransmetteurs** (comme la **dopamine** et la **noradrénaline**), ces «messagers» de l'information des neurones du cerveau, ne remplissent pas leurs fonctions de façon optimale. Je fais souvent l'analogie suivante: «Tristan, imagine que, demain matin, ton directeur, tous les professeurs et les surveillants (neurotransmetteurs) de ton école (cerveau) partent ensemble une semaine en vacances... À ton avis, il se passe quoi?» Réponse: l'anarchie totale (évidemment exprimée en d'autres mots par Tristan). Le système de contrôle s'écroule, les idées se bousculent, c'est la pagaille dans sa tête comme dans sa classe sans surveillant ni professeur. Et par moments, devant cette désorganisation, le bouchon saute et Tristan s'emporte...

Quels sont les signes ?

Afin de bien cerner la problématique et d'aider adéquatement Tristan, divers intervenants (psychologues, ortho-pédagogues, orthophonistes, travailleurs sociaux, médecins, psychiatres, pédiatres) essaient de comprendre le mieux possible sa réalité quotidienne à l'école, bien sûr, mais aussi à la maison, au terrain de soccer, chez ses amis… Vous devenez nos alliés de choix dans cette démarche. Le TDAH se présente souvent sous forme du « trio » **inattention/impulsivité/hyperactivité**, mais comporte parfois seulement la dimension inattention. Soyez à l'affût des indices suivants :

Inattention

> Tristan perd le fil à la moindre distraction.

> Il est souvent dans la lune.

> Il a de la difficulté à se mettre au travail et à terminer ce qu'il entreprend.

> Il a beaucoup de difficulté à s'organiser.

> Il demande souvent plus de temps que les autres pour achever son ouvrage.

> Il a constamment besoin d'être ramené à la tâche ou de se faire répéter les consignes.

> Tristan et vous vivez l'enfer au moment des devoirs.

> Il fonctionne mieux dans un encadrement seul à seul.

> Il fait des erreurs d'inattention répétées, « mais la veille, il les connaissait par cœur, ses mots de vocabulaire ».

> Il interprète mal les textes ou les directives qu'il lit et « oublie » les détails.

> Il ne suit pas le jeu lors des sports d'équipe.

> Il oublie systématiquement quelque chose ou perd fréquemment ses affaires.

Impulsivité

> Tristan interrompt, s'impose dans les discussions ou les jeux.

> Il est incapable d'attendre son tour ou de respecter les règles.

> Il répond avant même qu'on ait fini de poser la question.

> Il dérange les autres, saisit les objets des mains de ses camarades.

> Il ne réfléchit pas avant d'agir et évalue parfois mal le danger.

> Il répond impulsivement sans peser le poids des mots.

> Il s'emporte et est soupe au lait.

> Il n'a aucune patience.

> Il a du mal à garder des amis.

Hyperactivité

> Tristan est incapable de rester en place.

> Il n'a qu'une seule vitesse : la course.

> Il se lève, grimpe, bouge en continu dans des situations inappropriées.

> Il est un moulin à paroles.

À FAIRE

Vous avez reconnu votre amour dans la description précédente et vous vous êtes même un peu reconnu... Maintenant, comment aider Tristan?

> La première chose à faire est d'**aller chercher de l'aide**. Votre médecin, le professeur de Tristan, le CLSC, votre ami psychologue... Parlez-en, ne restez pas isolé et surtout ne soyez pas honteux ou gêné; il s'agit de mettre tout en œuvre pour aider votre petit bonhomme à continuer de prendre plaisir à apprendre, à garder confiance en lui et à s'épanouir dans ses relations avec ses amis.

> Les professeurs de Tristan sont vos alliés. Informez-les de vos démarches et gardez contact : vous travaillez en équipe.

> Faites participer Tristan. Aussi étonnant que cela puisse paraître, il peut vous aider à l'aider : il sait probablement instinctivement ce qui pourrait favoriser ses apprentissages et lui donner le goût d'apprendre. Trop souvent, son point de vue est laissé de côté.

> Vous aimez faire des listes? Vous allez être servi! Sortez crayons, surligneurs, Post-it, cartons... Établissez des tableaux, écrivez les règles à suivre, faites des rappels, élaborez des plans de travail, utilisez des codes de couleur, inventez des trucs de mémorisation, griffonnez vos explications. Structurez ce que Tristan n'arrive pas à faire seul, encadrez-le d'outils visuels concrets.

> Donnez-lui aussi une structure dans le temps : montre, sablier, horloge.

> Répétez. Répétez. Répétez. Sans vous fâcher. Tristan a besoin d'entendre plusieurs fois la même chose.

> Restez simple, précis et concis dans vos directives. Découpez les tâches en petits morceaux, c'est beaucoup moins décourageant et plus facile à retenir. Tristan se sentira moins écrasé devant ce qu'il a à accomplir.

> Accordez-lui des pauses, laissez-le bouger. Il a besoin de cette soupape!

> Regardez Tristan, cherchez son regard lorsque vous vous adressez à lui. Vous capterez mieux son attention.

> Créez une atmosphère de travail calme, exempte de distractions prévisibles. Tristan ne sera pas très attentif si la télévision le dérange ou si vous hachez vos oignons à ses côtés.

> Routine. Horaire stable. Restez constant et prévisible. Tristan n'apprécie pas les changements de dernière minute, ça le déstabilise.

> Structure ne doit pas automatiquement être synonyme d'ennui. Riez, amusez-vous avec Tristan, ne mettez pas votre sens de l'humour de côté. Tout le monde sera plus détendu.

> Prenez le temps de lui expliquer ce qui se passe et ce qui est prévu. Ne le mettez pas devant le fait accompli.

> Établissez des limites claires et respectez-les. La stabilité est source de sécurité. Inutile d'entrer dans des discussions interminables ou des négociations à n'en plus finir. Vous n'êtes pas en train de faire votre bac en droit, vous instaurez des balises, point.

> Ne tolérez pas les comportements que vous jugez inacceptables (frapper, insulter, crier...), mais ne vous emportez pas, cela ne fera qu'envenimer les choses.

> Félicitez Tristan, soulignez chaque petite réussite, chaque effort. Son estime de lui est fragile, il a grandement besoin de vos encouragements et de renforcement positif... Il adore le système de récompenses.

> Donnez-lui des responsabilités simples, à sa portée. Il se sentira valorisé en les effectuant avec succès.

> Libérez-le de son trop plein d'énergie, inscrivez-le dans des activités sportives qui lui plaisent. Cela lui permettra en plus de rencontrer de nouveaux amis.

> Donnez-vous des moments de répit.

Quel est le traitement ?

La question épineuse des médicaments

Je ne vais aborder que brièvement le sujet de la médication. D'abord parce qu'elle ne convient pas nécessairement à Tristan, et ensuite parce que, si elle convient à votre chéri, la médication appropriée en dose adéquate ne sera pas obligatoirement la même que celle de son cousin du même âge.

Personnellement, j'envisage et je discute avec les parents de l'ajout d'une médication pour Tristan dans certaines situations :

> lorsque l'on est sûr de ce que l'on traite ;

> devant une situation où le TDAH nuit au fonctionnement quotidien de Tristan, non seulement à l'école mais dans toutes les autres sphères de sa vie : maison, sport, relations amicales, etc. ;

> lorsque l'on remarque que notre grand garçon commence à se déprécier et à se désinvestir ;

> lorsque l'on est TOUS d'accord (les parents, Tristan et moi) sur l'utilité d'un tel traitement.

Il ne s'agit pas d'un médicament « taille unique » et l'ajustement de cette thérapie demande une surveillance médicale, tant pour ses effets bénéfiques que pour ses possibles effets secondaires.

Au Québec, il existe principalement trois types de médicaments disponibles pour le traitement du TDAH chez l'enfant :

> les médicaments **psychostimulants à base de méthylphénidate** : Ritalin, Concerta, Biphentin ;

> les médicaments **psychostimulants à base d'amphétamines** : Adderall, Vyvanse, Dexedrine ;

> le médicament **non stimulant atomoxétine** : Strattera.

Le but de ces médications est de rétablir, en partie, la présence «des surveillants, des professeurs et du directeur» dans les neurones du cerveau de Tristan. On tente d'optimiser le rôle des neurotransmetteurs et donc de faciliter la transmission des informations.

Il est essentiel de garder à l'esprit que la médication n'est pas une potion magique… Elle complète mais ne remplace pas les structures de vie dont Tristan a besoin.

Vous aurez probablement entendu parler d'autres thérapies disponibles : oméga 3, modification de la diète, homéopathie, *biofeedback*… Posez des questions, informez-vous avant de vous lancer vers ces avenues.

À BAS LES MYTHES !

Le TDAH disparaît complètement à l'adolescence

= FAUX

Précisons sur ce point que Tristan restera probablement plus tranquille sur sa chaise et que ses symptômes s'estomperont en vieillissant, mais certains traits du TDAH resteront vraisemblablement présents, même à l'âge adulte. La bonne nouvelle, c'est que Tristan aura appris à mieux les gérer.

Les médicaments qui traitent le TDAH créent une dépendance

= FAUX

La consommation de sucre cause le TDAH

= FAUX

Le TDAH résulte d'un manque de discipline ou d'une mauvaise éducation

= FAUX

Il est impossible que mon enfant soit atteint d'un TDAH, il peut passer des heures concentré, à regarder la télévision ou à jouer à des jeux vidéo

= FAUX, au contraire

COMME
UGO

ULCÈRES ET APHTES

(pieds-mains-bouche, herpangine)

Voir aussi Feu sauvage et herpès *et* Rougeurs et boutons

Ugo, deux ans, ne veut rien avaler. Ce n'est pas nouveau, mais c'est franchement pire que d'habitude. Et comme il a beaucoup plus de facilité à escalader la bibliothèque du salon qu'à faire une phrase complète, tout ce qu'il vous fait comprendre, c'est « fait bobo » en pointant sa bouche… Vous vous décidez à sortir la lampe de poche et, après maintes tentatives de persuasion, vous réussissez à passer à l'exploration du site du problème… Pauvre chaton ! (Petit moment de remords, on est tous passés par là.) Plusieurs petits cratères rouges tapissent le fond de sa gorge. Pas étonnant que tout ce qu'il accepte de manger, c'est sa crème glacée préférée ! Mais qu'est-ce qu'il a encore attrapé ?

QU'EST-CE QUI SE PASSE ?

Ugo peut avoir dans sa bouche ces petits ulcères douloureux pour de multiples raisons, dont nous examinerons ici les principales.

Pieds-mains-bouche et herpangine

Le virus responsable ici est le coxsackie, et il œuvre principalement l'été et l'automne. On parle de **pieds-mains-bouche** lorsqu'on est face à la totalité des symptômes, et d'**herpangine** lorsque seule la bouche est atteinte. Et tout ça dure une bonne grosse semaine… Juste assez longtemps pour que ça se propage un peu autour (on n'oublie pas de bien se laver les mains!).

QUELS SONT LES SIGNES ?

> Ugo peut avoir une fièvre assez élevée pendant quelques jours.

> Il peut être amorti, manquer d'énergie.

> Il peut se plaindre d'un mal de gorge.

> Il peut refuser de s'alimenter et même de boire.

> Il peut avoir de petites ulcérations douloureuses dans la bouche.

> Il peut avoir des vésicules (minuscules bulles) sur la paume des mains, la plante des pieds et les fesses.

> Il peut aussi se plaindre de maux de tête et avoir des selles plus liquides.

À FAIRE

> C'est un virus. Il n'y a donc aucune raison qu'Ugo reçoive des antibiotiques.

> La crème glacée est tout indiquée! Les aliments froids passent définitivement mieux que le steak. On évite le salé, l'acide, l'épicé...

> On offre à boire, peu à la fois, mais souvent.

> On soulage la douleur: acétaminophène (p. ex.: Tylenol, Tempra) ou ibuprofène (p. ex.: Advil, Motrin). N'hésitez pas à demander des conseils à votre pharmacien concernant l'administration de ces médications.

CONSULTEZ

> Si les petits ulcères sont toujours présents au bout de 10 jours.

> Si Ugo ne semble pas soulagé malgré l'acétaminophène ou l'ibuprofène.

> Si son état général se dégrade et si vous ne reconnaissez pas votre petit bonhomme.

CONSEIL DE MAMAN

Si vous avez affaire comme moi à un chaton qui crache sans exception sa médication, utilisez de l'acétaminophène en suppositoire.

....

Herpès

Ugo n'est pas à l'abri de présenter une infection à herpès, le virus responsable des fameux feux sauvages mais aussi de la **gingivostomatite herpétique**, qui sera parfois la première manifestation d'une infection à herpès. Et celle-là, on peut difficilement passer à côté en termes d'ulcères et de «fait bobo», croyez moi! (*Voir Feu sauvage et herpès à la page 127.*)

Aphte

De toutes les causes d'ulcère dans la bouche de votre chéri, l'aphte est probablement la cause la plus fréquente. Bonne nouvelle, ce n'est pas contagieux… Mauvaise nouvelle, on ne connaît pas bien ce qui provoque son apparition.

Un ou plusieurs facteurs peuvent être en cause :

> certains aliments plus irritants;

> de petites blessures occasionnées par un brossage de dents trop intensif;

> des morsures passant inaperçues;

> un manque de fer ou de certaines vitamines;

> des allergies;

> une réaction à un médicament.

Malgré votre esprit analytique, vous en viendrez probablement à la conclusion que vous n'avez pas la moindre idée de la cause de cette apparition. Surtout, n'en perdez pas le sommeil.

QUELS SONT LES SIGNES ?

> L'aphte apparaît en solitaire ou, à l'occasion, en groupe.

> Il débute par une petite lésion rouge ulcérée et douloureuse qui devient par la suite blanche ou grisâtre.

> Il occasionne un refus de s'alimenter dû à la douleur et au fait que les aliments irritent la plaie.

> Il ne cause que très rarement de la fièvre.

> Il devrait disparaître en moins de 10 jours.

À FAIRE

Le principal but est de soulager notre petit Ugo…

> Évitez les aliments acides (p. ex.: agrumes, tomates), épicés (p. ex.: piments forts), salés ou décapants (p. ex.: chips sel et vinaigre).

> Choisissez une brosse à dents avec des poils très souples et lâchez prise sur le brossage à haute intensité.

> Évitez les dentifrices qui contiennent du laurylsulfate de sodium, lequel peut être source d'irritation.

> Les boissons gazeuses, particulièrement le coca, sont assez abrasives pour redonner son éclat initial à une vieille pièce de un cent... Ça vous donne une idée des dommages que ça peut faire dans une petite bouche...

> Vous pouvez donner à Ugo des médicaments contre la douleur (acétaminophène et ibuprofène).

Consultez

> Si la douleur est insupportable et empêche votre chaton de s'hydrater adéquatement.

> Si Ugo est accablé par des aphtes de façon répétée. Il faudra peut-être chercher un peu plus loin...

> Si les ulcères prennent un temps fou à guérir.

Ceci dit, dans la grande majorité des cas, les aphtes arrivent chez des enfants par ailleurs en bonne santé et disparaissent aussi vite qu'ils sont apparus.

· ·

Urticaire

*On pourrait jouer à « devine où est partie la tache rouge »
avec Ugo... Ce n'est pas compliqué, vous avez juste à l'observer
un peu et à noter dans quel coin il se gratte ! Hier soir, après
son bain, vous avez remarqué des plaques rouges, un peu
boursouflées, et celles-ci disparaissent et réapparaissent
ailleurs comme par magie. Et pauvre petit bonhomme, ça
semble le gratouiller de partout ! Mais il reste en super-forme
sinon, à part son éternel petit nez qui coule...*

Qu'est-ce qui se passe ?

L'urticaire est une réaction inflammatoire de la peau.

Très curieusement, les plaques :

> apparaissent subitement ou prennent parfois quelques jours avant de se manifester ;

> peuvent toucher n'importe quel endroit du petit corps de votre Apollon ;

> sont rouges, boursouflées, avec parfois un centre plus pâle (comme une cible);

> causent des démangeaisons au point de rendre votre Ugo très irritable et de rendre son sommeil, et le vôtre, particulièrement erratique;

> changent d'endroit d'une heure à l'autre de la journée;

> ne laissent pas de marques, ne coulent pas et ne croûtent pas.

On attribue cette réaction cutanée chez Ugo:

> à une réaction allergique à un aliment;

> à une réaction allergique à un médicament;

> à une réaction allergique à une piqûre d'insecte, au pollen ou à d'autres allergènes respiratoires;

> à une réaction à une infection, le plus souvent un virus (probablement la cause la plus fréquente);

> et, plus rarement, à une exposition au froid, au chaud (soleil) ou à l'exercice physique.

Huit fois sur dix, vous ne saurez pas pourquoi Ugo est couvert de ces plaques. Amusant, n'est-ce pas? Mais, si vous voulez mon avis, les virus nous jouent encore ici bien des tours.

Consultez

> Si vous remarquez que l'urticaire d'Ugo se répète ou ne disparaît pas.

> Si vous avez l'impression d'avoir identifié un aliment, un

médicament ou un autre coupable en lien avec les poussées d'urticaire. Des tests d'allergie pourraient confirmer vos soupçons.

> Si Ugo est par ailleurs en pleine possession de ses moyens et qu'il ne présente pas les symptômes décrits plus bas, les antihistaminiques (p. ex.: Benadryl) peuvent soulager votre coco. Il faut bien comprendre cependant que ces médicaments diminuent le prurit et atténuent les poussées de plaques, mais ne traitent pas la cause sous-jacente.

Consultez en urgence

Si Ugo montre les symptômes suivants:

> un gonflement du visage, des lèvres, de la langue;

> une sensation de gorge qui serre;

> un changement de sa voix;

> des difficultés à respirer;

> une somnolence ou une altération de son état de conscience.

Appelez le 9-1-1

Si Ugo présente des signes d'anaphylaxie tels que des difficultés respiratoires, un gonflement au niveau du visage et une difficulté à avaler, appelez le 911. Il faut vous rendre à l'urgence le plus rapidement possible. Si vous avez une seringue d'épinéphrine à votre disposition (p. ex.: Epipen), c'est le moment de l'administrer, sans délai.

COMME
VICTORIA

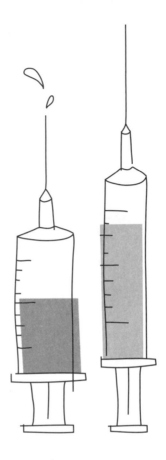

VACCINATION

Je suis tout à fait sensible au fait que nous abordons ici un sujet qui vous préoccupe, qui vous inquiète même pour certains, et à propos duquel vous avez lu et entendu toute une panoplie d'informations contradictoires.

Je commencerai donc par répondre au top 10 des questions qui vous tracassent le plus et qui, inévitablement (et c'est bien normal !), se retrouvent sur cette petite liste avec laquelle vous arrivez au rendez-vous de deux mois de Victoria.

Qu'est-ce qui se passe ?
La vaccination en 10 questions

1. J'ai lu que les vaccins donnaient des maladies et affaiblissaient le système immunitaire...

Au contraire, les vaccins préparent le système immunitaire de Victoria à répondre efficacement si un microbe devait venir menacer sa santé. Imaginez votre système immunitaire comme une armée: si vous connaissez déjà l'adversaire, vous avez le temps de vous préparer à l'affronter et, donc, vos chances de gagner la bataille sont d'autant meilleures.

Les vaccins contiennent:

> des virus atténués, c'est-à-dire trop faibles pour causer la maladie (rougeole, oreillons, rubéole, rotavirus, varicelle);

> des virus inactivés ou tués (polio, hépatite A, grippe ou influenza);

> des parties de virus tués (hépatite B, virus du papillome humain);

> des parties de bactéries ou des bactéries inactivées (*haemophilus influenzae*, pneumocoque, méningocoque, diphtérie, tétanos, coqueluche).

En exposant Victoria, par l'entremise des vaccins, à ces microbes modifiés et inoffensifs, son système immunitaire reconnaît l'assaillant et prépare des armes dirigées spécifiquement contre eux afin de les éradiquer. Si votre princesse devait par la suite être confrontée à ceux-ci, ils seraient éliminés de son système le temps de dire «ouf», ne leur laissant aucune chance de faire des dégâts.

Les vaccins ne donnent donc pas de maladies et renforcent le système immunitaire.

2. Et ça fonctionne vraiment? Pour combien de temps?

Du 100 % d'efficacité, vous en côtoyez beaucoup? C'est la même chose dans le cas de la vaccination. Mais admettez avec moi qu'avec des taux d'efficacité se situant globalement de 85 % à 98 %, les vaccins ont tout de même un beau bulletin! La vaccination peut sans exagérer se vanter d'être un succès de la médecine moderne. Son impact sur la survie des enfants au cours du dernier demi-siècle n'a été égalé par aucune autre mesure médicale.

Réduire les risques de complications d'une varicelle (comme la pneumonie et les infections graves de la peau), d'atteinte du cerveau à la suite de la rougeole, de méningite et de surdité causée par l'*haemophilus influenzae,* voilà autant de bonnes raisons de profiter de la protection que les vaccins offrent à Victoria.

Certains vaccins ne nécessitent qu'une seule dose pour bâtir une armée efficace pour la vie. Cependant, pour la plupart, des rappels sont nécessaires pour rafraîchir la mémoire du système immunitaire de nos petits et le préparer adéquatement à se défendre. Il devient donc très important de suivre le calendrier de vaccination proposé, calendrier revu par des experts et modifié régulièrement selon les besoins de la population à protéger.

3. Mais comment puis-je être sûr que les vaccins sont sécuritaires?

Avant d'être utilisé et administré, un vaccin doit répondre à des critères très stricts de sécurité et d'efficacité. Même après qu'il a été approuvé, un vaccin en usage continue d'être sous la loupe des autorités par l'entremise de programmes de surveillance étroite de l'immunisation. J'ai le devoir, ainsi que mes collègues médecins et infirmiers, de rapporter toute réaction non usuelle à la suite de l'administration d'un vaccin chez un de mes patients.

4. Il y a des agents de conservation, du mercure (ou thimérosal) dans les vaccins... Ce sont des substances toxiques, non?

Les vaccins peuvent parfois contenir un agent de conservation, un stabilisant afin de maintenir sa qualité ou un adjuvant qui stimule la réponse immunitaire. On parle ici de quantités infiniment petites de ces substances, une goutte d'eau dans l'océan.

Il y a beaucoup de bruit autour du thimérosal, agent de conservation dérivé du mercure, et cela a inquiété les parents des jeunes enfants devant recevoir leurs vaccins. On reproche à cette substance d'avoir la capacité de générer des séquelles tels un retard mental, l'autisme ou des troubles d'apprentissage. Aucune recherche ou étude n'a établi un lien entre le thimérosal et ces conditions. En réalité, il y a probablement plus de mercure dans votre sandwich au thon qu'il n'y en a dans un vaccin contenant du thimérosal!

Tous les vaccins figurant sur le calendrier vaccinal régulier de Victoria sont maintenant produits sans thimérosal, et ce, depuis mars 2001. Le vaccin contre la grippe saisonnière peut même être disponible sans cet agent au Québec. Pourquoi l'avoir retiré s'il était sans risque? Pour vous convaincre de continuer à vacciner vos petits...

5. Ça m'inquiète de donner plusieurs vaccins à la fois. On ne risque pas de surcharger son système immunitaire?

Certains vaccins que recevra Victoria la protégeront de plusieurs maladies à la fois. Au Québec, c'est le cas, par exemple, du **RRO** (rougeole/rubéole/oreillons) ou du **Pentacel** (diphtérie/tétanos/coqueluche/polio/*haemophilus influenzae*). Ces combinaisons de vaccins demeurent sécuritaires et entraînent une réponse immunitaire efficace pour chacune des maladies ciblées. Avez-vous déjà réfléchi un instant à combien de microbes s'approchent de Victoria au cours d'une journée? Mains dans la bouche, aliments, suce, bisou du grand frère, miettes sous la table et tout ce que vous préférez ne pas savoir... Son système immunitaire est capable de reconnaître des centaines de milliers de microbes et d'y réagir adéquatement.

Certains experts ont établi qu'en administrant, la même journée, tous les vaccins recommandés, on ne met à contribution que 0,1 % de la capacité du système immunitaire. Ne vous en faites donc pas avec les quelques microbes de plus qu'elle côtoiera la journée de ses vaccins. De plus, vaccin combiné veut aussi dire moins de piqûres, ce qui n'est pas négligeable, on est d'accord.

6. Victoria a tout juste deux mois, elle est si petite... Et si on attendait un peu qu'elle soit plus grande et plus forte pour recevoir ses vaccins?

Eh bien justement... Il faut protéger Victoria parce qu'elle est petite et que si elle devait contracter une coqueluche ou une pneumonie à *haemophilus influenzae*, les conséquences pourraient être désastreuses, surtout au cours de sa première année de vie. Les vaccins sont tout aussi bien tolérés par nos tout-petits que par nos plus grands.

7. Elle a un rhume depuis quelques jours. On attend un peu avant de la vacciner?

Un petit rhume qui n'a pas enlevé le sourire à Victoria ne devrait pas l'empêcher de recevoir ses vaccins. Il en va de même lorsqu'elle reçoit des antibiotiques pour une condition bénigne. L'optique de repousser la vaccination devient valable lorsque l'état général de votre enfant est affecté et que vous et votre médecin ne la trouvez pas du tout dans son assiette, fièvre au menu ou non. Si votre enfant est suivi pour un déficit immunitaire ou des conditions neurologiques comme des convulsions, discutez avec votre médecin du bon moment pour administrer les vaccins.

8. J'ai lu qu'une allergie aux œufs empêche de recevoir certains vaccins. C'est vrai?

Un enfant connu pour de graves réactions allergiques aux œufs ne devrait pas recevoir le vaccin contre la grippe ni celui contre la fièvre jaune, plus rarement donné. Il va de soi qu'un enfant ayant présenté une réaction allergique à un vaccin ne devrait pas le recevoir à nouveau.

9. Les effets secondaires des vaccins m'inquiètent beaucoup. À quelles réactions dois-je m'attendre?

Victoria pourrait présenter une réaction mineure à la vaccination et cela n'est pas du tout inhabituel.

10. Y a-t-il un lien entre le vaccin RRO et l'autisme?

LA question… Pauvre RRO, il a été au banc des accusés pour bien des maux, mais particulièrement pour un lien éventuel avec l'autisme. Je vous assure que ce sont là de fausses accusations et que ce vaccin N'EST AUCUNEMENT LIÉ à l'autisme… Évidemment, je vous affirme ceci sachant que des scientifiques du monde entier, grandement compétents en la matière, ont revu et examiné toutes les données à ce sujet.

Sur la même lancée, les vaccins ne sont pas non plus tenus responsables du syndrome de mort subite du nourrisson, des maladies inflammatoires de l'intestin ou de l'asthme.

À QUOI S'ATTENDRE ?

> Un léger gonflement, une chaleur, une rougeur et une douleur persistant environ deux jours au site de l'injection du vaccin.

> Une fièvre de moins de 48 heures.

> Des effets secondaires à retardement pour le vaccin **RRO**: fièvre et éruption cutanée 5 à 14 jours après l'administration du vaccin.

> Plus rarement, une bosse plus ferme, mais non douloureuse palpable au site d'injection pendant quelques semaines et même quelques mois (on parle alors d'**abcès stérile**; il disparaîtra seul).

Pour soulager Victoria de la fièvre et de la douleur locale, donnez-lui de l'acétaminophène.

Oui, il existe d'autres réactions extrêmement rares… et extrêmement moins probables que les complications malheureuses faisant parfois suite à la maladie chez l'enfant non vacciné. C'est un peu comme si Victoria décidait de se métamorphoser en oiseau et de sauter de l'escalier… Le risque de se blesser diminue nettement si elle saute de la dernière marche d'un escalier recouvert de tapis dans une montagne de coussins (vaccinée) plutôt que du haut de l'escalier en béton de l'oratoire Saint-Joseph (non vaccinée)… Vous me suivez?

Prévenons !

Bon, maintenant que je suis rassuré, contre quelles maladies Victoria devrait-elle être vaccinée?

Voici la liste des maladies, des bactéries et des virus desquels le calendrier normal de vaccination québécois prévoit protéger Victoria ainsi que les moments où elle recevra les vaccins.

> **Coqueluche**: maladie respiratoire particulièrement dangereuse chez le très jeune bébé, pouvant causer une toux prolongée (parfois pendant des mois), des étouffements et un arrêt respiratoire.

> **Diphtérie**: maladie respiratoire grave pouvant aussi affecter le cœur et le système nerveux.

> ***Haemophilus influenzae***: bactérie responsable d'otites, de pneumonies, d'épiglottites (enflure au niveau de la gorge entraînant l'arrêt respiratoire) et de méningites (avec surdité comme complication).

> **Hépatites A et B**: infection du foie pouvant mener à une insuffisance hépatique, devenir chronique (hép B) et même évoluer vers un cancer. (hép B). L'exposition au virus de l'hépatite augmente lors de voyages dans de nombreux pays étrangers.

> **Méningocoque**: méningite grave et infection du sang qui peuvent être mortelles.

> **Oreillons**: fièvre et gonflement douloureux des joues (parotides) pouvant se compliquer de méningite, de surdité et d'infertilité (chez le garçon).

> **Pneumocoque**: provoque otite, pneumonie, infection du sang, méningite avec possible surdité.

> **Poliomyélite**: maladie qui, en touchant le système nerveux, engendre une paralysie.

> **Rotavirus**: virus très contagieux responsable de gastroentérites parfois accompagnées de vomissements et de diarrhées graves menant à une déshydratation importante chez le jeune nourrisson.

> **Rougeole** : maladie sévère se manifestant par une fièvre élevée, une éruption sur la peau, de la toux et des yeux et un nez qui coulent. Les complications de la rougeole peuvent être catastrophiques : surdité, inflammation et séquelles au cerveau, convulsions et possiblement la mort.

> **Rubéole** : l'enfant n'est que peu affecté avec fièvre légère et éruption cutanée… mais les conséquences sont désastreuses sur le fœtus si une femme enceinte l'attrape : malformation du cœur, retard mental, surdité, cataractes (enfant aveugle).

> **Tétanos** : condition qui peut se manifester par de graves spasmes musculaires, des convulsions et même la mort.

> **Varicelle** : malheureusement, cette maladie à l'allure bénigne peut se transformer en infection très grave de la peau (cellulite et «bactérie mangeuse de chair»), pneumonie et atteinte du cerveau.

> **Virus du papillome humain** : virus entraînant des condylomes au niveau des organes génitaux et de l'anus, responsable de la presque totalité des cancers du col de l'utérus, mais aussi d'autres cancers.

À 2 et 4 mois, **Victoria recevra :**

> le vaccin combiné contre la diphtérie, le tétanos, la coqueluche, la polio et l'*haemophilus influenzae* ;

> le vaccin contre le rotavirus (vaccin oral) ;

> le vaccin contre le pneumocoque (deux mois et quatre mois).

À 6 mois, **Victoria recevra :**

> le vaccin combiné contre la diphtérie, le tétanos, la coqueluche, la polio et l'*haemophilus influenzae*.

Entre 6 et 24 mois, **Victoria recevra :**

> le vaccin contre la grippe (influenza).

À 12 mois, **Victoria recevra :**

> le vaccin contre le pneumocoque ;

> le vaccin contre le méningocoque ;

> le vaccin combiné contre la rougeole, la rubéole, les oreillons et la varicelle.

À 18 mois, **Victoria recevra:**

> le vaccin combiné contre la diphtérie, le tétanos, la coqueluche, la polio et l'*haemophilus influenzae*;

> le vaccin conte la rougeole, la rubéole et les oreillons.

Entre 4 et 6 ans, **Victoria recevra:**

> le vaccin combiné conte la diphtérie, le tétanos, la coqueluche et la polio.

Lors de sa quatrième année du primaire, **Victoria recevra:**

> le vaccin contre les hépatites A et B;

> le vaccin contre le virus du papillome humain (VPH) (les filles uniquement).

Entre 14 et 16 ans **(habituellement en 3ᵉ secondaire), Victoria recevra:**

> le vaccin combiné contre la diphtérie, le tétanos et la coqueluche;

> le vaccin contre le VPH (si elle ne l'a pas reçu plus tôt).

La Société canadienne de pédiatrie recommande maintenant:

> l'administration d'une quatrième dose du vaccin contre le pneumocoque chez nos poupons de six mois;

> l'administration d'une deuxième dose du vaccin contre la varicelle (selon des recherches récentes, l'immunité semble diminuer avec le temps suite au vaccin donné à l'âge de un an. Victoria pourrait donc attraper la maladie à l'âge adulte, ce qui l'exposerait alors à plus de complications. Le moment idéal pour donner cette dose de rappel serait de quatre à six ans);

> l'administration d'une dose de rappel du vaccin contre la méningite à méningocoque chez nos adolescents.

Je conclurai en vous disant que, non, la vaccination n'est pas obligatoire au Canada et au Québec... Eh oui, les parents de mes petits protégés vous le diront, je leur donne l'information, c'est mon rôle, mais je respecte leur choix par la suite.

Mais j'oubliais UNE question dans le palmarès plus tôt...

DOCTEURE GAËLLE, AVEZ-VOUS FAIT VACCINER VOS ENFANTS?

Oui.

VERRUES ET MOLLUSCUM

Été de rêve à la piscine municipale. Victoria a appris à nager et, en bonus, s'est liée d'amitié avec toute une petite bande d'enfants de son âge... Elle a aussi ramené, à votre plus grand bonheur, des petits amis à la maison! Vous venez de faire leur connaissance alors que Victoria vous dit: « C'est bizarre, j'ai comme une bosse en dessous de mon pied... »

QU'EST-CE QUI SE PASSE ?

Les **verrues** sont causées par des virus de la famille VPH. (Pour vilaine, petite et horrible bosse? Pas tout à fait, c'est plutôt pour virus du papillome humain.) En règle générale, les verrues ne causent aucune démangeaison ou douleur, sauf lorsqu'elles s'installent sous la plante du pied, où elles peuvent devenir gênantes. On les attrape soit par contact direct (p. ex.: une poignée de main), soit par l'intermédiaire d'objets contaminés (p. ex.: le plancher des douches de la piscine).

Le **molluscum contagiosum** est à la verrue ce que le mont Royal est à l'Everest... Ce sont de beaucoup plus petites protubérances, ayant tendance cependant à arriver en «gang», se transmettant de la même manière, étant elles aussi causées par un virus (poxvirus). Elles apparaissent un peu partout sur le corps sauf sur les plantes des pieds et les paumes des mains. Elles sont complètement indolores et on les reconnaît facilement: petites excroissances de la même couleur que la peau avec, au centre, un petit trou à l'allure d'un nombril – ça a l'air mignon dit comme ça, hein?

Je vous entends: honnêtement, c'est très intéressant de savoir d'où elles viennent, ces petites bosses, mais ce serait encore plus fascinant de savoir comment s'en débarrasser.

· · · · · · · · · ·

Verrue

À FAIRE

Comme il s'agit d'un virus, avec un peu de patience, le système immunitaire de Victoria finira par décapiter le microbe. Deux verrues sur trois disparaissent spontanément... dans les deux ans! Un peu long? D'autres options s'offrent à vous.

> Certains produits vendus en pharmacie peuvent contribuer à la chasser un peu plus vite: Duoplant,

Duofilm, Compound W, etc. Ils sont à base d'acide salicylique, le principe étant de créer un dommage et une réaction inflammatoire pour aider le système immunitaire à combattre la verrue.

> La **cryothérapie**, ou azote liquide, est appliquée par votre médecin pour «brûler» la verrue. Et c'est loin d'être une partie de plaisir…

> On est toujours aux prises avec notre indésirable? La **cantharidine**, la vitamine A, la chirurgie et le laser sont d'autres avenues possibles.

Quel est le traitement ?

Je vois déjà la petite figure terrorisée de Victoria au moment où elle entre dans mon bureau. Son amie à l'école lui a raconté la séance fort pénible d'application d'azote liquide… Et, si je suis effectivement la pédiatre de Victoria, il y a de bonnes chances qu'elle puisse se vanter de ne pas avoir subi le même sort. Selon de nombreuses études, la cryothérapie ne s'est pas révélée plus efficace que l'acide salicylique, et c'est pourquoi rien ne justifie de faire souffrir Victoria. Pour ma part, je prône deux approches: on l'oublie et on laisse la nature et le temps s'en charger ou – et là papa va être content – on sort le ruban à conduits (*duct tape*), on en coupe un morceau et on en couvre la verrue, morceau qu'on change au besoin lorsqu'il se décolle, jusqu'à ce que l'horrible bosse ait disparu… Non, ce n'est pas une blague! Au lieu d'aller à la pharmacie en sortant de mon bureau, vous vous dirigez à la quincaillerie avec une petite Victoria respirant le bonheur!

· · · · · · · · · · ·

Molluscum

À faire

> Les recommandations pour la verrue s'appliquent pour le molluscum. Avec un peu de patience, le système immunitaire de Victoria finira par s'en charger. Mais parfois, l'impatience ne vient pas de vous, mais du milieu de garde ou même de Victoria, qui est un peu gênée par ces petits boutons disgracieux, surtout s'il y en a toute une collection.

Quel est le traitement ?

> À la clinique, une crème anesthésiante est tout d'abord appliquée sur les lésions que l'on gratte par la suite avec une curette. Malheureusement, cela laisse parfois des cicatrices. Si vous en avez le courage, la technique peut vous être expliquée et vous pouvez traiter Victoria à la maison lors des prochaines poussées, parce qu'il y en aura.

> L'azote liquide s'utilise aussi pour les molluscums.

Prévenons !

Personne n'est à l'abri. On peut cependant essayer de limiter les possibilités que Victoria partage ses nouveaux amis désagréables, par exemple en lui faisant porter des gougounes à la piscine et des pantoufles à la maison, en évitant qu'elle partage ses chaussures avec ses copines, en mettant de côté les «bains groupés» avec ses sœurs pour le moment – ça risque de lui faire plaisir – et en lui gardant une serviette propre pour elle toute seule.

• •

VERS (oxyures)

Vous êtes au cinéma avec votre adorable Victoria de quatre ans et, pour une raison totalement obscure, elle n'arrive pas à tenir en place sur son siège et a constamment une main dans son jeans. «Ça pique!» vous dit-elle lorsque vous lui demandez gentiment de garder ses mains hors de son pantalon. Ce n'est pas la première – ni la dernière – fois qu'elle vous dit ça, vous n'y portez pas grande attention. Le lendemain après-midi, en allant la chercher à la garderie, vous retrouvez dans son sac à dos un avis comme quoi quelques enfants de son groupe ont été traités pour oxyurose, terme qui se retrouve immédiatement sur Google en rentrant à la maison... C'est précisément à ce moment que ça commence à vous piquer vous aussi.

QU'EST-CE QUI SE PASSE ?

Très courants en milieu de garde, les oxyures sont des vers intestinaux blancs, minces comme un fil, ne dépassant pas plus d'un centimètre. La nuit, ils sortent du rectum (fin du gros intestin) et viennent pondre leurs œufs autour de l'anus, ce qui peut entraîner beaucoup d'inconfort, des démangeaisons et même des perturbations du sommeil. Si vous regardez les fesses de Victoria, vous observerez possiblement des rougeurs et des irritations au pourtour de l'anus, mais aussi à l'entrée du vagin. On peut cependant être «porteur» d'oxyures sans avoir de symptômes.

Comment les attrape-t-on ?

L'enfant, incommodé par le prurit, se gratte et de petits œufs se retrouvent sur ses mains et sous ses ongles. Vous imaginez sans trop de difficulté la suite des choses : les mains contaminées touchent malheureusement cette poupée de la garderie que Victoria affectionne et embrasse avec conviction. Bingo !

Est-ce qu'on peut les voir?

Vous avez envie de leur tendre un piège? Au coucher de Victoria, collez un petit morceau de papier collant vis-à-vis l'anus de votre princesse. Les oxyures y resteront peut-être collés lors de leur sortie nocturne (ce n'est pas une blague!). Vous pouvez aussi parfois les identifier dans les selles de l'enfant.

À FAIRE

Facile, facile, je vous le promets. Médication en vente libre, une dose par la bouche et une autre deux semaines plus tard. TOUTE la famille devrait être traitée.

PRÉVENONS !

> On lave les mains… On ne le répétera jamais assez.

> On coupe les ongles… et on ne les ronge pas.

> On lave les draps à l'eau chaude… Et on ne les secoue pas, car cela aurait pour effet de «semer» les œufs un peu partout. Je voulais vous éviter cette information, mais ils ont la capacité de vivre jusqu'à 14 jours en dehors du corps humain; j'en suis aussi désolée que vous.

VISITES CHEZ LE MÉDECIN

Bon… Aujourd'hui, c'est ma visite annuelle chez la docteure. J'ai un peu peur en entrant dans la salle d'attente, car ma mère m'a parlé d'un possible vaccin. Et puis moi, j'ai une phobie des piqûres.

Je n'ai même pas le temps de m'asseoir sur une chaise qu'on appelle mon nom. Oh non! C'est déjà moi? Mais je me calme en sachant qu'on va seulement me mesurer et me peser. Je reviens et je peux respirer un peu avant qu'on me dirige finalement vers le bureau de la docteure.

C'est avec un sourire radieux qu'elle m'accueille chaleureusement. Au moins, ça met un peu de joie dans ma dure journée. Ça ne me dérange pas trop qu'elle me pose des questions sur ma santé, et c'est un peu rigolo parfois, parce que maman et moi on ne raconte pas les choses de la même manière! Ma docteure écoute mon cœur et mes poumons, et je suis incapable d'arrêter de rire lorsqu'elle examine mon ventre. Elle me fait ensuite endurer le moment du bâton de bois qui goûte mauvais dans ma bouche, les doigts qui picotent avec la prise de tension artérielle et, quand je suis un peu malade, le supplice de prendre ma température dans les fesses.

Une fois que je pense avoir surmonté toutes ces épreuves, je me souviens d'une chose: le vaccin. Je m'attends à voir la médecin arriver avec une immense seringue. Au secours! Mais elle me dit simplement que le rendez-vous est terminé et que ce sera pour l'année prochaine.

Ouf! J'ai eu de la chance cette fois-ci. Je l'aime bien finalement, ma docteure!

Alixe (ma fille)

Les visites dites de routine pour Victoria sont prévues à 3 semaines, deux mois, quatre mois, six mois, neuf mois, 12 mois, 15 mois, 18 mois, deux ans et ensuite aux années. Bien sûr, des rendez-vous s'ajouteront selon l'évolution de la santé de votre puce et les conditions à surveiller.

Voici quelques conseils pour vos prochaines visites chez le médecin avec Victoria.

> Il n'y a aucune question ridicule ; c'est, à l'inverse, ridicule de ne pas la poser.

> N'hésitez pas à dresser une liste. Trop souvent, sur le chemin du retour, on se souvient du petit quelque chose qui nous a échappé mais qui continue de nous chicoter.

> Apportez le carnet de santé de Victoria pour le garder à jour.

> Pour mieux situer votre médecin, indiquez sur un calendrier la fréquence, l'intensité et les événements qui entourent les comportements qui vous tracassent.

> Si d'autres personnes (grand-parent, gardien, professeur, entraîneur...) dans l'entourage de Victoria sont concernées par le problème discuté, parlez de leurs commentaires à votre médecin.

> Demandez qu'on vous écrive clairement le plan de traitement discuté ; c'est beaucoup plus aisé d'y revenir que d'essayer de le mémoriser alors que le disque dur de votre tête est déjà plein.

> Si une nouvelle médication est tentée, faites une liste des effets que vous observez.

> Victoria vient de prendre coup sur coup toute une série d'antibiotiques ou d'autres médications ? Vous pouvez demander à votre pharmacien de vous donner une liste de ce qui a été prescrit.

> Dans l'optique où Victoria a passé des examens ailleurs que chez votre médecin habituel, tentez d'obtenir les résultats ou demandez qu'ils soient envoyés à votre médecin pour que ce dernier puisse en discuter avec vous lors de votre prochaine visite.

> Faites-vous expliquer les mots difficiles, les termes médicaux : c'est notre boulot, pas le vôtre.

> Si vous venez avec un adolescent, laissez-le seul avec le médecin au moment de l'examen physique : premièrement, il n'a plus nécessairement envie de se déshabiller devant vous (et oui, c'est comme ça !) et deuxièmement, ça lui donnera la possibilité de poser des questions plus personnelles. (Rappel : au Québec, un adolescent de 14 ans et plus peut visiter un médecin et prendre **certaines** décisions concernant sa santé sans le consentement de ses parents.)

> Ne soyez jamais gêné de partager quelque chose de plus intime avec le médecin : non seulement ça peut avoir un lien avec le motif de la consultation, mais ça lui permet aussi de mieux vous aider. N'oubliez jamais que tout est confidentiel.

. . . .

VITAMINES

Oui, c'est tentant. Il en existe des étalages complets, où les formes, les couleurs, les goûts, les consistances et les effigies des personnages préférés de Victoria entrent en compétition. Et ce serait magique de pouvoir lui donner un «petit bonbon rose princesse» chaque matin au lieu de continuellement se battre pour qu'elle avale deux bouchées de brocoli... sans ketchup. Mais même si la moitié desdits brocolis – dans ses bons jours – reste dans l'assiette, votre cocotte, si elle est en bonne santé, n'a pas besoin de suppléments vitaminiques. Les vitamines n'augmenteront pas son appétit, elle n'attrapera pas moins de rhumes et elle ne sera pas moins fatiguée pour ses examens de fin d'année.

En fait, les vitamines sont loin d'être des bonbons... et certains des composants des «multivitamines» (p. ex. : le fer) peuvent s'avérer toxiques s'ils sont pris en excès (c'est d'ailleurs une raison fréquente des appels au Centre antipoison du Québec)! Alors, faites attention.

Il y a des exceptions cependant. Certains enfants peuvent avoir besoin de suppléments, parce qu'ils assimilent mal les aliments (p. ex. : ceux qui souffrent de fibrose kystique ou de maladie cœliaque), qu'ils doivent éviter certains aliments (p. ex. : ceux qui sont allergiques au lait) ou que leur diète est déficiente en certaines vitamines (p. ex. : les diètes végétarienne ou végétalienne). Des suppléments particuliers sont alors prescrits.

Chez tous les bébés, sans exception, une injection de **vitamine K** est recommandée à la naissance. On veut ici prévenir la maladie hémorragique du nouveau-né, une condition très rare, mais pouvant occasionner de graves saignements. Et puisqu'il est impossible de prédire si Victoria présente ou non des risques, on ne se pose pas la question, on la protège.

L'autre exception, c'est la **vitamine D**. Le rôle principal de cette vitamine est de favoriser l'absorption du calcium par l'intestin. Elle joue donc un rôle important dans la formation et le maintien de la masse osseuse et de la santé dentaire de Victoria. Ces apports en vitamine D lui viennent de son alimentation: du lait maternisé, du lait de vache enrichi, des boissons à base de soya ou de riz enrichies et de certains autres aliments comme le saumon, le thon rouge et la truite. Mais la source la plus efficace, c'est le soleil! Notre peau produit jusqu'à 10 000 UI de vitamine D en étant exposée 20 minutes aux rayons du soleil, alors que les doses actuelles recommandées sont de 400 UI par jour. Vous me suivez bien: avec les risques qu'on lui connaît maintenant, on fuit le soleil comme la peste. Et bien entendu, il n'est pas question d'exposer nos tout-petits aux rayons UV. De plus, le fœtus, puis le bébé, grandit à la vitesse grand V durant la fin de la grossesse et la première année de sa vie et peut épuiser les réserves de maman. Conclusion: pas de soleil + diminution des stocks de maman = pas le choix: bébé Victoria qui boit au sein doit prendre un supplément. Y a-t-il des risques à ne pas donner de supplément? Oui, celui de développer une maladie osseuse, le **rachitisme**, dont les manifestations sont, entre autres, un retard de croissance, des déformations osseuses

(des os anormalement «mous»), une fragilité des os causant des fractures inhabituelles...

La Société canadienne de pédiatrie recommande un supplément de vitamine D de 400 UI pour tous les bébés allaités. Vous pouvez facilement acheter en pharmacie des suppléments sous forme de gouttes pour bébé Victoria... Et peut-être du même coup pour maman.

Vomissements

Voir aussi Diarrhée et gastroentérite

Victoria vomit, peu importe le moment, la cause, le lieu et ce que vous tentez de faire pour l'éviter. Elle s'énerve, elle vomit… Elle fait de la fièvre, elle vomit… Elle n'aime pas votre délicieuse purée d'épinards, elle vomit… Elle vous fait une crise au moment du dodo, elle vomit… Vous êtes devenu le roi du sac en plastique et des serviettes humides jetables à portée de main. Mais quand est-ce que vomissement rime avec problème plus sérieux ?

Qu'est-ce qui se passe ?

Les enfants peuvent vomir subitement ou à plus long terme pour un paquet de raisons, certaines plus inquiétantes que d'autres :

> infections : gastroentérite, otite, pharyngite, coqueluche ;

> allergie : lait, œufs ;

> migraines ;

> médicaments ;

> coup de chaleur ;

> empoisonnement alimentaire ;

> mal des transports ;

> nervosité ;

> «syndrome du biberon qui doit être bu jusqu'à la dernière goutte» et du «une dernière bouchée pour maman» ;

> parfois aucune raison identifiable.

La fameuse gastro reste la cause numéro un des vomissements. Vous pourrez aider Victoria en suivant les conseils discutés dans la section «Diarrhée et gastroentérite» (*voir p. 98*).

Consultez

Si Victoria :

> est abattue, triste et manque d'énergie ;

> a perdu l'appétit ;

> est somnolente ou inconsolable ;

> perd du poids ;

> a des vomissements excessifs ;

> vomit du sang, de la bile ou quelque chose de semblable à du café ;

> se plaint de gros maux de tête.

> a très mal au ventre ;

> paraît déshydratée et vous n'arrivez pas à la réhydrater adéquatement ;

> a de la fièvre ou d'autres signes pointant vers une infection ;

> vomit après avoir eu un coup à la tête.

• •

Voyage

Dans ma petite valise, j'amène... mon pédiatre ? Ah, si je pouvais prescrire ça... Faute de pouvoir le faire, voici une liste des petites choses pratiques à apporter avec vous ou à prévoir avant le départ.

> Faites vérifier si les vaccins de Victoria sont en règle pour votre destina-tion. Les cliniques de santé voyage restent continuellement à jour dans leurs recommandations.

> Informez-vous s'il y a lieu de vous protéger contre la malaria.

> Si Victoria a tendance à faire des otites à répétition, ça n'est pas une mauvaise idée de faire examiner ses oreilles avant de partir.

> Si Victoria a besoin d'une médication régulière pour de l'asthme, des allergies, le diabète ou toute autre condition, faites-le «plein» avant votre départ.

> Allergies alimentaires ? Avisez la compagnie aérienne et ayez la seringue

d'adrénaline avec vous à bord.
Demandez à votre médecin de vous
écrire une lettre certifiant que votre
puce a effectivement besoin que
cette médication soit disponible en
tout temps, car les aiguilles sont
plutôt malvenues en avion.

> Vous voyagez avec un très jeune
  bébé? Vérifiez les règles imposées
  par votre compagnie aérienne.

> Selon votre destination, demandez-
  vous si vous avez besoin de prendre
  le siège auto avec vous.

> Si vous voyagez en avion et vous
  devez passer la sécurité avec
  votre tribu, facilitez-vous la tâche
  et laissez faire les mignons petits
  souliers lacés que vous allez devoir
  retirer. Optez pour le confort et
  le pratique.

- On occupe la puce qui risque de vous sortir le célèbre «quand est-ce qu'on arrive»: prévoyez environ une activité surprise par heure, et ne dévoilez pas vos secrets d'avance (les boutiques à 1$ regorgent d'idées).

- Trousse médicament? La base: acétaminophène, ibuprofène, onguent antibiotique, antihistaminique (p. ex.: Benadryl), sachets pour reconstituer une solution de réhydratation (suivez les indications à la lettre), pansements, désinfectant pour les mains... Le reste dépend beaucoup de votre destination. N'hésitez pas à demander conseil à votre médecin ou à une clinique de santé voyage.

- Apportez une moustiquaire, un insectifuge et de la crème solaire.

Bon voyage!

....

Vulvites, vaginites et pertes vaginales

Au retour d'une journée de maternelle bien chargée, Victoria se prépare à aller au bain. En s'installant pour faire son pipi, son petit visage se crispe: «Ça brûle, mon pipiiiiiiii...»

Vous pensez immédiatement à une infection urinaire, mais vous jetez un œil et vous constatez que la peau au pourtour de son vagin est d'un rouge Ferrari: «Mon amour, peux-tu aller à la pharmacie, je crois que la petite fait une infection à champignons...» Vous allez trouver que les «champignons fautifs» ont, dans mon livre à moi, une allure de bulles de bain à la fraise et à la noix de coco!

Quels sont les signes?

- Pertes vaginales.
- Sensation de brûlure, particulièrement au moment d'uriner.
- Démangeaisons.

Selon l'âge de Victoria, les causes peuvent grandement varier.

À FAIRE

Avant la puberté

Les «petites fesses» rouges, très fréquentes, ne sont que rarement infectées, que ce soit par un champignon ou autre, mais dans la plupart des cas, elles sont plutôt **irritées**.

Les muqueuses des organes génitaux de Victoria demeurent particulièrement fragiles avant que les hormones féminines ne les «renforcent» au moment de la puberté.

Elles sont donc très vulnérables aux perturbateurs irritants comme:

> les bulles pour le bain, peu importe l'odeur;

> les savons et crèmes parfumés;

> les assouplisseurs à linge, surtout les feuilles à ajouter dans la sécheuse;

> de l'urine mal essuyée;

> les résidus de selles, d'où l'importance de montrer à Victoria comment s'essuyer vers l'arrière après avoir fait un gros besoin;

> certains tissus synthétiques;

> une infection concomitante à oxyures (vers), occasionnant des démangeaisons et donc beaucoup de grattage;

> de petits objets insérés au niveau du vagin, dans une optique, disons, de découverte.

Évidemment, cette irritation donne le feu vert aux bactéries normalement retrouvées sur la peau pour se multiplier et aggraver quelque peu le problème.

En règle générale, après à peine deux ou trois jours de bains avec un savon doux non parfumé, de rinçage à l'eau claire et d'application d'onguent antibiotique en vente libre, Victoria pourra faire pipi sans grimacer.

Dès le début de la puberté et durant l'adolescence

Les causes possibles s'étendent dans cette tranche d'âge, non seulement parce que le corps de Victoria est sous l'influence de changements hormonaux, mais aussi parce qu'au cours de l'adolescence, les premières relations sexuelles entrent en ligne de compte.

On ne met pas de côté les conseils pour petite Victoria, et on en ajoute quelques-uns :

> toujours pas de savons parfumés, de bulles, etc. ;

> on évite les tampons laissés en place trop longtemps, les tampons trop absorbants s'ils ne sont pas nécessaires ou les tampons ou serviettes parfumés ;

> on décourage Victoria d'utiliser les douches vaginales.

BON À SAVOIR

> **La vaginite à champignons** : plus précisément, la vaginite à candida provoque de l'irritation, des démangeaisons, un écoulement blanchâtre et une sensation de brûlure à la miction. Ce n'est pas rare qu'elle apparaisse après un traitement aux antibiotiques ou lorsque la jeune fille prend des contraceptifs oraux. On utilise alors une préparation d'antifongique (p. ex. : Canesten) pendant quelques jours. Posez la question à votre pharmacien, le traitement est vendu sans ordonnance.

> **Les vaginites bactériennes** : elles ont la particularité d'engendrer un écoulement de sécrétions blanchâtres à l'odeur désagréable de poisson. Elles doivent être traitées au moyen d'antibiotiques prescrits par votre médecin.

Les infections vaginales se développent secondairement à la prolifération de germes qui colonisent déjà normalement l'intérieur du vagin. On ne les considère pas comme des infections transmises sexuellement.

La vaginite à trichomonas (parasite), l'infection à herpès, la gonorrhée et la chlamydia : il s'agit d'infections transmises sexuellement. Certaines de ces infections peuvent parfois être totalement silencieuses, sans pour autant être inoffensives. Dans un monde idéal, on tente de garder un dialogue ouvert avec notre Victoria adolescente : on lui parle de prévention (condom) dans le climat le plus détendu et le moins moralisateur possible. Vous êtes déjà passé par là…

COMME

Xavier

ET

Yannick

X... Rayons X

Xavier a fait une culbute de trop et son bras est resté coincé entre le sofa et la jambe droite de son grand frère. Ça a fait crac... Et ce n'est malheureusement pas la première fois que ça fait crac. Vous vous y attendiez : le médecin de la clinique recommande une radiographie de son bras. Une autre. Ce n'est pas dangereux à la longue ?

Les doses de radiations que Xavier reçoit pour une radiographie de son bras, de ses poumons ou même de son crâne sont minimes et la valeur des renseignements obtenus par ces examens surpasse de loin les risques courus. Une radiographie des poumons, par exemple, équivaut à environ deux jours de radiations naturelles auxquelles Xavier est exposé par son environnement. Si cela est justifié, n'hésitez donc pas. Par ailleurs, la tomodensitométrie (*Ct scan*) , qui expose à de plus fortes doses de rayons X, reste tout aussi sécuritaire s'il n'est pas utilisé de façon répétitive.

Certaines imageries médicales n'utilisent aucune radiation, par exemple l'échographie et la résonance magnétique.

Yeux qui louchent (strabisme)

Yannick a neuf mois et ça doit bientôt en faire six que vous vous promettez de faire le tri des centaines de photos que vous avez prises de lui depuis qu'il a pointé son joli nez dans ce grand monde. Alors que vous tentez désespérément de vous souvenir de la chronologie des portraits de votre chéri parfait, vous remarquez que, sur plusieurs des clichés, il ne semble pas avoir les deux yeux parfaitement alignés.

QU'EST-CE QUI SE PASSE ?

Eh oui, Yannick louche. Autrement dit, il souffre de **strabisme** : un œil fixe son ourson ou votre appareil photo, et l'autre regarde dans une autre direction. Parfois très évident, le strabisme est la plupart du temps assez discret pour que seul votre album de photos réussisse à éveiller vos soupçons.

Le strabisme peut être :

> constant ou intermittent ;

et

> vers l'intérieur (ésotropie) ;
> vers l'extérieur (exotropie) ;
> vers le haut (hypertropie) ;
> vers le bas (hypotropie).

Jusqu'à six mois, il est normal que Yannick présente un strabisme intermittent, car le système moteur responsable de la coordination des mouvements de ses deux yeux n'est pas pleinement développé.

Après six mois, si l'alignement de ses deux yeux semble faire fausse route, il faut consulter sans tarder.

Lorsque les yeux ne regardent pas dans la même direction, les deux images perçues par le cerveau peuvent être différentes au point de devenir impossibles à unifier. Le cerveau finira par éliminer l'image provenant de l'œil dévié, c'est-à-dire celui qui ne fixe pas l'image adéquatement. Le risque pour Yannick

Bon à savoir

Le strabisme peut avoir plusieurs causes :

> une origine héréditaire ;

> un trouble de la vision, par exemple l'hypermétropie ;

> une infection virale ;

> un traumatisme ;

> une paralysie des muscles de l'œil ;

> une maladie qui atteint les nerfs du cerveau.

Il peut par ailleurs s'agir tout simplement d'un «faux strabisme», ou **pseudostrabisme** : Yannick donne l'impression de loucher, mais en réalité c'est la largeur de la base de son nez (donc la portion située entre ses deux yeux) qui crée cet effet… Et ne sous-entendez pas que je suis ici en train de critiquer son adorable nez !

Avec l'histoire et l'évolution du strabisme de Yannick ainsi qu'avec son examen physique, votre médecin aura en main les indices qui lui permettront de poursuivre son investigation. Bien souvent, l'avis d'un ophtalmologiste sera nécessaire.

est que l'œil qui louche devienne donc de plus en plus «paresseux» et que, si on tarde à corriger le problème, la vision de cet œil soit définitivement affectée. On parlera alors d'**amblyopie**. De plus, une vision coordonnée des deux yeux est essentielle à la vision en trois dimensions.

Quels sont les signes ?

La plupart du temps, ce sont les parents qui rapportent que Yannick présente ce mauvais alignement du regard.

Vous pourriez aussi avoir remarqué que :

> le problème est continuellement présent ou seulement lorsque votre coco est fatigué ;

> le strabisme ne survient que lorsque Yannick regarde quelque chose attentivement et de près ;

> Yannick tient toujours sa tête penchée du même côté lorsqu'il observe quelque chose.

CONSULTEZ

Peu importe l'âge de votre chéri, mentionnez lors de sa visite de routine chez son médecin le fait que vous remarquez qu'il semble loucher ou qu'il présente un ou plusieurs des autres signes qui viennent d'être énumérés. Cependant, retenez qu'il est important d'informer rapidement le médecin de vos préoccupations si Yannick a plus de six mois, car dans ce cas, le succès du traitement dépendra en grande partie de la rapidité de l'intervention.

-CONSULTEZ EN URGENCE

Si le strabisme de Yannick :

> apparaît de façon soudaine ;

> survient suite à un traumatisme à la tête ou à l'œil ;

> est accompagné de fièvre, d'un état léthargique ou d'irritabilité ;

> est accompagné de maux de tête, de nausées ou de vomissements.

À quoi s'attendre ?

Bien sûr, l'évolution et le traitement du strabisme de Yannick dépendent de la cause sous-jacente. Dans certains cas, il s'agira du port de verres correcteurs, dans d'autres de l'occlusion du « bon œil » (à la manière d'un œil de pirate) afin de faire travailler l'œil « paresseux ».

Parfois, ces mesures ne sont pas suffisantes pour rétablir l'alignement des yeux. La possibilité d'une chirurgie sera alors envisagée. En augmentant d'une part et en relâchant d'autre part la tension sur certains muscles de l'œil, on cherchera à en rectifier l'alignement.

Les objectifs du traitement du strabisme restent d'éviter l'amblyopie et de permettre à Yannick d'avoir une vision normale.

Z

COMME ZOÉ

ZÉZAIEMENT ET ZOZOTEMENT

(sigmatisme)

Zoé parle zur le bout de za langue... Za va durer longtemps ?

Honnêtement, je trouve ça plutôt mignon. Mais c'est vrai qu'à partir d'un certain âge, on préfère que ça devienne chose du passé. Pour elle surtout, parce que les moqueries et le fait que sa nouvelle amie de la grande école la fait répéter tous les trois mots peuvent devenir embêtants.

Le vrai terme désignant ce problème de langage est **sigmatisme**. Tout est une affaire de position de la langue par rapport aux petites dents d'en avant (incisives) quand Zoé prononce les sons *s* et *z* et possiblement *ch* et *j*. Et je m'arrête là. Je ne suis certainement pas experte en ce domaine. Je ne vous suggère pas de passer des heures à observer comment votre chérie fait culbuter sa langue dans sa petite bouche pour comprendre ce qui se passe. Je conseille plutôt fortement aux parents d'être un peu patients, mais de **consulter en orthophonie** quand Zoé entre en maternelle si ça ne semble pas vouloir disparaître. Que pouvez-vous faire en attendant ? Continuez à bien prononcer les mots, ça ne fera qu'aider Zoé à faire de même par imitation. Évitez de la reprendre et invitez vos proches à faire de même, car la corriger tout le temps est une recette gagnante de frustration et de perte d'estime pour elle.

ZONA

Mamie ne se sentait pas bien depuis quelques jours. Elle ressentait des brûlures dans son dos et du côté gauche de la poitrine... Surprise ! Depuis ce matin, plusieurs petites bulles sont apparues à ces endroits... Et ce n'a pas l'air agréable du tout à en juger par les grimaces qu'elle fait dès le moindre mouvement. C'est un zona, son médecin le lui a confirmé. Zoé vient de passer tout le week-end avec elle... Va-t-elle l'attraper ?

Qu'est-ce qui se passe ?

Le zona est en fait un petit souvenir de la varicelle que mamie a eue petite. Il est causé par le même virus, qui porte le joli nom de **virus varicelle-zona**, et qui est de la famille de l'herpès. À la suite de la varicelle, le virus s'est caché et endormi dans une racine nerveuse de la moelle épinière de Mamie. Pour une raison *x*, il a décidé de sortir de sa cachette et refait surface, par la voie des nerfs, uniquement dans la zone desservie par le ganglion nerveux qu'il habitait. Parfois, c'est quand le système immunitaire est plus «fatigué» que le zona apparaît.

Le zona ne peut survenir que chez quelqu'un qui a déjà eu la varicelle. Les enfants sont généralement moins affectés que les adultes. Les vésicules de mamie peuvent transmettre la varicelle à Zoé si cette dernière ne l'a jamais eue et si elle n'est pas vaccinée. La fin de la contagion est signée par le fait que toutes les lésions sont croûtées.

Quels sont les signes ?

Le zona est un peu cachottier, à l'image du virus qui le cause.

> On aura d'abord l'apparition de picotements, de démangeaisons puis de douleurs et de sensations de brûlure sans aucune lésion apparente dans une région du corps.

> Parfois, il y aura une légère fièvre et l'impression d'avoir «mal partout».

> Puis de minuscules bulles (vésicules) en grappes feront irruption dans la zone affectée.

> Finalement, les vésicules s'assécheront, croûteront et guériront au bout d'une dizaine de jours.

CONSULTEZ

Zoé a eu la varicelle et développe des lésions qui ressemblent à un zona? Ce n'est pas évident à faire comme diagnostic dans votre salon. N'hésitez pas à montrer ces petits bobos à votre médecin…

CONSULTEZ EN URGENCE

> Si Zoé est connue pour un déficit immunitaire ou si elle reçoit des médicaments immunosuppresseurs.

> Si Zoé développe un zona qui touche un de ses yeux.

À FAIRE

On peut utiliser de l'acétaminophène ou de l'ibuprofène pour diminuer les douleurs de Zoé… et de mamie! Dans certains cas, une médication antivirale sera proposée.

INDEX

A

B